TRUDEAU,
LE PARADOXE

- Maquette de la couverture:
  JACQUES DES ROSIERS & ASSOCIÉS
- Maquette et mise en pages: DONALD MORENCY
- Photo de la couverture: ANTOINE DESILETS

DISTRIBUTEUR EXCLUSIF:

- Pour le Canada
  AGENCE DE DISTRIBUTION POPULAIRE INC.,
  955, rue Amherst, Montréal 132, (514/523-1182)

- Pour l'Europe (Belgique, France, Portugal, Suisse, Yougoslavie
  et pays d'Est)
  VANDER
  Muntstraat 10, 3000 Louvain, Belgique; tel.: 016/204.21 (3L)

- Pour tout autre pays
  DEPARTEMENT INTERNATIONAL HACHETTE
  79, boul. Saint-Germain, Paris 6e, France; tél.: 325.22.11

 2

LES ÉDITIONS DE L'HOMME LTÉE

Paradox: Trudeau as Prime Minister
Original English language edition published by
Prentice-Hall of Canada, Ltd., Scarborough, Ontario.
Copyright © 1972 by Prentice-Hall of Canada, Ltd.

Bibliothèque Nationale du Québec
Dépôt légal — 3e trimestre 1972

ISBN-0-7759-0342-6

Anthony Westell

TRUDEAU, LE PARADOXE

Traduit de l'anglais par
CLAUDE SAINT-LAURENT

LES ÉDITIONS DE L'HOMME

CANADA: 955, rue Amherst, Montréal 132
EUROPE: 321, avenue des Volontaires, Bruxelles, Belgique

Sommaire

Préface

Le 19 mai 1972, à l'heure du dîner, une foule de chroniqueurs politiques se pressaient près de la porte du bureau du Premier ministre sur la colline parlementaire. Le mot s'était répandu qu'il allait annoncer sa décision quant à la possibilité de tenir des élections générales durant l'été et les journalistes étaient excités et nerveux comme ils le sont toujours avant l'annonce d'une nouvelle. Les cameramen de la télévision jouaient du coude pour que la vue de la porte ne soit pas obstruée. Les reporters de la radio faisaient la mise au point de leurs enregistreuses et se faufilaient devant la foule, prêts à tendre leurs microphones vers le Premier ministre pour attraper tous ses mots. Deux photographes de presse s'étaient accrochés de façon précaire à une saillie dans l'espoir de bénéficier d'un meilleur angle pour leurs photographies mais un garde de sécurité leur ordonna de descendre pour leur propre protection.

Au fur et à mesure que les minutes s'écoulaient, la tension monta et les journalistes commencèrent à taper des mains à un rythme lent pour rappeler au Premier ministre qu'ils attendaient. De fait, il ne pouvait les entendre parce qu'il se trouvait, à ce moment, dans la salle du cabinet discutant de sa décision avec des ministres et quelques députés d'arrière-banc. Mais il arriva bientôt à la hâte entouré d'adjoints mais on chuchotait déjà la nouvelle et ce fut un anti-climax lorsqu'il sortit de son bureau et déclara joyeusement au milieu de la foule: « J'annonce que les Canadiens peuvent se préparer à un été prospère, ensoleillé et sans élection. »

C'était le signal que j'attendais pour écrire ce livre. Je le planifiais depuis plusieurs mois dans mon esprit, rassemblant de l'information mais un événement politique majeur se profilait toujours à l'horizon ce qui rendait la période inappropriée. Avec la disparition de la menace d'une élection hâtive, je pouvais commencer à écrire. Et maintenant, sept semaines plus tard, j'ai terminé. Ceci ne constitue pas une excuse pour les faiblesses que pourrait remarquer le lecteur. Il s'agit simplement d'indiquer que ce livre n'est pas de l'histoire, mais du journalisme, écrit au milieu des événements et précipité par le temps qui court toujours avec la date de tombée. J'espère que son à-propos et sa pertinence réussiront à compenser les lacunes au niveau de la couverture globale du sujet et de la perspective.

Un journaliste est toujours à la recherche de ce que les autres pensent, glanant des faits et supputant des idées. Comme j'ai œuvré dans le métier de reporter depuis 30 ans dont 20 à titre de chroniqueur politique, je ne peux commencer à me rappeler le nom de tous les gens qui ont contribué à mon bagage de connaissances et qui m'ont influencé. Mais en voici quelques-uns à qui je me dois d'être reconnaissant.

L'Ecole des affaires internationales de l'université de Carleton m'a permis de recourir aux services de Sheldon Gordon, un étudiant à la maîtrise ès Arts qui m'a servi d'adjoint à la recherche. Sheldon ne m'a pas uniquement transmis de l'information mais également des opinions vivantes: j'en ai accepté quelques-unes tandis que j'étais en désaccord avec d'autres, mais je suis le seul responsable de la matière et des jugements formulés dans le chapitre sur la politique étrangère.

Durant trois ans, je me suis plu à tenir des seminars sur les affaires publiques pour les étudiants diplômés qui suivaient des cours de journalisme à Carleton. L'expérience n'en fut pas seulement une d'enseignement mais aussi d'étude et je suis reconnaissant aux étudiants qui, en leur compagnie, m'ont permis de préciser mes idées.

Le **Toronto Star** m'a donné le temps d'écrire le livre et la permission de me servir d'une partie du matériel de la chronique politique que j'écris pour le journal depuis 1969. Mes collègues du bureau d'Ottawa m'ont fourni de l'information et apporté de l'encouragement et le chef du bureau, Jack Cahill, a sauvé mon moral en plusieurs occasions, au cours de ces sept semaines frénétiques, en retirant littéralement mes doigts de la machine à écrire pour m'inviter à faire de la voile.

Mon ami Clyde Sanger a lu plusieurs chapitres au brouillon et m'a fait des commentaires extrêmement utiles. Le libraire du Parlement, M. E.J. Spicer, et son personnel, m'ont fourni un appui sans faille. Le bureau du Premier ministre et d'autres ministères m'ont permis de consulter toute la documentation que j'ai demandée.

Parmi les nombreux livres dont je me suis servi comme

sources, certains ont une valeur particulière. Sur les questions constitutionnelles, il y a **Federal-Provincial Diplomacy, The Making of Recent Policy in Canada,** par Richard Simeon (University of Toronto Press). Sur la crise d'octobre, **Quebec 70, a Documentary Narrative,** par John Saywell; **The October Crisis,** par Gérard Pelletier (McClelland and Stewart Limited); **Terror in Quebec, Case studies of the FLQ,** par Gustave Morf (Clarke, Irwin and Company Limited); et **Rumours of War,** par Ron Haggart et Aubrey E. Golden (New Press, Toronto). Sur la politique extérieure, j'ai notamment utilisé **Canada's Search for New Roles,** par Peter C. Dobell (Oxford University Press for the Royal Institute of International Affairs); et **Trudeau and Foreign Policy**, (une étude de la prise des décisions), par Bruce Thordarson (Oxford University Press).

Un mot encore. Lorsque je dis que ce livre est du journalisme, je ne veux pas dire que c'est une narration de faits objectifs. Il n'est pas humain d'être objectif, sans biais. Nous sommes tous conditionnés par notre héritage, notre éducation et notre expérience. Même le reportage le plus simple et le plus direct représente un jugement subjectif des faits qui seront utilisés et de l'ordre dans lequel ils seront présentés.

Dans ce livre j'ai choisi parmi les faits qui m'étaient disponibles, ceux que j'ai crus significatifs et intéressants et je les ai présentés dans un ordre que je crois le plus révélateur. Donc même si j'ai puisé à plusieurs sources, dont celles que j'ai énumérées plus haut, la responsabilité du livre est la mienne.

10

La désunion
nationale

Dans la grande salle de la Confédération, sur la colline parlementaire, pièce redécorée de lustres de seconde main et de peinture dorée pour lui donner un aspect fastueux, presque irréel, comme un plateau de cinéma, le Premier ministre Lester Pearson convoqua la première réunion de la conférence constitutionnelle et entreprit de lire un texte: « Il y a des périodes dans la vie d'un pays où l'assurance des bonnes intentions, la réalisation des travaux ordinaires et l'acceptation des responsabilités de routine ne sont pas suffisantes. Ces périodes exigent un courage et un esprit de décision qui vont beaucoup plus loin que les besoins du moment. Je crois qu'une telle période est maintenant venue au Canada. »

Ces mots n'étaient pas de la simple rhétorique fignolée par une écrivailleur de discours, dans un style à l'eau de rose approprié à une occasion historique. Ils furent prononcés un lundi matin, en février 1968, par un homme d'Etat réaliste et inquiet qui combattait depuis cinq ans pour sauvegarder l'unité canadienne.

Malgré son gouvernement minoritaire souvent confronté avec la défaite et ses conseillers canadiens-français détruits par le scandale, Pearson avait tenté, en premier lieu, de prendre le pouls de la Révolution tranquille au Québec tout en voulant la réconcilier avec un Canada anglais qui ne faisait que découvrir les problèmes de la crise confédérative.

Les circonstances ne lui avaient pas permis d'élaborer une grande stratégie dépassant la simple survie de la fédération, et ses tactiques qui avaient fortement étonné les Canadiens lui avaient valu plus de hargne que d'admiration. Un débat constitutionnel bruyant, confus et souvent agressif venait de prendre souche de nouveau. Il était mal compris de la plupart des Canadiens et inquiétait même Pearson qui n'avait finalement admis qu'avec beaucoup de réticence que les coordonnées de la confédération devraient être renégociées.

Mais il savait maintenant que les problèmes de base ne pourraient être évités et il entreprit son discours d'ouverture ainsi: « C'est ici que les routes se séparent. Si nous avons la ténacité et la sagesse de choisir la bonne voie et de la suivre avec vigueur, je ne vois pas beaucoup d'obstacles qui puissent nous nuire en tant que peuple. Si toutefois nous n'avons pas le courage de choisir ou si nous faisons un mauvais choix, nous abandonnerons nos enfants et nos petits-enfants dans un pays brisé et nous aurons été les ratés de la Confédération. »

Rassemblés autour de la table verte en fer à cheval de la salle de la Confédération, sous les yeux fascinés du public, les porte-parole de 11 gouvernements, 10 provinces, deux langues et cultures et un éventail d'opinions

12

politiques savaient que s'ils ne s'entendaient pas sur une formule pour sauver la Confédération ils auraient à combattre pour la reformuler selon leur propre désir.

Au premier plan, Daniel Johnson, le Premier ministre du Québec, un homme vif qui pouvait passer, au milieu d'une phrase, d'un français rageur à un charme irlandais. Il avait écrit un livre qui s'intitulait « Egalité ou indépendance », dans lequel il disait que si la nation canadienne-française ne réussissait pas à obtenir, dans sa patrie, les pouvoirs politiques nécessaires pour développer sa langue, sa culture et ses particularités, elle devrait se séparer du reste du Canada.

Dans plusieurs discours et certaines déclarations, il avait affirmé que son Gouvernement avait besoin, au minimum, du contrôle du développement économique régional et des politiques sociales, dans un nouveau pacte confédératif radicalement modifié.

Lorsqu'il remit en branle le comité constitutionnel de l'Assemblée nationale, il indiqua que son but premier était de créer « une nouvelle alliance entre les deux nations ».

Johnson n'était pas seul à soutenir que le Québec, en tant que territoire d'une nation, avait besoin de plus d'autonomie que les autres provinces, de plus d'indépendance vis-à-vis de l'autorité fédérale, bref d'un statut spécial ou particulier à l'intérieur du Canada.

Cette doctrine était devenue assez traditionnelle du côté de Québec, en 1967, et les Anglo-Canadiens l'acceptaient dans une certaine mesure, tant dans la capitale politique d'Ottawa que dans la capitale des communications, Toronto.

Le Parti libéral du Québec, rejeta, à sa conférence d'octobre 1967, le séparatisme de René Lévesque, le poussant à se retirer et à former un nouveau parti, mais reçut de ses experts en Droit constitutionnel un plan de Statut particulier réclamant de nombreux pouvoirs pour le Québec.

Ce plan réclamait, entre autres, les pleins pouvoirs relativement à la politique sociale, la radio et la télévision, l'immigration et la main-d'œuvre ainsi que les relations avec les pays étrangers au niveau de questions, comme l'éducation, relevant uniquement des provinces.

Ces propositions étaient si peu différentes de celles de Lévesque appuyant une association de deux Etats à l'intérieur du Canada, qu'on les laissa de côté même si les Libéraux ne les rejetèrent pas immédiatement.

La Conférence des penseurs organisée par le Parti conservateur à l'été de 1967 se prononça également pour un concept brumeux de Deux Nations au Canada. Cette idée fut rapidement rejetée par un congrès national du parti et son nouveau chef, M. Robert Stanfield. Mais ce dernier n'hésita pas, sans doute dans la confusion du moment, à recruter comme chef conservateur au Québec M. Marcel Faribault, un conseiller en matières constitutionnelles du Premier ministre Johnson, qui défendait par surcroît la thèse des Deux Nations.

Le Nouveau parti démocratique avait prévu un statut particulier pour le Québec dans son nouveau programme. Pearson lui-même, sans jamais accepter pleinement la théorie, avait permis à la notion de statut particulier de se développer de façon pratique, en ouvrant une porte au Québec pour la constitution de son Régime des rentes et son retrait des programmes à frais partagés.

Johnson ne parlait donc pas seulement pour son Gouvernement mais pour une bonne partie des Québécois qui admettait déjà, jusqu'à un certain point, la nécessité d'un statut particulier.

Mais Johnson n'était pas seul à la table de négociations. On y voyait aussi Ernest Manning qui était à la tête de son Gouvernement créditiste depuis près de 25 ans. Les journalistes l'avaient déjà identifié comme celui qui ne voulait pas céder un pouce à la table constitutionnelle. Il était préoccupé, comme il le dit d'ailleurs plus tard, de ce que la conférence ne devienne pas un nouveau Munich — en d'autres termes, qu'elle ne fasse pas des concessions de lâches pour tenter de faire la paix avec Québec.

De l'Ouest canadien, il y avait également W.A.C. (Wacky) Bennett, avec son sourire ineffable, qui racontait des histoires farfelues à propos de quelques amis canadiens-français et d'un membre d'origine chinoise de sa délégation, pour indiquer ce que Deux Nations signifiaient dans sa province!

Il y avait aussi Ross Thatcher, de la Saskatchewan, qui avait annoncé que s'il avait déjà 100 problèmes à régler, la constitution était le 101e.

Le nouveau Premier ministre du Manitoba, Walter Weir, avait déjà franchi les petites limites de son potentiel politique et était mûr pour retourner à son travail de directeur de pompes funèbres.

Les quatre Premiers ministres des provinces atlantiques étaient prêts à céder au Québec, à condition que cela ne vienne pas en contradiction avec les programmes financiers fédéraux leur permettant de survivre.

Dans tout cela, John Robarts, le joueur de poker d'Ontario, se sentait un peu mal à l'aise, lui qui avait provoqué cette réunion. Alors qu'il était jeune avocat en Ontario, Robarts avait été en rapport avec Daniel Johnson qui était également jeune avocat au Québec, et les deux avaient refait connaissance tout en ayant plusieurs rencontres secrètes lorsque Robarts fut Premier ministre. Le Premier ministre de l'Ontario fut impressionné par les arguments de Johnson plaidant pour la tenue d'une conférence où il pourrait exposer les revendications du Québec, et par l'avertissement que des mesures devraient être prises pour enrayer le séparatisme.

Robarts était également mécontent du refus d'Ottawa de convoquer une conférence constitutionnelle au sommet en sachant fort bien que les besoins des provinces nécessitaiet un transfert direct des ressources. En tant que chef de la plus grande et de la plus riche des provinces, Robarts décida de forcer le pas et de prendre l'initiative, puisque, d'ailleurs, la population de sa province était, dans une forte minorité, canadienne-française.

Il rassembla donc les participants à la Conférence de la Confédération de Demain, en novembre 1967, à l'étage supérieur de l'édifice inachevé Toronto-Dominion Centre, d'où les Premiers ministres pouvaient voir les industries très actives, les gratte-ciel et les appartements de luxe du Toronto métropolitain, promesses de l'avenir des Canadiens à l'intérieur de la Confédération.

Pearson et les autres membres de son cabinet s'étaient opposés à une conférence constitutionnelle ouverte, parce qu'ils ne voyaient aucun terrain d'entente et qu'ils craignaient que cet échec ne porte un coup mortel à la Confédération. Mais les pressions des événements politiques, en 1967, avaient en quelque sorte forcé le Gouvernement à croire que l'affrontement était inévitable. La Conférence de Robarts démontra que la plupart des provinces anglaises, même sans enthousiasme, étaient plus favorables à une réforme constitutionnelle que le Gouvernement central ne l'avait jugé.

Mais au moment où Pearson, trois mois plus tard, dans la salle de la Confédération, livrait sa mise en garde — « Ici les routes se séparent » — , il devait songer aux 11 capitaines de la Confédération laissés à eux-mêmes pour décider de la bonne route à suivre. Johnson demandait au minimum un statut particulier pour que Québec demeure dans la Confédération. Mais s'il y avait une chose que les neuf provinces anglaises acceptaient d'emblée, c'était que l'on ne pouvait laisser au Québec des pouvoirs qui leur étaient refusés; ce qui, en tout état de cause, n'aurait pour effet que de balkaniser le Canada. Qui devait donc prendre les commandes et rétablir l'ordre au Canada?

La réponse, ou tout au moins un ultime espoir, résidait dans le ministre de la Justice, Pierre Trudeau, assis calmement auprès du Premier ministre, à la table en fer à cheval. Il était destiné, comme Pearson l'avait déjà deviné, à prendre sa succession au congrès à la direction du Parti libéral qui devait avoir lieu deux mois plus tard.

Une nation ou deux ?

En tant qu'un des artisans de la Révolution tranquille au Québec, Trudeau jouissait d'un solide crédit dans cette province. C'était un ennemi juré du séparatisme qu'il avait qualifié de nouvelle trahison des intellectuels. Il avait rigoureusement critiqué la thèse du Statut particulier en l'assimilant à une mystification des Canadiens français. Il faisait valoir avec ténacité que plus de pouvoirs pour le gouvernement du Québec équivaudrait à

17

un affaiblissement de la représentation canadienne-française à Ottawa.

Si, par exemple, la politique sociale des Canadiens français était faite à Québec et celle des Canadiens anglais à Ottawa, comment les députés fédéraux du Québec pourraient-ils intervenir ou voter à la Chambre des Communes? Il craignait d'ailleurs que, si l'on accordait certains pouvoirs particuliers au Québec, les politiciens de ce Gouvernement ne se créent un empire et ne cessent de réclamer des pouvoirs accrus jusqu'à ce qu'on en arrive à une véritable séparation.

Lorsque Pearson permit au Québec d'adopter son propre Régime des rentes en se défilant du programme d'Ottawa, Trudeau ne considéra pas qu'il s'agissait d'un progrès pour Québec, ou même d'un compromis appréciable, mais plutôt d'un développement dangereux qui risquait de conduire au Statut particulier.

Il entra en politique fédérale en 1965, chez les libéraux, avec ses amis Marchand et Pelletier, parce qu'il voulait renforcer le gouvernement fédéral, l'encourager à résister aux avances des gouvernements provinciaux et devenir une voix forte pour le fédéralisme au Québec. Dès 1966, les nouvelles figures du Québec avaient déjà, avec le ministre des Finances, Mitchell Sharp et plusieurs autres, renoncé à la politique du gouvernement Pearson.

Lors de la conférence sur les partages fiscaux, cette année-là, ils s'opposèrent à de nouvelles concessions fiscales au Québec et à d'autres provinces, mirent en valeur le droit du Fédéral au recyclage et à l'entraînement professionnel de la main-d'œuvre et prirent une attitude plus ferme que celle que le Québec avait pu observer à Ottawa depuis plusieurs années.

Ces vues et ces activités n'avaient rien pour établir des liens fraternels entre les députés du Québec et leurs rivaux des autres provinces, de même que les leaders du Québec qui bataillaient pour le Statut particulier. Johnson affirma que les députés fédéraux libéraux étaient des traîtres au Québec, et même Jean Lesage, le chef oppositionniste libéral du Québec, déclara que Trudeau avait perdu de vue la majorité de ses compatriotes en rejetant le concept des Deux Nations.

A la table en fer à cheval, Johnson tenta de discréditer les opinions de Trudeau en disant à Pearson et aux autres Premiers ministres: « Même si quelques-uns refusent encore de l'admettre, nous savons tous qu'il y a deux nations au Canada. »

Il fit valoir que le bilinguisme n'était pas suffisant pour assurer l'égalité culturelle mais que le gouvernement québécois devait être doté de pouvoirs accrus en tant que foyer national des Canadiens français.

Trudeau répliqua que le même argument pourrait être invoqué au Québec où il y avait deux nations. Il précisa que là où les Québécois réclamaient un gouvernement particulier au Canada pour les protéger, les Anglo-Québécois pourraient faire de même. Peut-être que les Canadiens irlandais et les Canadiens juifs pourraient en faire autant? Où ce processus de gouvernement par communautés s'arrêterait-il?

Le fait que cet argument clair et logique avait déjà gagné la faveur du cabinet et converti plusieurs libéraux encore obsédés par le statut particulier n'était pas la seule arme de Trudeau qui l'avait brillamment défendu devant les caméras de télévision dans cette période difficile de 1967-68.

Il avait également une formule destinée à sauvegarder la Confédération. Elle était basée sur une philosophie positive et attrayante du fédéralisme canadien qui, peut-être, saurait régler toutes ces querelles autour de la table et unir les Canadiens de l'Atlantique au Pacifique.

La solution qu'il prêchait était non pas de donner plus de pouvoir au gouvernement du Québec mais de confier ce pouvoir à tous les Canadiens français. Il ne s'agirait donc plus de protéger la langue et la culture françaises à l'intérieur du Québec mais à travers tout le Canada. Le slogan n'était plus celui des Deux Nations, mais celui d'Un Canada (et deux langues). « Tout cela revient à dire qu'il faut faire disparaître le détonateur du nationalisme québécois en s'assurant que le Québec n'est plus un ghetto et que le Canada leur appartient comme à tous les Canadiens », dit Trudeau.

Il fit d'ailleurs valoir que la culture française devrait être en mesure de concurrencer la culture anglaise si elle désirait survivre en Amérique du Nord, et il voulut adopter des programmes pour permettre aux Canadiens français de profiter des possibilités qui leur étaient offertes à l'extérieur du Québec tout en conservant leur langue.

Seul un gouvernement national pouvait mettre en pratique une telle politique, et c'est pourquoi Trudeau était entré en politiqe en 1965 et avait été élu. Mais, en plus de défendre les droits linguistiques, Trudeau combattait depuis longtemps pour une Charte des droits de l'homme afin de garantir les libertés fondamentales d'expression, de conscience, de religion, de réunion et d'association. Il luttait aussi pour les droits de liberté et de propriété, ainsi que contre toute discrimination attribuable à la race, l'origine, la couleur, la religion ou le sexe.

Tout en étant fort peu enthousiaste face à une réforme

constitutionnelle qu'il comparait à l'ouverture d'une boîte de vers, il croyait que sa Charte pourrait constituer une déclaration des valeurs humaines qui rallierait tous les Canadiens et pourrait servir à établir les fondements d'une constitution décrivant les mécanismes de fonctionnement de l'Etat. Dans un discours important devant le Barreau canadien, en septembre 1967, il précisait que les discussions fédérales-provinciales sur cette Charte prépareraient la voie vers un changement constitutionnel parce que « essentiellement, nous mettrons à l'épreuve — avec succès, je l'espère — l'unité canadienne ».

Le plan Trudeau pour la Charte des droits de l'homme incluant les droits linguistiques coïncidait avec le rapport de la Commission royale sur le bilinguisme et le biculturalisme, qui était à l'œuvre depuis 1963 afin de trouver réponse à la question officieuse: « Que veut Québec ». Officiellement, la Commission devait recommander les étapes à suivre pour développer la Confédération canadienne sur la base d'une association d'égal à égal entre les deux « races » fondatrices.

Lorsque les commissaires avaient livré en toute hâte un rapport intérimaire en 1965, lançant un cri d'alarme, la plupart des Canadiens anglais l'avaient à peine écouté. On lisait dans ce rapport: « Dix Canadiens ont voyagé à travers le pays pendant des mois, ont rencontré des milliers de leurs concitoyens et ont lu et entendu ce qu'ils avaient à dire. Les commissaires, comme tous les Canadiens qui lisent les journaux, s'attendaient à faire face à des tensions et à des conflits. Ils savaient que l'histoire de la Confédération n'est pas sans faille et que l'on peut prévoir des difficultés dans un pays où deux cultures cohabitent. Ce que les commissaires ont découvert petit à petit se révèle, cependant, bien différent: ils ont abouti à la conclusion que le Canada, sans en être tout à fait conscient, traverse une des plus graves crises de son histoire . . . il semble, d'après les événements, que la façon de procéder établie en 1867, et qui n'a jamais été contestée sérieusement, est rejetée par les Canadiens français du Québec. »

La réponse des Canadiens anglais ne fut pas longue à venir. En 1965, on traitait les commissaires d'alarmistes, d'irresponsables et de personnages qui déformaient la réalité canadienne. Deux ans plus tard, ils durent se rendre à l'évidence que la crise canadienne était là et les frappait de plein fouet. Ils se mirent à chercher des solutions. Lorsque le premier volume du rapport de la Commission fut rendu public en 1967, suggérant que des droits accrus pour la langue française à travers le pays pourraient aider à apaiser le Québec, il fut accueilli positivement. Le principe de base du rapport indiquait que les langues française et anglaise constitueraient les deux langues officielles au Parlement du Canada, dans les institutions fédérales et dans tous les services gouvernementaux — fédéraux, provinciaux et municipaux — et devraient être accessibles à tous les Canadiens là où la demande serait suffisante. Cela signifiait que, dans les régions du Canada anglais où la minorité française était assez forte, les Canadiens français pourraient recevoir les services en français, tandis que, dans les régions du Québec où les Canadiens anglais formaient une minorité suffisante, on leur garantirait les services dans leur langue. Selon le rapport, les parents devaient également avoir le droit de faire éduquer leurs enfants dans la langue de leur choix.

Fondamentalement, les Canadiens français à l'extérieur

du Québec devaient maintenant bénéficier des mêmes droits que le Québec avait toujours accordés à sa minorité anglophone, et il n'y avait aucun plan pour induire tout le monde à parler les deux langues.

Comme la Commission l'affirmait: « Un pays bilingue n'en est pas nécessairement un où tous les habitants doivent parler les deux langues. C'est plutôt un pays où les principales institutions privées et publiques doivent pourvoir les citoyens de services dans les deux langues, même si la majorité est unilingue. »

Le rapport proposait donc en termes concrets le concept des droits linguistiques préconisé par Trudeau en guise de réponse au nationalisme québécois. Combiné avec sa Charte des droits de l'homme cela devint l'un des points forts du Fédéral à l'ouverture de la conférence constitutionnelle.

Pendant que Johnson demandait un statut particulier pour le Québec, Trudeau proposait un statut égal pour les Canadiens anglais et les Canadiens français. Alors que Johnson demandait des pouvoirs accrus pour le gouvernement du Québec, Trudeau tentait d'obtenir des garanties pour les droits de tous les citoyens de façon que l'Etat ne puisse les brimer.

Ces divergences fondamentales ne furent pas toujours claires autour de la table en fer à cheval. Pour la plupart des Canadiens, le débat entre ces deux concepts définissant la place des Canadiens français au Canada ne faisait que commencer et demeurait plutôt brumeux. Mais il y avait des aspects très attrayants dans les idées de Trudeau. Il affirmait qu'un seul Canada valait mieux que deux et tentait de rappeler les propos de John Diefenbaker qui avait utilisé le même slogan. Trudeau était un Québécois qui ne voulait pas du statut particulier et qui disait que ses compatriotes n'en voulaient pas non plus.

Il était prêt à agir au niveau de la politique linguistique lorsque la Commission BB eut réussi à persuader la plupart des gens qu'il fallait faire quelque chose. Il défendait aussi une Charte des droits de l'homme — un autre écho de Diefenbaker — à laquelle il était difficile de s'opposer en principe, même si elle collait plus à la révolution américaine qu'à la tradition parlementaire voulant que les volontés des législatures ne soient pas entravées par des détours constitutionnels limitant les pouvoirs d'agir contre tout ce qui pouvait troubler la paix de la reine. Les Premiers ministres provinciaux décidèrent d'appuyer les propositions fédérales, sans enthousiasme et tout en exprimant de sérieuses réserves.

La plupart d'entre eux étaient déjà déterminés à améliorer le statut de la langue française au Canada, sans toutefois accepter de se lier par des garanties constitutionnelles. Ils se méfiaient beaucoup de la charte trop « moderne » de Trudeau. Pearson dut mettre en œuvre tous ses talents de diplomate pour les convaincre que les Canadiens français à l'extérieur du Québec devraient avoir les mêmes droits que les Canadiens anglais à l'intérieur du Québec, et pour leur faire admettre qu'un secrétariat et un comité officiel devaient être mis sur pied afin d'étudier ces questions et préparer la prochaine conférence qui devait conduire à la rédaction d'une nouvelle constitution.

Tentant d'adopter la meilleure position face à cet argument, Pearson mit fin à la conférence en rappelant les paroles d'une Française à qui l'on venait d'apprendre que le premier archevêque de Paris martyrisé avait transporté sa propre tête sur une distance de cinq milles; elle avait alors fait remarquer que la distance n'était pas important, mais que c'était le premier pas qui comptait. Pearson en tira cette leçon: « La distance est importante dans le voyage que nous venons d'entreprendre, mais le premier pas est encore plus important. Nous venons de faire un bon pas. Peut-être, dans 50 ans, nos enfants diront-ils de nous la même chose que l'on disait des Pères de la Confédération: qu'ils avaient fait mieux que leurs propres capacités ne leur permettaient d'espérer. »

Peut-être que oui. L'histoire le dira. Ce qui fut toutefois très peu compris, mais qui est maintenant clair, c'est que la première conférence constitutionnelle faisait face à la croisée des chemins que earson avait annoncée. Il fit son choix, avec hésitation et une certaine réticence. C'était la voie Trudeau.

Le projet d'un statut particulier pour le Québec, vers lequel tendait le pays depuis plusieurs années et qui aurait pu conduire à des arrangements correspondant aux aspirations des Québécois à l'intérieur d'Etats associés, venait d'avorter. Une nouvelle voie s'ouvrait avec la promesse de constituer un Canada bilingue et uni dans lequel les Canadiens français se sentiraient autant chez eux que les Canadiens anglais.

Cette conférence avait également permis à Trudeau de s'illustrer à la télévision et dans la presse en faisant valoir ses charismes personnels et son concept merveilleusement simple d'un seul Canada. Il était déjà sur la voie de la victoire de la prochaine convention libérale, en avril, qui lui permettrait par la suite, lors des élections générales de juin, de demander au peuple de le suivre.

Les électeurs démontrèrent qu'ils étaient plus que disposés à suivre ce nouveau chef. Non seulement Trudeau était-il doté d'une très forte personnalité, mais il était un chef confiant d'avoir trouvé la solution pour sauver la Confédération.

Il est devenu à la mode de dire que le Canada anglais a voté pour Trudeau afin qu'il remette le Québec à sa place. Mais tel ne fut jamais l'esprit de sa campagne électorale. Trudeau expliqua à maintes reprises que sa conception du fédéralisme ne restreindrait pas les droits des Canadiens français, mais les accentuerait à travers tout le Canada. Il ne fut jamais autant applaudi que lorsqu'il parlait français, même en Colombie britannique, et il n'était pas rare de voir de vieilles dames bien dignes, qui n'avaient jamais parlé un mot de français, brandir des cartons portant l'inscription « Bienvenue ».

On a également dit que Trudeau avait gagné les élections sans avoir jamais vraiment discuté des grands thèmes controversés de l'heure et sans avoir fait de promesses. Le plus important point en litige au Canada a toujours été l'unité nationale. Trudeau ne fit qu'une promesse: celle de pouvoir rétablir cette unité.

Les Canadiens anglais et français lui firent confiance en lui donnant une majorité pas nécessairement énorme mais suffisante pour lui permettre de travailler à l'intérieur d'un gouvernement majoritaire. Il pouvait commencer à élaborer ses idées afin de transformer les accords fragiles de 1968 en une nouvelle Confédération stable.

Voilà M. Thibault

Trudeau ne tarda pas à utiliser certains de ses pouvoirs en tant que chef du gouvernement. Le 17 octobre 1968, il présente aux Communes le projet de loi des langues officielles en disant: « Nous voulons vivre dans un pays où des Canadiens français peuvent choisir de s'établir parmi des Canadiens anglais et où des Canadiens anglais peuvent vivre dans un milieu canadien-français sans que les uns ou les autres abandonnent leur héritage culturel ... Un tel pays pourra bénéficier des aptitudes et de l'énergie de tous ses citoyens. Un tel pays sera plus intéressant, plus stimulant et de bien des manières plus riche qu'il ne l'aura jamais été auparavant. Un tel pays sera beaucoup plus apte à jouer un rôle utile dans le monde d'aujourd'hui et de demain. »

Le projet de loi tentait de mettre en vigueur les principales recommandations de la Commission BB relatives à la juridiction du gouvernement fédéral. Il donnait à tous les Canadiens le droit de communiquer dans la langue officielle de leur choix avec le gouvernement. Le projet prévoyait également que tous les documents officiels seraient rédigés dans les deux langues; que les services fédéraux seraient accessibles à la langue de la minorité dans tout district où la minorité représenterait 10 p. cent de la population. Le projet indiquait aussi que tous les services nationaux comme Air Canada, le Canadien National et l'Immigration devraient offrir leurs services dans les deux langues. Ces deux langues devenaient également officielles dans les Cours et les agences fédérales.

Le gouvernement devait procéder à la nomination d'un commissaire des langues officielles soumis non pas au gouvernement mais au Parlement, afin de veiller à la mise en vigueur de la loi et à son application, tout en agissant comme ombudsman au niveau des droits linguistiques individuels.

En tant que secrétaire d'Etat, Gérard Pelletier répéta à plusieurs reprises: « Il n'est absolument pas question de forcer les anglophones à apprendre le français ou d'imposer l'usage de l'anglais aux francophones. »

Le gouvernement choisit comme commissaire aux langues un universitaire canadien-anglais, Keith Spicer, journaliste, homme habile et plein de tact qui déclara tout de go que la meilleure façon d'apprendre le français était dans le lit — signifiant ainsi qu'il parlait un français impeccable grâce à son épouse canadienne-française. C'est dans cet esprit qu'il entreprit de rassurer les Canadiens en leur affirmant que leurs droits seraient protégés.

Mais l'euphorie nationale provoquée par l'élection de Trudeau refroidissait peu à peu. Certaines provinces commençaient peut-être à regretter l'appui qu'elles avaient donné à Pearson en février, et les députés les plus agressifs de l'opposition entreprenaient de miner graduellement les bases de soutien que Trudeau s'était assurées pour réaliser ses politiques à travers le Canada.

Le projet des langues officielles ne fut jamais bien compris, et Trudeau blâma la presse de ne l'avoir pas expliqué. On craignait de plus en plus que chacun ne se voie forcé d'apprendre le français ou que le gouvernement n'engage au service civil que des individus nés au Québec, au Nouveau-Brunswick ou dans quelque région française et ainsi pourvu d'antécédents bilingues.

Les Ukrainiens et autres groupes des autres minorités ethniques commençaient à craindre cette importance accordée aux deux langues officielles, en y voyant une menace à leur propre héritage culturel. Les Premiers ministres de l'Ouest s'objectèrent avec force au projet de loi et menacèrent d'en contester la constitutionnalité en Cour; mais le ministre de la Justice, John Turner, réussit à convaincre les membres du cabinet de la nécessité

28

d'adoucir le projet de loi afin de satisfaire les Premiers ministres et d'éviter les longues procédures en Cour.

Malgré tout, Diefenbaker réussit à convaincre un groupe de conservateurs de l'Ouest de combattre le bill même amendé — embarrassant ainsi le chef tory, Robert Stanfield, qui appuyait le projet de loi, et contribuant à accentuer la crainte et le mécontentement.

Malgré les critiques, Trudeau demeurait convaincu que le bilinguisme constituait la seule réponse valable au problème canadien. Je l'ai rencontré un soir, en 1969, à la résidence officielle du Premier ministre, au 24 Sussex Drive. Il buvait de l'eau de Vichy à la glace avant le dîner, et il dit calmement que si le pays renonçait à devenir bilingue le Québec se séparerait certainement et qu'il partirait de son côté travailler en Europe ou à Washington. « Ce qui m'attache à ce pays, disait Trudeau, c'est que je crois aux droits de la langue française. Je pense que la majorité des Canadiens français qui croient au fédéralisme pensent la même chose que moi . . . c'est d'ailleurs le seul point de vue sensé. »

Trois ans plus tard, à l'occasion d'une visite en Alberta, le Premier ministre se prononçait encore plus catégoriquement en demandant aux gens de l'Ouest s'ils croyaient qu'Ottawa continuerait d'être la capitale nationale si l'on ne s'y exprimait qu'en français, comme ce fut le cas pendant des années alors qu'Ottawa était un gouvernement unilingue anglais et que les Canadiens français n'avaient d'autre solution que de l'accepter.

Pendant ce temps, Trudeau multipliait aussi les efforts pour que la fonction publique fédérale devienne bilingue, de sorte qu'elle offre plus de carrières intéressantes et un mode de vie attrayant aux Canadiens français qui deviendraient, semblait-on espérer, automatiquement fédéralistes. Trudeau voulait évidemment, par la même occasion, étendre les services accessibles en langue française. Pearson avait lancé un programme expérimental d'enseignement pratique des langues pour 60 fonctionnaires en 1964, et cette initiative prenait rapidement de l'ampleur. Au lieu de suivre des cours d'une heure par jour, des centaines puis des milliers de fonctionnaires s'inscrivirent aux sessions de trois semaines de cours par immersion à Ottawa et dans des centres régionaux.

Ils prirent un cours intitulé « Voix et Images de France », qui combinait des bandes filmées et des enregistrements de phrases françaises, et qui utilisait — certain d'entre eux commencèrent à concevoir des soupçons devant l'alternance, heure après heure, de professeurs sévères ou sympathiques — de véritables techniques de lavage de cerveau. On disait qu'il s'agissait du meilleur système disponible, et il était du reste bien supérieur aux anciennes méthodes, mais le programe avait été conçu en France afin d'initier les nouveaux arrivants au mode de vie des Français tout en leur apprenant les rudiments de la langue.

Les fonctionnaires étudiants apprirent donc à admirer les beautés de Paris, à se débrouiller avec un agent de douane français et à prendre le métro ou l'autobus en direction de l'Opéra. Les principaux personnages de ce film étaient les membres d'une famille française, les Thibault, et les fonctionnaires se mirent à échanger leurs commentaires, parfois en un français hésitant, sur les frustrations que leur avaient apportées ces cours, et des renseignements sur les professeurs qui devaient être recherchés ou craints — ce qui était le cas de plusieurs jolies jeunes femmes fort tenaces et très exigeantes qui se plaisaient d'ailleurs à dire: « Moi, je peux faire pleurer un sous-ministre. » Si le cours était parfois aride, il pouvait toutefois offrir un certain plaisir et beaucoup de satisfaction à ceux qui avaient la chance, le talent et la ténacité de le suivre pendant trois ans.

En 1972, on abandonnait ce programme de France et l'on adoptait un nouveau cours bâti autour des coutumes et des habitudes de vie des Canadiens. Des 18,000 qui s'étaient enregistrés au cours depuis 1964, 2,500 étaient officiellement diplômés en tant que bilingues tandis que 9,000 autres étaient encore aux études. Cela signifiait que 6,500 bureaucrates avaient abandonné le cours chemin faisant; mais plusieurs d'entre eux avaient été complètement dépassés au cours des premières années expérimentales tandis que d'autres avaient été forcés d'abandonnés à cause de mutations mais pouvaient espérer revenir.

Le gouvernement décida d'augmenter à 10,000 le nombre de places disponibles dont 8,000 pour l'enseignement du français et 2,000 pour l'anglais. On s'attendait que le nombre des diplômés atteigne 2,000 par année, en 1972. L'investissement totalisa $30 millions au cours d'une période de sept ans en équipement et en personnel mais des sommes importantes avaient été affectées aux salaires des fonctionnaires pendant qu'ils suivaient les cours au lieu de remplir leurs fonctions habituelles. Ce qui inquiétait un peu tout le monde était la possibilité pour les diplômés du cours de conserver leurs connaissances de la langue seconde une fois le programme terminé alors que les occasions de pratiquer la langue française devenaient beaucoup moins nombreuses. Ce fut l'une des raisons pour introduire des unités expérimentales unilingues françaises dans certains ministères afin de permettre aux diplômés canadiens-anglais de poursuivre leur apprentissage dans un milieu français où du reste les Canadiens français avaient la possibilité de travailler exclusivement dans leur langue.

Le Gouvernement tenta également d'augmenter le pourcentage de Canadiens français dans la fonction publique en faisant du recrutement intensif dans les collèges et les universités. Pourtant, tout en représentant 27 p. cent de la population totale du Canada les Canadiens français n'occupaient que 17 p. cent des emplois sous la juridiction de la Commission du service civil.

Une analyse de la commission permit d'ailleurs de constater que la majorité des hauts fonctionnaires en poste à Ottawa étaient issus d'universités de l'Ouest et plus particulièrement de la Saskatchewan.

Le commissaire aux langues Spicer indiqua au Parlement que parmi les 59,000 nominations au service civil fédéral en 1971, 80 p. cent n'exigeaient que la maîtrise de l'anglais et 8 p. cent la maîtrise du français tandis que 9 p. cent des fonctions exigeaient le bilinguisme.

Plusieurs fonctionnaires s'inquiétaient cependant du fait que les meilleurs emplois semblaient réservés aux personnes bilingues.

Trudeau et ses adjoints semblèrent s'efforcer de confier les postes les plus importants à des hommes portant un nom français présumément pour démontrer au Canada français que des carrières importantes s'offraient tant à Ottawa qu'à Québec.

Les rumeurs commencèrent à se multiplier selon lesquelles les fonctionnaires canadiens-anglais étaient victimes de certaines injustices et l'on commença à songer à une contre-attaque politique contre le programme de bilinguisme. Stanfield et d'autres politiciens de l'Opposition qui s'étaient réclamés du bilinguisme entreprirent, avec une certaine prudence, de soulever le mécontentement latent en suggérant que Trudeau allait trop rapidement. Les journalistes qui tentèrent de découvrir les pseudo-injustices revinrent bredouilles puisque le commissaire aux langues n'avait de fait reçu que 57 plaintes des fonctionnaires fédéraux.

Les fonctionnaires anglophones avaient logé 29 plaintes tandis que les francophones en avaient présenté 28 dont la moitié étaient sans fondement tandis qu'une douzaine avaient trait au programme de formation linguistique. Au total, 17 plaintes seulement portaient sur des allégations d'injustice au niveau des promotions.

Spicer entreprit des tournées à travers le Canada afin d'expliquer la loi des langues officielles et de rassurer les gens. « Attendez avant de répandre les rumeurs, les faussetés et les insinuations », disait Spicer. Il fit valoir qu'après 100 ans d'injustice, le pendule linguistique ne faisait que reprendre sa position au centre du Canada.

Au Québec, le pendule amorça son mouvement dans l'autre sens. Les nationalistes craignaient que le français ne puisse survivre à moins de devenir la seule langue officielle, celle que tous les Québécois utiliseraient et que les immigrants devraient apprendre, tout comme l'anglais était la seule langue d'usage au Canada anglais. Ils lancèrent l'avertissement que la domination du monde des affaires anglo-saxon et américain à Montréal, doublée de la multiplication des communications en langue anglaise en provenance de l'Ontario et des Etats-Unis, ne pouvaient que transformer la métropole en ville strictement anglophone à moins que des mesures radicales n'interdisent, en pratique, l'anglais et que le Québec ne devienne une société unilingue française. Leurs protestations et leur propagande exercèrent une pression considérable sur le gouvernement provincial qui tentait d'élaborer une politique linguistique permettant de sauver la langue française tout en proposant des solutions pratiques nécessaires à la vie d'une métropole en Amérique du Nord.

Les autres provinces à travers le pays entreprirent d'agir officieusement dans le but d'améliorer l'enseignement du français grâce à des subsides de $50 millions du gouvernement fédéral, tout en encourageant l'utilisation de la langue française dans leurs principales institutions.

Ottawa fit face à de sérieuses difficultés dans la mise en vigueur de son programme et c'est ainsi que trois ans après l'adoption de la loi des langues officielles, le gouvernement bataillait encore pour tenter de définir les districts bilingues où les services gouvernementaux seraient accessibles dans les deux langues.

Le fait que les premiers résultats du recensement de 1971, établissant la répartition des groupes linguistiques à travers le Canada, rendaient la planification élaborée à partir des données de 1961 désuète, constitua une partie du problème.

Le mieux que Pelletier réussit à faire, en 1972, fut d'annoncer que les districts bilingues seraient définis au cours de la prochaine année.

Même si le pays ne progressait que lentement et difficilement vers le bilinguisme officiel, il y avait un certain progrès. Non seulement le gouvernement mais aussi les trois partis d'opposition acceptaient le concept du bilinguisme (malgré certains écarts attribuables à la stratégie quoiqu'un danger de ressac politique menaçât d'éclater au grand jour.

La langue de l'argent

La question fondamentale, à savoir si la politique de

Trudeau présentait la vraie solution au problème de l'unité nationale fut posée de façon inattendue par la Commission BB. Malgré que son premier rapport proposait le bilinguisme officiel et fournissait le matériel de base pour l'application des théories de Trudeau, son troisième volume, publié en 1969, allait jusqu'à affirmer qu'il s'agissait là de bien peu de chose.

Dans une étude portant sur l'usage de la langue dans les usines et les bureaux du Québec la Commission affirmait: « L'égalité officielle des langues a une signification très limitée si elle n'est pas accompagnée de l'égalité des chances au niveau économique. A moins qu'une langue ne puisse se développer dans le monde du travail, les garanties légales selon lesquelles les services gouvernementaux, les cours de justice et les écoles en feront usage n'assureront pas son développement à long terme.

« L'égalité linguistique officielle n'a que peu d'importance pour ceux qui vivent dans un système les relayant aux échelons économiques et sociaux inférieurs. Une telle association est non seulement injuste mais peut même mettre la Confédération en péril; l'avenir des deux cultures et des deux principales langues au Canada à l'intérieur de deux sociétés distinctes repose sur leurs positions respectives dans le monde du travail et dans l'économie en général. »

La suite du rapport constituait un dossier effarant peignant les Canadiens français, à peu de chose près, comme la classe des dominés dans une société coloniale. Ça n'aurait pas dû étonner les gens d'Ottawa où, comme tout le monde le sait, le nettoyage d'une maison, la conduite d'un ascenseur ou le déneigement des stationnements comme les autres travaux du même genre sont la plupart du temps effectués par des Canadiens français de Hull, juste de l'autre côté de la rivière. Mais la commission procéda froidement à son analyse avec des faits et des chiffres. Le salaire moyen des Canadiens d'origine britannique était de $1,000 plus élevé que celui des Canadiens d'origine française. Au Québec, en plein cœur du foyer de la nation canadienne-française, la situation était encore plus déplorable; ceux d'origine britannique gagnaient en moyenne $5,918 comparativement à $3,880 pour ceux d'origine française. Ceux qui, au Québec, ne s'étaient pas préoccupés d'apprendre le français et ne parlaient qu'anglais gagnaient plus que les Canadiens français bilingues.

« Il y a peu de raison de croire que le mouvement naturel des forces économiques rétablisse en soi l'égalité des chances pour les francophones et conduise à un renforcement de leur langue et de leur culture au Canada », disait le rapport. « Laissées à elles-mêmes les pressions économiques et sociales sont plus de nature à conduire à un résultat contraire».

Une partie du problème au Québec était que l'industrie et le commerce étaient concentrés entre les mains de Canadiens anglais ou de corporations américaines de sorte que l'anglais était la langue de l'argent et de la gestion.

La commission recommanda au gouvernement québécois la mise en marche d'une vigoureuse campagne afin d'inciter le monde des affaires à accepter le français comme langue de travail et proposa des mesures spéciales afin d'encourager la croissance des entreprises appartenant aux Canadiens français. Elle recommanda par ailleurs la création d'unités unilingues françaises dans la fonction publique fédérale puisque l'anglais était de toute manière la seule langue d'usage dans la plupart des bureaux gouvernementaux.

36

Ces propositions allaient beaucoup plus loin que le programme limité de bilinguisme que l'on avait envisagé au départ dans certains services. Il y eut immédiatement un cri d'alarme et de rage du Canada anglais s'interrogeant sur le point de savoir jusqu'où le pays devrait aller dans le sens de l'égalité linguistique et l'égalité des chances dans le service public.

Un autre problème moins évident mais aussi important découlait de l'analyse de la commission des problèmes socio-économiques du Québec. Le gouvernement québécois allait devoir adopter des mesures drastiques pour corriger la situation, ce qu'il ne pourrait accomplir qu'à l'aide de pouvoirs et de ressources additionnels. Les provinces anglaises n'avaient pas besoin de tels pouvoirs et de telles ressources puisqu'elles n'avaient pas à faire face à un problème similaire, soit celui de protéger la langue et la culture contre les attaques de l'économie et du monde international des affaires.

En bref, le rapport fournissait de nouvelles munitions dans la vieille querelle du statut particulier sauf que le statut particulier ne constituait plus une option populaire.

Trudeau l'avait démoli l'année précédente et ceux qui parlaient de pouvoirs accrus pour le Québec se rapprochaient de René Lévesque et de son parti séparatiste naissant.

Moins d'un an après que Trudeau eut semblé établir un consensus à travers le pays pour son programme d'unité nationale le débat renaissait de ses cendres mais sous une nouvelle forme. Qu'est-ce qui n'avait pas fonctionné? Le nouveau rapport de la Commission BB n'avait pas changé d'esprit et ne constituait pas une découverte fortuite du fait que l'égalité linguistique ne suffirait pas à satisfaire les aspirations des Canadiens français. Dans leur premier rapport, les commissaires avaient livré une mise en garde en disant que la question de la langue n'allait pas au cœur de la division au Canada. Le problème fondamental résidait dans la nécessité de déterminer dans quelle mesure les deux sociétés, anglophone et francophone, pouvaient gérer leurs propres affaires à l'intérieur de la Confédération. En d'autres mots, quel degré d'indépendance devait-on accorder au Québec pour qu'il établisse ses priorités et conduise son développement?

Les commissaires avaient affirmé que non seulement ce serait une erreur d'ignorer ce problème en s'en remettant aux droits linguistiques exclusivement, mais que le Québec ne serait plus disposé à écouter.

Mais Trudeau avait presque complètement ignoré la question. De fait le propre secrétaire de la Commission BB qui avait préparé une importante partie du rapport était tellement déçu de l'interprétation restrictive qu'en faisait Trudeau qu'il partit pour le Québec où il s'y présenta aux élections générales sous la bannière conservatrice. Il fut complètement noyé par la vague Trudeau et retourna à Ottawa pour s'occuper de la mise en vigueur des recommandations du rapport qui avaient été acceptées.

Le tourniquet constitutionnel

Tout cela n'est pas pour dire cependant que Trudeau n'était que préoccupé de la langue et des autres droits et libertés civiles à l'exclusion de toute idée de modification politique ou structurelle de l'Acte de l'Amérique du Nord britannique de 1867.

Malgré ses premières réticences à ouvrir ce qu'il appelait la boîte de vers constitutionnelle, il décida de s'adjoindre, lorsqu'il devint premier ministre, une importante équipe de spécialistes en droit constitutionnel, avocats et hauts fonctionnaires, afin de reviser la constitution. Le groupe comprenait Carl Goldenberg, de Montréal, qui avait remporté de nombreux succès comme arbitre dans des conflits de travail; Al Johnson qui avait été un conseiller financier de l'ancien gouvernement du CCF, en Saskatchewan, et qui était venu à Ottawa afin de remplir énergiquement la fonction de sous-ministre chargé des relations fédérales-provinciales en matières fiscales; et Barry Strayer, un professeur de droit de l'université de Saskatchewan calme et compétent.

L'équipe entreprit de revoir la constitution article par article et de préparer des modifications qui seraient présentées à un comité du cabinet que présidait Trudeau. Ce dernier décida par ailleurs de faire transformer l'ancienne gare du CN à Ottawa, qui était abandonnée, en centre permanent de conférence.

L'ancien hall où l'on achetait les billets fut transformé en salle de conférence reliée à l'hôtel Château Laurier, situé l'autre côté de la rue, par un tunnel que les premiers ministres pourraient emprunter pour éviter les journalistes s'ils le désiraient.

Il est pourtant difficile d'évaluer à sa juste mesure le sérieux de toute cette préparation. Trudeau avait déjà fait remarquer que les conférences constitutionnelles ne sont qu'un exercice destiné à convaincre certaines personnes qu'il n'y avait pas d'entente nationale possible au niveau des réformes à apporter et que l'on devrait résoudre les vrais problèmes de façon plus pragmatique. On demanda à Trudeau qui il voulait convaincre.

« Claude Ryan », répondit-il sur un ton railleur en nommant le directeur de l'influent quotidien nationaliste « Le Devoir ». Ryan était un ardent défenseur de la réforme constitutionnelle et un vieil adversaire de Trudeau.

Un important conseiller de Trudeau se livra à certaines allusions du même type lorsqu'il dit dans une conversation privée que puisque les provinces insistaient pour rouvrir le débat constitutionnel malgré l'avis du Fédéral, Ottawa était pour reprendre l'initiative en inondant les provinces de propositions jusqu'à ce qu'elles en soient saturées et demandent grâce.

Ces remarques pouvaient sembler superficielles et ne pas refléter sérieusement la position de Trudeau au moment où il prit le pouvoir mais elles s'avérèrent assez justes quant à ce qui allait survenir.

Quelques-unes des provinces étaient déjà aux prises avec des problèmes plus urgents que la réforme constitutionnelle et étaient impatientes de pouvoir entreprendre des conversations à ces niveaux comme, par exemple, le problème de la répartition des revenus fédéraux.

A leur arrivée à Ottawa en février 1969 alors qu'allait s'ouvrir leur première conférence constitutionnelle sous la présidence de Trudeau, les premiers ministres étaient prêts à un affrontement. Le gouvernement fédéral avait décidé d'aller de l'avant avec son programme d'assurance-santé que les Premiers ministres considéraient comme un empiétement direct sur leur propre juridiction constitutionnelle. Et le nouveau gouvernement fédéral démontrait qu'il était encore plus ferme que le précédent en refusant de céder d'autres points d'impôt. « Si vous avez besoin de plus d'argent, élevez vos propres impôts », avait déclaré le nouveau ministre des Finances, Edgar

Benson, aux ministres des Finances des provinces. Ajoutant l'injure à l'insulte, il établit un impôt spécial sur le revenu afin de financer la part d'Ottawa dans le plan d'assurance-santé de manière que les provinces ne touchent pas un sou de ce revenu.

L'Ontario ne tarda pas à réagir en qualifiant la mesure d'« effronterie », d'« inacceptable » et fit valoir qu'il s'agissait là d'un autre exemple de « fédéralisme injuste ». Le Premier ministre Robarts affirma pour sa part que Trudeau mettait la Confédération en danger. A Québec, le Premier ministre Jean-Jacques Bertrand, qui avait succédé à Johnson, entrevoyait une « crise fiscale ».

Dans un tel climat on pouvait s'attendre à ce que la conférence ne progresse qu'à pas de tortue et les provinces ignorèrent d'ailleurs une proposition élaborée du Fédéral voulant que les provinces soient consultées pour la nomination des sénateurs et qu'une conférence fédérale-provinciale permanente soit instituée en tant qu'outil supplémentaire du fédéralisme. On n'en fit plus mention au cours des négociations constitutionnelles, peut-être au soulagement de Trudeau qui n'avait jamais vu le plan d'un bon œil. « Je crains plutôt que cette idée soit difficile à vendre aux fédéralistes », avait déclaré Trudeau avant de présenter la proposition aux Premiers ministres. « Si les provincialistes n'en veulent pas non plus, eh bien nous n'en voulons pas . . . »

Il fit face aux attaques provinciales en se servant d'une tactique bien au point. Il s'agissait tout au plus de permettre aux provinces riches et aux provinces pauvres de découvrir leurs différences et de se combattre entre elles en démolissant leurs principaux arguments. Il était rempli d'une logique mielleuse à l'ouverture de la conférence. Ottawa était évidemment prêt à considérer les implications constitutionnelles de son pouvoir de dépenser de façon que les provinces puissent jouir de revenus additionnels. Peut-être que pour ce faire le Fédéral devrait cependant se retirer du programme d'assurance-hospitalisation ou encore imposer une taxe sur les paiements de péréquation aux provinces pauvres ou sur les sommes allouées au développement économique régional. Il déclara aux Premiers ministres qu'il voulait être conseillé puis il s'assit en souriant en attendant que les provinces crachent le morceau.

Il savait que les provinces Maritimes, tellement dépendantes du pouvoir fédéral de taxer les provinces riches pour leur faire parvenir des subventions, s'opposeraient irrémédiablement à toute idée de modifier les pouvoirs de taxer du Fédéral. Le Premier ministre de Terre-Neuve, Joey Smallwood, ne tarda pas à réagir. Toujours brillant propagandiste, Smallwood se lança, comme s'il avait été orienté par les experts du Fédéral, dans une thèse qui, chiffres à l'appui, visait à démontrer que le plus pauvre pêcheur dans le port le plus éloigné de son île payait plus cher de taxes pour les services gouvernementaux que n'importe quel bourgeois ontarien, et que le taux augmenterait encore si l'Ontario insistait pour diminuer la possibilité pour le Fédéral de verser des subventions à Terre-Neuve. Après deux heures de débats stériles entre les provinces, David Stewart, de la Saskatchewan, déclara avec dégoût: « On peut à peine réussir à s'entendre sur l'heure qu'il est ici! ». Ce fut la fin de la mini-révolte fiscale des provinces.

Cela ne signifiait toutefois pas que leurs pourparlers constitutionnels étaient remis sur la bonne voie. La triste vérité était qu'il n'y avait pratiquement pas eu de progrès relativement aux idées et aux propositions qui avaient été mises sur la table lors de la première rencontre, un an auparavant.

Le Comité permanent de représentants fédéraux et provinciaux avait tenu quatre réunions et avait recueilli des mémoires des 11 gouvernements dans le but de trouver un terrain d'entente. Lorsque toutes ces données furent fondues dans un seul mémoire de 68 pages on se rendit rapidement compte que la plupart des provinces n'avaient rien à offrir sauf le Québec, l'Ontario, le Nouveau-Brunswick et le Fédéral.

Mais les propositions de ces derniers allaient en contradiction dans plusieurs domaines de sorte qu'il n'y avait pas de consensus en vue. Le brillant jeune Premier ministre de l'Ile-du-Prince-Edouard, Alex Campbell, déclara sans ambages: « Lorsque le Comité permanent finira par faire des recommandations je consacrerai une partie de mon temps à l'étude de réformes précises de la constitution. Mais à moins que l'on n'atteigne cette étape, je crois que les prochaines conférences, comme celle-ci d'ailleurs, seront au mieux un simple moyen de réaffirmer notre foi en la nécessité de sauvegarder et de promouvoir l'unité canadienne ».

Et cette foi en l'unité canadienne n'était même pas aussi claire que Trudeau l'avait espéré. Les funérailles qui marquent la mort d'un chef et la transmission des pouvoirs à un autre sont souvent l'occasion de négociations politiques préliminaires.

Le dicton « On échange plusieurs chaudes poignées de main au-dessus d'une fosse froide», est empreint de sagesse politique et le gouvernement Trudeau tenta de prendre le pouls du nouveau premier ministre du Québec immédiatement après l'enterrement de Daniel Johnson. On était alors sous l'impression que Bertrand, un homme modéré et doux était plus intéressé à résoudre les problèmes économiques du Québec qu'à s'engager dans des polémiques constitutionnelles. On espérait même qu'il rejette les ministres les plus nationalistes de son cabinet et rétablisse les bonnes relations avec Ottawa.

Même si effectivement Bertrand caressait certaines de ces idées, les fortes pressions à l'intérieur de son parti, l'Union nationale, et la marée montante du nationalisme chez les intellectuels québécois ne lui laissèrent pas beaucoup de marge de manœuvre. On reporta la conférence de décembre 1968 à février 1969 pour lui donner le temps de se préparer.

Mais lorsqu'il arriva à la table de conférence il se retrouva dans la même position que les Premiers ministres qui l'avaient précédé. « Les hommes changent mais la réalité du Québec demeure », avait dit Bertrand avant d'entreprendre son plaidoyer éloquent et ferme en faveur d'un statut particulier pour le Québec. Il commença en disant que pour respecter la règle de fer de la démocratie, le gouvernement d'Ottawa doit s'identifier avec la majorité anglaise du Canada quelle que soit la langue ou la culture du premier ministre actuel — illustrant sans passion les obligations de Trudeau envers l'Oncle Tom. Il poursuivit: « S'il y a une crise au Canada ce n'est pas parce que le pays est composé d'individus qui parlent des langues différentes; c'est plutôt parce que le Canada est la patrie de deux communautés, de deux peuples, de deux nations entre lesquels les relations doivent être harmonisées ». Ce qui est important pour les Canadiens français du Québec ce n'est pas qu'ils soient autorisés en tant qu'individus à parler leur langue dans des régions du pays où ils ont d'ailleurs peu de

44

chances d'être compris. Ils veulent avoir la possibilité de vivre ensemble en français, de travailler en français, de construire une société à leur image et de pouvoir organiser leur vie communautaire de façon qu'elle reflète leur culture. On ne peut pas atteindre cet objectif à moins que le Québec ne jouisse de pouvoirs proportionnels aux responsabilités que ses citoyens sont en droit d'attendre de lui. Sans Québec, il y aura peut-être encore des minorités françaises mais le Canada français n'existera plus ».

Si les provinces manifestaient plus d'intérêt dans l'argent que dans la constitution, il devenait clair que le Québec était encore plus intéressé au statut particulier qu'à l'égalité des droits linguistiques. A la fin de la conférence, lors de l'échange traditionnel de platitudes cordiales, Bertrand rappela à tous les participants que l'on n'avait pas abordé les vrais problèmes: « Nous devrions examiner beaucoup plus en profondeur la répartition des pouvoirs (ceux d'Ottawa et des provinces) ... C'est clair qu'il y a des différences de base assez considérables entre le point de vue du Québec et celui des autres provinces ».

Au retour des Premiers ministres en juin 1969, Trudeau était prêt à discuter des problèmes fondamentaux à l'occasion de cette conférence privée, loin des journalistes et des caméras de télévision, ce qui laissait croire qu'il y aurait plus de discussions et moins de spectacle pour la galerie. Le groupe de travail de Trudeau avait élaboré de nouvelles propositions sur la répartition des pouvoirs d'imposer et de dépenser. Même si ces propositions étaient dans l'ensemble acceptables aux provinces, elles ne s'éloignaient pas beaucoup du statu quo.

Au lieu de répartir les pouvoirs entre Ottawa et les provinces Trudeau proposa que tous les gouvernements se les séparent également. Cela signifiait que les deux niveaux de gouvernement percevraient des impôts sur le revenu des particuliers et sur les profits et ventes des corporations. Les gouvernements fixeraient les taux d'impôt selon leurs besoins et dans la mesure où ils pourraient rencontrer l'assentiment des électeurs.

Le plan indiquait donc que les provinces pourraient percevoir indirectement une taxe de vente au niveau du manufacturier au lieu d'agir directement, de façon d'ailleurs fort impopulaire, au niveau des magasins. C'était mieux que rien mais ce n'était pas beaucoup.

Trudeau avait toujours fait valoir qu'il était un constitutionnaliste strict qui croyait qu'Ottawa ne devrait jamais empiéter sur les juridictions provinciales et il appuya cette opinion jusqu'à un certain point avec sa proposition de limiter le pouvoir de dépenser du Fédéral. Même si les gouvernements successifs d'après-guerre, à Ottawa, avaient pieusement admis que les services de bien-être et de santé étaient de juridiction provinciale, ils imposaient leurs propres politiques en offrant des pots-de-vin aux provinces qui ne pouvaient se payer le luxe financier ou politique de les refuser. Par exemple, lorsque le Fédéral introduisit son programme d'assurance-hospitalisation, il annonça qu'il paierait la moitié du coût à toute province qui implanterait un plan rencontrant les normes d'Ottawa. Les électeurs ne tardèrent pas à faire pression auprès des gouvernements provinciaux pour qu'ils adoptent le programme, payant déjà, en impôt au Fédéral, la moitié du coût. Les gouvernements se devaient d'accepter le programme malgré le fait que c'était à l'intérieur de leur propre juridiction. Ils devaient de plus trouver les fonds nécessaires pour défrayer leur moitié du programme, ce qui n'était pas sans chambarder certaines de leurs priorités en les forçant à dépenser pour les hôpitaux alors qu'ils auraient préféré dépenser dans d'autres domaines, disons, l'éducation.

Le programme d'assurance-maladie du gouvernement Pearson, présenté dans le cadre du programme électoral de 1965 fut la goutte qui fit déborder le verre. Ce n'est qu'avec beaucoup de difficultés que le Fédéral finit par convaincre les provinces, en révolte ouverte conduite par l'Ontario, d'adopter le programme. Lorsque Trudeau prit le pouvoir il promit: « Plus jamais d'assurance-maladie ».

Ses propositions constitutionnelles limitaient le pouvoir fédéral de dépenser de manière qu'Ottawa ne puisse entrer dans un champ de juridiction provinciale à moins qu'un consensus national des gouvernements provinciaux n'exigent un plan fédéral.

Même là, une province qui s'objectait pouvait se retirer du programme et se faire rembourser en argent. Ce plan recouvrait toutefois des accommodements administratifs curieux et peu pratiques mais comme il s'agissait de limiter le pouvoir du Fédéral de dépenser, les provinces étaient intéressées. On ne décida rien de final à cette conférence à huis-clos mais le climat semblait assez coopératif.

Les tensions entre Ottawa et Québec ne disparaissaient jamais longtemps et une autre confrontation se préparait à l'arrière-plan. Bertrand et Trudeau s'étaient déjà affrontés au sujet de l'emplacement du nouvel aéroport international au nord de Montréal. Bertrand avait fait valoir que l'emplacement avait été choisi de sorte que les retombées économiques favorisent l'Ontario, démontrant ainsi une fois de plus que l'on ne pouvait faire confiance qu'au gouvernement québécois pour servir le Québec.

Trudeau répliqua que Bertrand était stupide et avait certainement perdu la tête. Il ajouta insolemment: « M. Bertrand est en train de sombrer dans l'anti-fédéralisme stérile qui caratérisait M. Duplessis (un ancien Premier ministre et chef de l'Union nationale fortement critiqué et injurié ».

Bertrand était la cible de critiques fermes mais feutrées à l'intérieur de son parti et de son cabinet. On l'admirait pour sa sincérité mais on craignait qu'il ne fût un chef faible, à qui manquaient le style et les aptitudes pour être plus qu'un Premier ministre compétent. Pour être en fait un porte-parole de la nation canadienne-française, leur champion dans les joutes avec Ottawa.

Les divisions paralysaient de plus en plus son cabinet et il n'était pas un chef assez imposant pour les résoudre.

Au désagrément de certains de ses collègues, il avait silencieusement abandonné les revendications du Québec à l'effet que la province devait pouvoir diriger sa propre politique extérieure envers Paris et les autres pays francophones d'Afrique, ce qui n'était pas sans embarrasser sérieusement Ottawa. Mais en octobre 1969, peut-être par hasard ou bien par dessein, cette vieille question revenait sur le tapis lorsque le ministre d'Etat aux Affaires étrangères de France, Jean de Lipkowski, arriva à Québec pour redorer le blason des relations France-Québec. Il refusa d'ailleurs insolemment une invitation d'Ottawa à se rendre dans la capitale pour les salutations d'usage et ce fut la renaissance de ce que Trudeau avait appelé « La bataille du tapis rouge ».

Le Premier ministre était exaspéré et fit connaître son

mécontentement à l'ambassadeur de France tandis que le gouvernement québécois s'amusait malicieusement à surveiller le spectacle.

Quelques jours plus tard, une nouvelle flambée de violence terroriste éclatait à Montréal et les préoccupations de Trudeau relativement à la montée de l'agitation nationaliste-séparatiste dans sa propre province, préoccupations qui avaient succédé au simple mépris, se transformèrent en colère blanche.

Il devait prendre la parole devant les libéraux québécois et il partit pour Montréal, ce dimanche, avec seulement quelques notes en main de façon à ne pas s'empêcher de parler du plus profond de sa détermination. Sachant à quoi s'attendre, son personnel avait rassemblé une équipe de scripteurs et de traducteurs afin d'enregistrer ses paroles et produire rapidement un texte en français et en anglais. Il n'y avait rien pour retenir Trudeau ce soir-là et l'attention se porta sur la menace spectaculaire qu'il fit de mettre la clef dans la porte de Radio-Canada si la chaîne française de la CBC servait de véhicule à la propagande séparatiste. Il menaça aussi d'abolir la Compagnie des Jeunes canadiens si elle venait en aide aux jeunes révolutionnaires.

Le point important de son discours était cependant l'avis qu'il donna aux libéraux provinciaux de se choisir un chef profondément fédéraliste pour les conduire aux prochaines élections générales — signe qu'il avait abandonné tout espoir en Bertrand — et la promesse formelle et prophétique au peuple du Québec qui craignait la montée de violence chez les séparatistes extrémistes du FLQ et d'autres organisations de façade: « Vous pouvez compter sur nous. Nous ne permettrons pas que le pays soit divisé, ni de l'intérieur ni de l'exté-

49

rieur ... Je vous redis que nous n'abdiquerons devant aucune crise au Canada et particulièrement au Québec. »

Ce n'était pas de bon augure pour l'ouverture de la troisième session de la conférence constitutionnelle de décembre 1969. Les chefs de gouvernement se rencontrèrent pour la première fois dans le nouveau centre de conférence de l'ancienne gare Union et le ministre de l'Expansion économique régionale, Jean Marchand, regarda autour de lui et lança sur un ton railleur que la Confédération avait commencé avec les chemins de fer et qu'il espérait qu'elle ne se termine pas avec les chemins de fer! » Tout le monde à bord » répliqua Trudeau et la conférence commença. C'était la première tentative, en deux ans de travail, de faire face au vrai problème du Québec — la politique sociale.

Le gouvernement fédéral avait publié un document de travail dans lequel il faisait valoir que: (a) Ottawa devait conserver le droit de faire des paiements directs aux individus, comme dans le cas des allocations familiales, de façon à redistribuer la richesse, influencer la politique économique, construire une conscience nationale et assurer la transférabilité des bénéfices lorsque les Canadiens passent d'une province à l'autre. (b) Il devait conserver le contrôle de l'assurance-chômage parce qu'il s'agissait d'un instrument économique plutôt que social. (c) Il devait s'assurer la priorité du pouvoir sur les pensions de vieillesse afin de maintenir la transférabilité, au lieu de légiférer dans ce champ seulement lorsqu'il rencontrerait l'assentiment des provinces.

Dès l'ouverture de la conférence, Bertrand rejeta les protestations de Trudeau voulant qu'une entente ait été conclue pour qu'il n'y ait pas de déclarations d'ouvertu-

50

re et entreprit de démontrer que la position du Fédéral allait à l'encontre des désirs québécois.

Il insista pour dire que non seulement son gouvernement mais tous les gouvernements qui l'avaient précédé et tous les partis d'opposition au Québec étaient d'accord pour que le Québec ait le contrôle de « la sécurité sociale, incluant toutes les allocations sociales, les pensions de vieillesse, la santé et les hôpitaux, la formation professionnelle et les centres de main-d'œuvre ». Mais Bertrand dépassa les arguments traditionnels, que ces instruments sociaux étaient essentiels pour préserver et diriger le développement de la société française, et amorça une nouvelle revendication.

Un brillant actuaire du nom de Claude Castonguay avait récemment complété une étude intensive de la sécurité sociale au Québec et il en tira la conclusion — présentée dans un livre blanc provincial — que tous les services devraient être intégrés dans un même plan familial pour des raisons d'efficacité. Les allocations familiales, les bourses et prêts aux étudiants, les services médicaux et l'assurance-hospitalisation, l'assistance sociale et les pensions de vieillesse, les services aux enfants, l'habitation, les prestations pour accidents de travail, l'assurance-chômage et la formation professionnelle ainsi que les autres agences ou services qui pourraient et devraient être intégrés dans un programme coordonné à l'intention de l'unité de base de la société québécoise, la famille. Ceci impliquait évidemment que certains services fédéraux devraient passer sous contrôle provincial. Mais comme Bertrand le souligna le gouvernement fédéral ne faisait pas que « refuser de remettre au Québec les programmes qu'il a souvent réclamés et pour lesquels la Constitution lui conférait la priorité mais pour toutes sortes de raisons pratiques il veut s'emparer de certains programmes de juridiction provinciale. Selon notre opinion c'est faire les choses à l'envers ».

Alors que certaines provinces anglaises étaient sympathiques aux idées de Bertrand, elles n'étaient pas poussées par les mêmes impératifs culturels et étaient conscientes que plusieurs de leurs électeurs s'attendaient encore que la politique sociale soit dirigée par Ottawa. Un nouveau visage à la conférence, le jeune Premier ministre NPD du Manitoba, Ed Schreyer, un ancien député fédéral, réprimanda même Trudeau pour son hésitation à proclamer la responsabilité fédérale.

Il était malheureusement clair, lorsque la conférence prit fin, que deux années de pourparlers constitutionnels avaient contribué à renforcer plutôt qu'à réconcilier les divergences fondamentales entre les provinces et que Québec était isolé dans la Confédération. « Nous ne tirerons pas de conclusions rapides, avait déclaré le Premier ministre de l'Ontario, M. Robarts. Ce n'est pas possible avec un aussi grand éventail d'opinions parmi les gouvernements. Nous ne pourrons peut-être pas réussir à réconcilier nos divergences et, en fait, nous ne pourrons peut-être jamais arriver à un accord. »

Dans ce climat de découragement, l'attention des négociations fédérales-provinciales se détourna des abstractions de la Confédération et se porta sur des problèmes pratiques comme les prix des céréales des Prairies, les taux des trains de marchandises et le plan fédéral pour la réforme fiscale.

Certains esprits commençaient toutefois à se tourner vers l'idée que, si les chefs de gouvernements ne réussissaient pas à s'entendre sur le contenu d'une nouvelle Constitution, ils pourraient peut-être travailler à trouver une formule pour rapatrier l'ancienne.

C'était un casse-tête familier que l'on avait tenté de résoudre à plusieurs reprises auparavant et l'on avait du reste presque trouvé la solution avec la formule Fulton-Favreau (du nom de deux ministres de la Justice) qui avait été mise au point au début des années soixante mais que le Québec avait rejetée à la dernière minute. L'Acte de l'Amérique du Nord britannique unissant les anciennes colonies britanniques en une Confédération, en 1867, et déterminant la forme du gouvernement fédéral et ses pouvoirs ainsi que ceux des provinces avait nécessairement été adopté par le Parlement britannique. Et même si le Canada avait depuis longtemps acquis son indépendance, la Constitution demeurait, de façon embarrassante d'ailleurs, à Westminster où le Canada devait s'adresser chaque fois qu'il voulait effectuer un changement. Ce n'était pas parce que le Parlement britannique tenait à être importuné — il voulait au contraire se débarrasser de ce désagrément qui l'obligeait à légiférer sur demande canadienne —, mais parce que les Canadiens ne réussissaient jamais à se mettre d'accord pour amender l'Acte ABN au pays. Les provinces, par exemple, n'auraient jamais songé à permettre au gouvernement fédéral de prendre exclusivement charge de la Constitution et d'y apporter des changements à son aise, car elles auraient risqué d'y perdre des droits acquis — comme celui du Québec à la langue française. Mais toute formule stipulant que toutes les provinces devraient s'entendre avec Ottawa avant d'apporter des changements entravait la constitution dans une camisole de force et rendait tout changement à peu près impossible; car il y aurait toujours des opposants qui s'objecteraient ou demeureraient sur leurs positions pour obtenir des concessions.

Il fallait donc trouver une formule qui permettrait raisonnablement d'effectuer des changements, tout en comportant des garanties satisfaisantes pour tous, ce qui rendrait alors possible le rapatriement de la constitution au Canada. Pendant que Robarts et certains experts fédéraux commençaient à envisager une solution de cet ordre, des développements politiques survenaient au Québec. Les libéraux provinciaux choisirent leur nouveau chef, Robert Bourassa, un jeune technocrate d'excellente formation universitaire qui avait été conseiller du ministère fédéral des Finances pour la réforme fiscale quelques années auparavant, et qui avait vendu sa maison de la rivière Rideau à Paul Hellyer avant de tenter sa chance en politique québécoise. Il avait quelque chose du style de Trudeau en politique, mais Ottawa tenait évidemment à s'assurer s'il était authentiquement fédéraliste. Lorsqu'il esquiva une question brutale, mais qui constituait un test — s'il était élu, ferait-il flotter le drapeau canadien sur les édifices de l'Assemblée nationale? — certains ministres fédéraux dirent qu'il était plutôt mou, un nationaliste en puissance entouré de conseillers suspects, et qu'on ne devait pas lui faire confiance. Trudeau et Marchand persuadèrent enfin Bourassa de faire une confession modeste, mais publique, de sa foi dans le fédéralisme, et ils durent se satisfaire de cela.

Le Premier ministre Bertrand attendit que Bourassa soit installé dans son rôle de chef de l'Opposition et déclencha des élections générales pour le mois d'avril. Je m'étais rendu le voir à son bureau de l'Assemblée nationale, en février, alors que la campagne était déjà officieusement en marche, et il parla franchement de sa stratégie électorale.

C'était la période du carnaval d'hiver. Il entra, portant un veston à carreaux écossais et arborant sur la poitrine le symbole du carnaval, le bonhomme de neige. Il portait une cravate de même couleur que le veston et ressemblait au maire d'une petite ville, ou peut-être au président local d'une Chambre de commerce. Il discourait dans l'ancien style de la politique québécoise. Lui et l'Union nationale allaient adopter une position nationaliste modérée avec, d'un côté, Lévesque et son parti québécois et, de l'autre, les centralisateurs Trudeau-Bourassa. « Nous allons régler certains des problèmes cette année, il n'y a aucun doute. Ce sera — et je pense que j'ai raison de le dire — presque comme un référendum. » Il était confiant que les Québécois voteraient encore, comme ils l'avaient souvent fait dans le passé, pour le statut particulier, le concept d'un Québec ni complètement engagé par le Canada ni séparatiste.

A Ottawa, on pensait différemment. Trudeau était confiant que les séparatistes ne réussiraient pas bien aux élections et les sondages libéraux démontraient qu'il était, et de loin, le politicien le plus populaire chez les Canadiens français. On craignait cependant que les créditistes ne fassent une percée, particulièrement si le chef national, Réal Caouette, décidait de quitter Ottawa pour conduire le parti provincial. Ce concessionnaire d'automobiles de Rouyn, orateur qui pouvait éblouir son auditoire avec la théorie monétaire du Crédit Social, Caouette était un fédéraliste convaincu, encouragé par le fait que la reine avait conversé avec lui de façon charmante en français et par la découverte, lors de sa première visite en France, que le niveau de vie, évalué d'après le nombre de toilettes privées qu'il y avait dans son hôtel, était plus bas qu'au Canada.

Mais s'il se lançait dans la course au Québec et si le vote se divisait en quatre entre l'Union nationale, les libéraux, les séparatistes et les créditistes, il n'y avait pas moyen de déterminer quel serait le résultat. Ottawa était en proie à des cauchemars devant l'hypothèse d'un gouvernement minoritaire à Québec, incapable de faire face à l'augmentation du chômage, à la détérioration de la confiance des hommes d'affaires et à l'agitation montante dans les rues.

Le jour des élections cependant, Bourassa et les libéraux l'emportèrent par une forte majorité. L'Union nationale était presque balayée, tandis que les créditistes avaient fait moins bien que prévu. Lévesque perdit son siège à Montréal, mais les séparatistes du PQ recueillirent 24 p. cent du vote total — ce qui incluait, comme ils le firent rapidement remarquer, environ 30 p. cent du vote canadien-français. C'était, selon les apparences, une victoire non seulement pour Bourassa mais aussi pour Trudeau. Québec venait d'élire le parti le plus fédéraliste participant à la campagne, rejetant à la fois le statut particulier de Bertrand et le séparatisme de Lévesque. L'évidence la plus sérieuse et la plus inquiétante démontrait cependant que la politique provinciale se polarisait maintenant entre les séparatistes et les fédéralistes. Les positions médianes disparaissaient, mais cela ne semblait pas inquiéter Trudeau. Il aimait les gens engagés qui n'avaient pas peur de leurs opinions, disait-il en faisant passer un frisson dans le dos des vétérans d'Ottawa pour qui la joute des négociations fédérales-provinciales consistait à éviter les confrontations et les décisions finales du Québec, de peur de n'être pas en présence du vrai Québec!

Tout semblait maintenant prêt, selon les desseins mêmes

de Trudeau, pour qu'il conduise les négociations constitutionnelles à une brillante conclusion. Bourassa était
plus intéressé à l'économie et à la création d'emplois
qu'aux subtilités de l'AANB, et c'était très bien pour
Trudeau. Les deux hommes eurent une conversation
privée peu après la prise du pouvoir de Bourassa. Trudeau lui donna l'assurance que, malgré sa réputation de
centralisateur rigide, il avait l'intention d'être flexible et
de répondre favorablement aux demandes raisonnables
et précises du Québec pour la réforme de la constitution.
Trudeau ne voulait cependant pas la poursuite de ces
longues négociations au cours desquelles chaque proposition de concession d'Ottawa était suivie d'une nouvelle
demande du Québec et qui ne laissaient jamais entrevoir
un règlement final. Trudeau déclara à Bourassa à peu
près ceci: « Dites-nous quel ensemble de réformes pourrait vous permettre de satisfaire vos électeurs et de les
persuader d'adopter une nouvelle constitution, et nous
ferons de notre mieux pour vous satisfaire. »

Bourassa répéta la formule familière: Québec doit s'assurer tous les pouvoirs nécessaires pour construire sa
propre société. Les deux chefs s'entendirent donc pour
concentrer leurs efforts sur ce point.

Un des Mandarins les plus compétents et les plus respec-
tés d'Ottawa, Bob Bryce, avait annoncé sa retraite comme
sous-ministre des Finances; mais il ne quitta jamais
Ottawa. Trudeau le fit entrer dans son cabinet personnel, l'installa dans un vieil édifce du centre-ville et le
chargea d'élaborer une solution qui permettrait de concilier l'intégration des programmes d'Ottawa avec le
désir du Québec de contrôler sa politique sociale.

Bourassa, de son côté, s'était adjoint comme ministre des
Affaires sociales Claude Castonguay, dont le Livre blanc

sur la politique sociale avait été cité par Bertrand à la conférence constitutionnelle et qui savait exactement de quels pouvoirs Québec avait besoin pour réaliser ses plans d'un programme coordonné de sécurité sociale.

Pendant ce temps, la conférence constitutionnelle avançait à pas de tortue. Les chefs de gouvernement se rencontrèrent à huis-clos, en septembre 1970, mais il n'y eut que peu de progrès. Exaspéré, Schreyer, du Manitoba, déclara que la solution était peut-être de confier tous les problèmes à une commission d'experts pendant 18 mois. De son côté, Thatcher de Saskatchewan, qui n'avait jamais caché son profond ennui dans toute cette affaire, suggéra que, puisque la constitution n'intéressait, en fait, qu'Ottawa, Québec et l'Ontario, ces trois gouvernements pourraient négocier tant qu'ils voudraient; après quoi ils feraient part aux autres des accords auxquels ils en arriveraient. C'est alors que Robarts rendit publique son idée de se tourner vers l'ancien problème du rapatriement de l'AANB, et Trudeau se dit d'accord parce qu'il y voyait au moins une chance de succès.

La crise du FLQ éclata en octobre, ce qui ne fit que polariser davantage une situation politique déjà explosive au Québec et mettre en évidence la nécessité d'obtenir quelque succès dans les négociations constitutionnelles afin de démontrer qu'un changement pacifique était possible. On envoya le ministre fédéral de la Justice, Turner, en tournée à travers le pays afin de vendre une nouvelle formule d'amendement de l'AANB aux provinces, qui, si elle était acceptée, pourrait permettre de rapatrier la constitution de Londres.

La formule proposait que la plupart des changements pourraient être effectués avec l'assentiment du gouvernement fédéral, plus celui de chaque province comptant

58

plus de 25 p. cent de la population canadienne (signifiant que l'Ontario et le Québec auraient droit de veto contre les mesures qu'elles n'approuveraient pas), plus celui de deux provinces Maritimes, plus celui de deux provinces de l'Ouest.

Lorsque la conférence reprit ses travaux à huis-clos, en février 1971, les perspectives d'un accord éventuel semblaient meilleures qu'elles ne l'avaient jamais été en trois ans.

Quelques-uns des anciens Premiers ministres qui étaient agacés et empêtrés dans les vieux clichés étaient partis, retirés ou battus. Il y avait des hommes plus jeunes et plus flexibles pour se joindre à Bourassa à la table. Robarts qui assistait à sa dernière conférence, avant de prendre sa retraite, les observa avec intérêt; et lorsqu'il nous invita à prendre un verre à sa chambre à la fin de la conférence, il fit remarquer avec admiration à propos des nouveaux venus: « Ils ne sont pas coincés dans les vieilles rangaines. Ils disent simplement "pourquoi pas?" »

Cette nouvelle souplesse était devenue apparente lorsqu'un moment difficile se présenta à la table en fer à cheval. Bennett, de la Colombie britannique, portant la fierté de sa grande province, s'objecta à une des particularités de la formule d'amendement. Si l'Ontario et le Québec jouissaient du droit de veto, sa province devrait avoir droit à plus d'égards et ne pas être traitée simplement comme l'une des quatre provinces de l'Ouest. Il demanda que la formule soit changée de façon que les deux provinces de l'Ouest donnant leur consentement représentent au moins 50 p. cent de la population de l'Ouest.

Cela signifiait que BC et une autre province devraient

donner leur accord pour qu'un changement soit accepté; mais si BC était en désaccord, les autres provinces des Prairies devraient voter contre elle. Les autres provinces de l'Ouest n'étaient pas satisfaites de devoir conférer cette distinction à la Colombie britannique, et Trudeau et Turner étaient incertains quant à la possibilité d'ajouter une nouvelle particularité qui rendrait la formule d'amendement encore plus rigide. Tout le projet était en danger. C'est alors qu'un Premier ministre relativement nouveau à la conférence, Schreyer, du Manitoba, prit la parole et dit que les Prairies pourraient faire ce sacrifice pour rencontrer les exigences de Benne si c'était essentiel pour sauvegarder l'accord. La région atlantique présentait le prochain problème. Si l'on acceptait de concéder un statut spécial à la Colombie britannique dans l'Ouest, l'Est ne devrait-il pas jouir des mêmes prérogatives, ce qui aurait pu rendre la formule encore plus inflexible? Après tout, cette formule plaçait la fière Nouvelle-Ecosse sur le même pied que l'Ile-du-Prince-Edouard. Mais le nouveau Premier ministre de la Nouvelle-Ecosse, le libéral Gerald Reagan, se tourna vers Smallwood, de TerreNeuve, et ils furent d'accord pour dire qu'ils ne leur étaient pas nécessaire d'obtenir un statut égal à celui de la Colombie britannique. Campbell, de l'Ile-du-Prince-Edouard, déclara qu'il était d'accord et Reagan se tourna vers le jeune chef conservateur du NouveauBrunswick, Richard Hatfield, qui donna son consentement. On en arriva donc à un accord préliminaire privé sur la formule d'amendement de la constitution. Trudeau parla de déblocage, et il semblait bien que l'AANB serait bientôt triomphalement rapatriée au Canada, symbole populaire de la nouvelle unité et maturité du Canada.

Ça n'allait pas être aussi simple. Bourassa n'était pas

tout à fait engagé. « Nous verrons, disait-il continuellement aux journalistes. *Nous verrons*, nous verrons ». En fait, il demandait un prix et ce prix était bien connu: un accord sur la politique sociale. Castonguay poussait l'idée d'un plan intégré de sécurité sociale, et le communiqué émis après la conférence à huis-clos de février indiquait qu'il n'y aurait pas de difficultés majeures à adapter les allocations familiales du Fédéral et les pensions de vieillesse au plan québécois. L'assurance-chômage était déjà ajustée. Le dernier point d'accrochage semblait tourner autour du Régime général d'allocations sociales, une sorte de plan de revenu minimum garanti, et Trudeau et Bourassa dînèrent ensemble pour discuter des coûts et du temps qu'il faudrait pour mettre le plan en vigueur. Il fallait maintenant tenter d'ordonner ce détail fort substantiel de façon qu'un ensemble d'accords constitutionnels puisse être approuvé par les chefs de gouvernements à leur rencontre de Victoria, en juin, où ils devaient prendre part aux célébrations du 100e anniversaire de l'entrée de la Colombie britannique dans la Confédération. Les experts fédéraux savaient qu'il fallait que ça passe ou que ça casse et ils évaluaient les chances de succès à 50-50. On n'était pas seulement préoccupé du Québec et de sa politique sociale, mais aussi des réticences de l'Ontario à accepter même une garantie très limitée des droits linguistiques dans la nouvelle constitution. Le nouveau Premier ministre qui avait succédé à Robarts s'était engagé à développer l'usage du français dans sa province au point de vue pratique, mais il demeurait réticent à se voir lié par une formule constitutionnelle qui pourrait imposer des obligations légales qu'il n'était pas prêt à endosser dans tous leurs détails.

La conférence s'ouvrit par une grande parade officielle à

travers les rues de la ville et se dirigeant vers l'édifice de l'Assemblée législative donnant sur le beau port de Victoria. Le Premier ministre Bennett agissait pratiquement comme le capitaine du défilé, montant et descendant de sa voiture Buick afin de procéder aux derniers arrangements, tandis que Trudeau ouvrait le défilé à bord d'une Cadillac gris-vert. Campbell, de l'Ile-du-Prince-Edouard, se baladait dans une Mustang jaune que l'on considérait sans doute suffisante pour sa petite province. La salle de l'Assemblée législative, où devaient se tenir les pourparlers, était pavoisée de drapeaux et de fleurs pour l'ouverture officielle devant les journalistes et les caméras de télévision. Comme toujours, la chance d'obtenir un peu de publicité porta les politiciens à leurs pires excès électoraux, et la gaieté ainsi que la bonne volonté qui avaient marqué cette occasion firent place aux dards partisans lancés dans les déclarations d'ouverture. S'adressant à ses électeurs, les bons voteurs des comtés, Bennett minimisa l'importance de la constitution et trouva même moyen d'insulter le Québec en suggérant que, d'une manière ou d'une autre, cette province réussissait à voler les payeurs de taxes de la Colombie britannique. Schreyer, de son côté, se lança dans une attaque contre la politique économique de Trudeau. Harry Strom, d'Alberta, protesta que le Canada n'était pas un pays biculturel mais multiculturel et que le français ne devrait pas avoir de statut spécial dans sa province.

Le procureur général de la Saskatchewan, Darrel Heald, remplaçant le Premier ministre Ross Thatcher, retenu par des élections générales — qu'il perdit d'ailleurs —, fit valoir l'éternel problème des tarifs de chemin de fer. Une fois de plus, ce fut Campbell, de l'Ile-du-Prince-Edouard, qui coupa court à ces interventions électoralistes en disant: « Je crois que nous sommes ici à une conférence constitutionnelle. Je ne suis pas ici seulement pour discuter de changement constitutionnel, mais, dans l'espoir que nous pourrons effectivement changer la constitution. Mettons-nous à l'œuvre. »

Lorsque la conférence se tint de nouveau à huis-clos, le climat était encore difficile. Le document de travail distribué aux chefs de gouvernement était intitulé: *la Charte constitutionnelle canadienne.* Un grand titre pour un paquet de propositions rescapées des conférences antérieures et sur lesquelles on croyait s'entendre. On y trouvait, par exemple, les restes de ce qui avait fait la fierté de Trudeau, sa Charte des droits de l'homme. Elle était maintenant réduite à quelques-unes des libertés politiques les plus fondamentales de pensée, de conscience, de religion, d'opinion, d'expression, de réunion et d'association. La partie traitant des garanties linguistiques avait été réduite dans sa portée même et limitée à quelques provinces consentantes; l'Ouest s'était plus ou moins retiré, et même là où il y avait accord on était loin d'assurer l'égalité du français et de l'anglais. Les provinces devaient avoir leur mot à dire dans la nomination des juges de la Cour suprême du Canada, l'une des prétendues « institutions du fédéralisme ».

Il y avait un autre article par lequel tous les gouvernements s'engageaient à combattre les inégalités régionales mais ne garantissaient rien en pratique. Il y avait évidemment la fameuse formule d'amendement, telle que négociée en février, quelques propositions pour mettre de l'ordre dans des vieux articles inopérants de la constitution, et enfin les propositions concurrentes d'Ottawa et de Québec sur la sécurité sociale.

A l'ouverture des négociations, il fut vite apparent que Bourassa n'était pas sûr de ses positions sur certaines questions. Il hésitait, temporisait et quitta, du reste, la table à plusieurs reprises, présumément pour téléphoner à ses collègues du cabinet à Québec. Il donnait aux autres Premiers ministres l'impression de n'être pas tant un chef de gouvernement que le représentant ou porte-parole d'un groupe de leaders, groupe qui était d'ailleurs divisé sur des points majeurs. Il n'y avait pas de minutes officielles des conversations qui se déroulaient autour de la table, mais on réussit malgré tout à en apprendre suffisamment même si les fuites n'étaient pas entièrement exactes. Trudeau voulait inscrire un article dans la nouvelle constitution afin de préciser que les relations internationales relevaient du Fédéral, ce qui aurait mis fin aux aventures du Québec à l'étranger. « Je vais devoir y réfléchir », répondit Bourassa; et Trudeau abandonna son article avec un haussement d'épaules résigné, assorti de cette remarque un peu exaspérée: « Mais, Robert, tu as eu l'occasion d'y penser depuis l'an dernier. »

Lorsque Bourassa déclara qu'il ne pouvait garantir les services provinciaux en anglais dans les districts bilingues du Québec où plus de 10 p. cent de la population parlait anglais, Davis, de l'Ontario, explosa: « Si vous ne pouvez vendre les droits de l'anglais dans votre propre province, comment pensez-vous que nous pourrons garantir les services en français en Ontario? »

Bourassa n'était pas prêt non plus à garantir le droit à l'éducation dans la langue choisie par les parents, et un délégué d'une province atlantique fit valoir ainsi son mécontentement: « Je me sens comme un fiancé qui aurait finalement décidé de monter à l'autel avec celle qui lui demande, depuis des années, de l'épouser; et une fois rendu dans l'église je me retourne pour lui passer la bague au doigt, et elle a disparu. »

Les deux propositions relatives à la politique de sécurité

sociale s'appuyaient sur une adaptation de l'article 94 A
de l'AANB. C'est en vertu de cet article que les provinces, plusieurs années auparavant, avaient accordé à
Ottawa le droit de légiférer pour les pensions de vieillesse, une matière sociale qui relevait donc prioritairement de la juridiction des provinces. La signification
précise de cet article était discutable, mais il semblait
conférer les principaux pouvoirs aux provinces: ainsi,
Ottawa pouvait créer un plan de pension mais, si une
province voulait également établir son plan de pension,
sa législation serait prioritaire.

Ottawa voulait se servir de cet article pour y inclure, en
plus des pensions de vieillesse, les allocations familiales
et l'aide à la jeunesse ainsi que les allocation payées aux
personnes fréquentant les cours de formation professionnelle. Cela indiquait que, si Québec ou toute autre
provinces décidait d'établir ses propres programmes
d'allocations — comme c'était la volonté de Castonguay
— et si ses lois entraient en conflit avec celles d'Ottawa,
le plan provincial serait prioritaire. C'est ce qu'on appelait la primauté législative.

Selon les vues d'Ottawa, il s'agissait d'une concession
assez importante. Même si l'AANB accordait la principale juridiction de la politique sociale aux provinces, le
gouvernement fédéral s'était habitué, depuis la Deuxième
Grande Guerre, à dicter le rythme de développement
des grands plans nationaux. Il avait revendiqué le droit
de faire des paiements directs, tels que les allocations
familiales, à tous les citoyens sous sa responsabilité
générale. Il avait aussi obtenu la gestion de l'économie,
la redistribution du revenu et s'était approprié la tâche
de créer un sentiment d'appartenance à une société à
travers le pays. Il était maintenant prêt à faire un compromis de façon à reconnaître la primauté législative

provinciale même si cette offre n'était pas aussi bonne qu'elle semblait l'être au premier coup d'œil. La formule fédérale ne parlait pas d'argent. Si Québec légiférait de manière à exclure les allocations familiales et l'aide à la jeunesse du Fédéral, Ottawa garderait simplement les sommes d'argent et Bourassa n'aurait aucun fonds additionnel pour augmenter les allocations provinciales, tout en n'ayant aucune explication à donner à ses électeurs pour leur faire accepter le fait qu'ils ne recevraient plus de chèques d'Ottawa. Ce serait une victoire constitutionnelle vide de sens pour les provinces, et qui n'apporterait rien pour permettre à Castonguay de réaliser son rêve d'un système intégré de sécurité sociale.

Les Canadiens français continueraient simplement à payer des impôts au Fédéral sans en retirer de bénéfices, jusqu'à ce que Québec et Ottawa finissent par céder aux pressions politiques inévitables et concluent un arrangement autre que celui indiqué dans l'offre fédérale.

Les experts fédéraux qui avaient préparé la proposition de compromis sur la politique sociale savaient qu'il s'agissait d'une question critique, l'apogée de plus de trois ans de négociations constitutionnelles visant à satisfaire Québec à l'intérieur de la Confédération. Ils surveillèrent donc avec anxiété les réactions de Bourassa et de Castonguay qui faisait partie de la délégation de Victoria. Ils commencèrent à soupçonner le pire le deuxième soir de la conférence, lorsque Bennett eut l'idée d'offrir à tous les participants une petite croisière dans les détroits de Juan de Fuca à bord d'un traversier à vapeur. Les optimistes croyaient que cette croisière serait une répétition de la fameuse rencontre de Charlottetown, à l'Ile-du-Prince-Edouard, en 1864, lorsque les politiciens de l'Ontario et du Québec arrivèrent au port en bateaux à voile, invitèrent les représentants des Mari-

66

times à monter à bord et leur vendirent l'idée de la Confédération. Cependant, alors que le yacht canadien de Charlottetown était bourré de champagne — ce qui, dit-on, favorisa beaucoup les négociations —, il n'y avait pas d'alcool à bord du traversier, sauf quelques bouteilles que des délégués prévoyants avaient passé à bord en contrebande puisque Bennett est un abstinent.

La plupart des voyageurs accordaient leur attention soit à la nouvelle Mme Trudeau dans son ensemble-pantalon orange, soit aux merveilleuses Rocheuses au sommets enneigés dans le soleil couchant. Les experts fédéraux, de leur côté, surveillaient Castonguay qui arpentait le pont en compagnie de deux adjoints. Les trois hommes discutaient, têtes penchées, et leur expression devenait de plus en plus lugubre, de minute en minute.

La situation était claire: tout généreux que son projet fût à ses propres yeux, le Fédéral offrait beaucoup moins au niveau de la politique sociale que ce que demandait Castonguay dans la proposition québécoise. Le plan Castonguay laissait entendre que la plupart des allocations sociales du Fédéral devaient être régies par l'article 94 A, donc sujettes à la primauté provinciale. Tout plan provincial établi pour payer des allocations familiales, des allocations pour la formation de la main-d'œuvre ou un supplément de revenu garanti pour les personnes âgées, absorberait automatiquement tout plan fédéral dans ces domaines; et les plans fédéraux d'aide à la jeunesse, d'allocations sociales, d'assurance-chômage et de pensions aux vieillards et aux invalides ne pourraient demeurer en vigueur que s'ils n'entraient pas en confrontation avec un plan provincial. Là où un plan provincial remplaçait un plan fédéral, selon ces arrangements, la province recevrait automatiquement d'Ottawa les sommes d'argent que le Fédéral aurait dépensé si ses plans avaient été en vigueur. C'était beaucoup plus que ce que Trudeau était prêt à abandonner. En plus des arguments selon lesquels Ottawa devait conserver certains pouvoirs de taxation et de redistribution du revenu, et la responsabilité, au moins, des minimums nationaux pour la sécurité sociale, certains facteurs politiques jouaient aussi dans la balance.

On pouvait difficilement s'attendre à ce que le Parlement fédéral prélève des impôts pour envoyer l'argent au Québec et aux autres provinces et qu'il tente d'innover en créant de nouveaux programmes sociaux dont les provinces pourraient s'emparer à volonté. Trudeau pensait aussi qu'il était important qu'Ottawa continue de faire parvenir des chèques directement aux Canadiens français afin de leur rappeler l'existence du gouvernement fédéral tout en leur laissant savoir que toutes les bonnes choses ne venaient pas exclusivement du gouvernement québécois. Bourassa et Castonguay ne pouvaient donc pas accepter l'offre trop restreinte d'Ottawa, tandis que Trudeau ne réussissait pas à avaler la trop grosse demande québécoise. Dans un effort pour gagner l'appui des autres provinces à ses propositions, Castonguay tint des séances privées d'information pour elles. Le ministre souleva un intérêt mêlé d'admiration pour son système intégré de sécurité sociale. Certaines des provinces commençaient même à se rendre aux idées du Québec, que leur position serait meilleure en administrant leurs propres affaires selon leurs besoins locaux et leurs priorités qu'en tentant d'administrer une série de programmes tampons en collaboration difficile avec Ottawa qui pourrait changer les règles du jeu à tout moment. Mais les provinces atlantiques se rappelaient comme toujours qu'elles ne pouvaient se permettre de mordre la main fédérale qui les nourrissait de subsides et assurait leur solvabilité.

Les chefs de gouvernement arrivèrent à l'Assemblée législative à 10.00 a.m. pour la troisième et dernière journée de la conférence. Ils étudièrent ce qui restait de la charte constitutionnelle (maintenant connue comme la Charte de Victoria) article par article, ligne par ligne et mot par mot afin d'en arriver à un accord final. On souleva de nouveau les problèmes de la politique sociale, mais Ottawa indiqua que le Fédéral n'était pas disposé à dépasser les limites de son offre originale. La proposition québécoise disparut de la circulation et ne fut jamais, d'ailleurs, rendue officiellement publique à Victoria, sauf pour quelques copies qui circulaient sous la couverture chez les journalistes. La conférence aurait pu se terminer là par un désaccord, mais tous les participants voulaient absolument en venir à un accord, quel qu'il soit. Qui donc aurait été prêt à sortir de la salle de conférence et à annoncer que tous les efforts accomplis pour jeter les nouvelles bases de la Confédération s'étaient soldés par un échec? On prit le déjeuner dans la Chambre de l'Assemblée législative, puis des pâtisseries pour le dîner, pendant que Bennett continuait à refuser inconditionnellement la permission de fumer, véritable agonie pour certais délégués. Les spéculations journalistiques allaient bon train, heure après heure, à l'extérieur de la Chambre. Finalement, vers 11.30 p.m., soit 13 heures après le début des discussions de cette troisième journée, la conférence prit fin et Trudeau, les yeux marqués par la fatigue et une marguerite jaune tombant de la pochette de son veston, rencontra la presse. Il présenta la meilleure interprétation possible des événements mais il était visible que rien n'avait été décidé de façon définitive.

On avait réussi à sauvegarder, aussi loin que possible, la Charte de Victoria avec ses quelques droits politiques et linguistiques, l'offre fédérale sur la politique sociale, la formule d'amendement et le reste, mais aucun des gouvernements ne s'était engagé définitivement. Les chefs des 11 gouvernements prenaient le chemin du retour afin d'aller y réfléchir pendant 12 jours, jusqu'au 28 juin, consulter leurs collègues et l'opinion publique et décider si les propositions étaient acceptables. Il n'y aurait plus de compromis, plus de négociations; mais si tous décidaient d'accepter, la Charte serait en vigueur, Le Canada pourrait rapatrier sa constitution de Grande-Bretagne et commencer à y faire des changements. Mais plus important encore, le Québec reconnaîtrait tacitement l'existence de solutions à l'intérieur du Canada et confirmerait ainsi son désir d'orienter son avenir à l'intérieur de la nouvelle Confédération et non dans le séparatisme.

Les experts fédéraux savaient que Bourassa n'avait pas eu ce qu'il voulait et qu'il éprouverait de la difficulté à persuader son cabinet et ses électeurs qu'il avait obtenu suffisamment en politique sociale pour justifier l'acceptation de la formule d'amendement. Ils croyaient qu'il comprendrait qu'il avait gagné tout ce qu'il pouvait dans les circonstances et qu'il préférerait, au point de vue stratégie, se tenir debout et lutter contre les nationalistes et les séparatistes pour la Charte plutôt que de la rejeter et entrer dans une période incertaine. C'était une proposition douteuse et, sur le traversier qui revenait à Vancouver ce jour-là, un journaliste fut étonné de voir sourire Gordon Robertson, le secrétaire du cabinet fédéral qui avait présidé le comité permanent fédéral-provincial au cours des années de négociations constitutionnelles. « Je suis content de voir que vous avez des raisons de sourire », lui dit le journaliste. « Ça vaut mieux que de pleurer », lui répondit Robertson.

A son retour à Québec, Bourassa essuya la tempête prévisible des nationalistes, des crypto-séparatistes dans les organisations patriotiques, des syndicats, de la presse, des partis d'opposition, de groupes d'intellectuels et de membres de son propre gouvernement. Injustement, ils firent valoir que Québec faisait face à un ultimatum: accepter la Charte d'ici 12 jours, ou bien ... Ce n'était pas un ultimatum, mais simplement une date fixée pour la décision finale après de très longues discussions maintenant terminées. Les critiques avaient raison, cependant, en faisant remarquer que la proposition fédérale sur la politique sociale ne donnerait pas au Québec le degré d'indépendance qu'il désirait obtenir pour développer sa propre société et préserver sa culture.

Bourassa refusa d'aller aussi loin lorsqu'il rejeta la Charte. Il déclara qu'il ne pouvait l'accepter parce que l'article de la politique sociale était ambigu; ce qui était vrai, ne fut-ce que parce qu'il ne précisait pas ce qu'il adviendrait des fonds fédéraux déplacés par les lois provinciales. Il laissa la porte ouverte à une clarification de l'article au cours de prochaines négociations, mais Trudeau n'était apparemment pas intéressé. « C'est la fin de cette affaire », déclara-t-il; et il entreprit de démembrer sa propre équipe d'experts en matières constitutionnelles ainsi que le secrétariat permanent constitué pour les fins de la conférence.

La voie pavée par Trudeau au cours de la première conférence, en février 1968, avait conduit au cul-de-sac. Il n'y avait pas de garantie constitutionnelle pour la langue française à travers le Canada, pas de charte des libertés pour exprimer les valeurs fondamentales de la société canadienne et servir de base à une nouvelle constitution. Le gouvernement québécois était là où il avait toujours été, demandant une certaine autonomie sociale, statut qu'Ottawa se refusait à lui accorder.

La mauvaise voie

Le concept de Trudeau « Un Canada » et deux langues officielles, qui avait ravi le pays en 1968 n'avait pas conduit à l'unité promise. Ayant choisi la voie que Trudeau avait recommandée, la conférence constitutionnelle s'était terminée par une faillite et c'était le temps de rappeler l'avertissement de Pearson: « Si nous faisons un mauvais choix, nous laisserons à nos enfants et à nos petits-enfants un pays divisé et nous serons devenus les ratés de la Confédération. »

Il semblait, en effet, que la Confédération était au bord de la rupture, encore plus après la conférence de Victoria qu'avant. Bourassa, le fédéraliste, n'avait pas réussi à régler avec Ottawa. L'union nationale représentant les vieux nationalistes et la position du statut particulier avait pratiquement été détruit par la polarisation politique au Québec. La véritable opposition aux libéraux, l'alternative au fédéralisme, semblait maintenant le Parti Québécois et le séparatisme.

Mais jusqu'au jour de la séparation et même à ce moment-là il n'y aura jamais rien de tout à fait final dans les négociations constitutionnelles entre Québec et Ottawa.

Malgré la déclaration de Trudeau à l'effet que la question constitutionnelle était close, du moins pour un certain temps, les pourparlers reprirent presque immédiatement mais sous une nouvelle forme. S'il n'y avait pas de formule constitutionnelle pour partager les responsabilités au niveau de la politique sociale peut-être y avait-il une possibilité de négocier des arrangements administratifs. Trudeau et Bourassa échangèrent donc des lettres en septembre et les experts des affaires sociales des deux gouvernements entreprirent des négociations complexes. Pendant que Québec voulait discuter des allocations familiales et des politiques de main-d'œuvre, Ottawa se concentra sur le champ des allocations ayant toujours considéré que l'entraînement et la mobilité de la main-d'œuvre étaient des questions d'ordre économique et non social.

En mars 1972, neuf mois après le rejet de la Charte de Victoria et « l'offre finale » d'Ottawa, Trudeau était prêt à formuler une nouvelle proposition sur les allocations familiales dans une lettre à Bourassa dont il informa les autres provinces et publia le contenu.

La formule était complexe — il fallut 2,000 mots pour l'expliquer — mais l'essentiel était: « Là où le Parlement fédéral et une législature provinciale ont chacun établi un plan de paiement des allocations familiales et que la loi provinciale se rattachant à un tel plan tente d'assurer un système intégré des allocations avec la province, il sera prévu que le plan fédéral sera modifié par un accord fédéral-provincial de façon que les prestations mensuelles, les niveaux de revenus où commencent la réduction des bénéfices et les taux de réduction seront appliqués selon les normes provinciales.

En bref, Ottawa était prêt à laisser les provinces décider quels seraient parmi ses citoyens les bénéficiaires des allocations familiales et quelle proportion des montants leur serait allouée sous la seule réserve de l'observation des normes minimales du gouvernement fédéral, et du droit d'Ottawa de faire parvenir lui-même les chèques

73

aux électeurs reconnaissants. « L'acceptation d'un tel plan, disait Trudeau, représenterait comme vous en jugerez sans doute, un changement très important de la position du gouvernement fédéral. Pour la première fois, un programme financé et administré par le Fédéral et issu d'un loi fédérale serait sujet à modification afin de l'adapter à un programme provincial ... Ce que nous retrouvons ici est un ajustement majeur dans l'approche du Fédéral à l'importante question des paiements de sécurité du revenu telle qu'établie par le Parlement il y a 25 ans. Cela introduirait un degré de flexibilité jusqu'ici inconnu dans les conditions provinciales. Cela permettrait aux provinces qui le désirent de se diriger vers un système intégré d'allocations familiales à l'intérieur de leurs limites tout en maintenant des standards généraux pour les paiements aux familles plus pauvres. Je pense que le plan rencontrerait les besoins fondamentaux du Québec pour l'établissement d'un système intégré d'allocations familiales qu'il désire mettre sur pied. « Toutefois l'offre ne traitait que des allocations familiales et de quelques points relatifs aux allocations scolaires mais Trudeau concéda que « les principes impliqués peuvent être étendus à d'autres programmes de support du revenu.» Et même s'il ne s'agissait là que d'un arrangement administratif qui pouvait être révoqué en tout temps par le Parlement, Trudeau déclara que « si une garantie constitutionnelle devenait nécessaire, ça pourrait être envisagé ... »

Si cette position démontrait que Trudeau n'était pas un fédéraliste aussi doctrinaire que ses critiques le laissaient entendre, elle soulevait également des questions à savoir pourquoi un tel geste n'avait pas été posé depuis longtemps. On s'interrogeait également sur la possibilité qu'il soit déjà trop tard pour arrêter le glissement du Québec vers le séparatisme. Si cette offre avait été faite à René Lévesque lorsqu'il était venu à Ottawa en tant que ministre dans le cabinet Lesage pour demander un plus grand contrôle de la politique sociale afin de développer la Révolution tranquille, elle aurait peut-être suffi à maintenir la foi dans le fédéralisme et l'aurait peut-être empêché de songer au séparatisme. Si cette solution avait été offerte au Premier ministre Johnson lorsqu'il proposa, pour la première fois, un nouveau partage des pouvoirs, elle aurait pu représenter l'Egalité qu'il recherchait comme alternative à l'Indépendance. Si on l'avait présentée au Premier ministre Bertrand, elle aurait pu être le levier qui lui aurait permis de tranquilliser les nationalistes de son cabinet. Offerte à Bourassa à Victoria, cette solution aurait peut-être pu lui permettre d'accepter la Charte de Victoria.

Maintenant il s'en fallait de bien peu pour que la formule puisse être transformée en accommodements administratifs à temps pour prévenir la rupture. Lorsque le budget fédéral, en mai 1972, haussa les pensions de vieillesse, Castonguay était en furie parce que Québec et les autres provinces n'avaient pas été consultées. Ottawa, une fois de plus, versait de l'argent de façon désordonnée dans le système de sécurité sociale érodant ses efforts pour créer un système intégré. S'il y avait des fonds en surplus, Castonguay voulait les dépenser pour les personnes âgées de 60 à 65 ans qui étaient dans le besoin sans toutefois être éligibles au fonds de pension régulier. Son argumentation n'était pas complètement rationnelle: Ottawa conservait inévitablement sa responsabilité des pensions de vieillesse au moins jusqu'à ce que de nouveaux arrangements soient négociés et subissait de plus des pressions morales et politiques afin qu'il vienne en aide aux personnes âgées.

C'était le comble. Cette dernière manœuvre unilatérale d'Ottawa représentait la frustration finale et Castonguay décida de démissionner du cabinet Bourassa en guise de protestation. Un ou deux autres ministres importants étaient prêts à le suivre. Même s'ils ne s'étaient pas joints immédiatement au Parti Québécois, ils auraient certainement déclaré assez clairement que Québec ne réussirait pas à réaliser ses aspirations à l'intérieur de la Confédération de Trudeau. Mais tout cela fut prévenu ou tout au moins retardé parce que cette crise coïncidait avec une flambée de violence révolutionnaire du monde du travail au Québec. Castonguay et les autres ne pensaient pas qu'il serait juste d'affaiblir le gouvernement en pareilles circonstances et décidèrent de retarder leur démission. Bourassa était cependant tellement ébranlé qu'il annonça une revue complète de toute son attitude face à Ottawa, laissant entendre qu'il adopterait une ligne beaucoup plus rigide à l'avenir.

Restait à voir comment cela se manifesterait. Pendant ce temps la vieille Union nationale rebaptisée Unité-Québec et s'efforçant de se doter d'une nouvelle image pour stimuler l'intérêt des Québécois, réaffirma ses convictions traditionnelles dans le statut particulier, les Deux Nations et le nouveau Canada qui serait « . . . une fédération d'Etats à l'intérieur de laquelle le Québec possède une voix égale au reste du Canada. »

Mais l'homme qu'Ottawa considérait comme l'éminence grise derrière le trône à Québec, le fonctionnaire qui avait conseillé plusieurs Premiers ministres, en matières constitutionnelles, et avait conservé la ligne du nationalisme pur au milieu de tant de propositions énoncées au cours des conférences constitutionnelles avait déjà démissionné. Abandonnant son poste de sous-ministre des Affaires intergourvernementales, Claude Morin laissa s'écouler quelques mois et se joignit au Parti Québécois en disant: « Après plusieurs années, après quatre Premiers ministres et après avoir exploré toutes les avenues de tous les types de fédéralisme — coopératif, décentralisé, rentable et Dieu sait quoi encore — je crois que je suis certain d'une chose: Québec ne sera jamais libre à l'intérieur de ce régime politique. »

Avec des recrues de cette qualité le Parti Québécois commençait à ressembler plus que jamais à la vraie Opposition aux libéraux provinciaux. Dans sa marche vers le pouvoir et la responsabilité, le PQ sembla adoucir certaines de ses positions, se désolidarisant de tout propos révolutionnaire et parlant moins de séparatisme et plus de réformes selon les grandes lignes de la social-démocratie européenne.

Lévesque n'avait certes pas abandonné son objectif, l'indépendance, mais il avait toujours reconnu que ça ne pourrait être qu'une indépendance limitée. Dans sa première proposition de 1967, il avait suggéré que la déclaration de souveraineté soit suivie de négociations avec le Canada anglais afin d'établir une union monétaire, une politique tarifaire commune et une coordination des politiques fiscales qui pourraient conduire à d'autres domaines de coopération à l'intérieur d'une « Union canadienne » — « une association sans laquelle il serait, tant pour l'un que pour l'autre, impossible de protéger et de développer sur ce continent des sociétés différentes des Etats-Unis. » Une note de bas de page plutôt bizarre aurait pu être ajoutée au texte, lorsqu'un électeur déclara au ministre fédéral Jean Chrétien, que tout en appuyant René Lévesque il serait heureux de travailler à la réélection du gouvernement Trudeau au cours des prochaines élections. « Lorsque René viendra négocier l'indépendance et un nouveau statut pour Québec, expliqua-t-il, ça pourra certainement aider si le Premier ministre, du côté de la table du Fédéral, est un Canadien français. »

L'éventualité que Trudeau soit appelé à négocier exactement ce que l'on avait voulu qu'il prévienne en l'élisant, la séparation du Québec, semblait encore lointaine pour les Canadiens anglais en 1972. Mais pas si éloignée qu'on ne l'aurait cru, en 1968, si quelqu'un avait seulement osé en faire mention à cette époque. C'était attribuable au fait que les propres attitudes du Canada anglais changeaient vis-à-vis de la Confédération — mais cela fait le sujet d'un autre chapitre.

L'évolution de
la Confédération

Un déplacement majeur dans la balance du pouvoir fédéral et provincial à l'intérieur de la Confédération avait déjà considérablement modifié les règles du jeu lorsque Trudeau prit le pouvoir en 1968. « Nous venons d'entrer dans une période au cours de laquelle le pouvoir échappe à Ottawa et passe aux provinces », écrivait l'historien et éditeur Paul Fox, dans une étude qu'il avait préparée pour le compte du Comité consultatif ontarien sur la Confédération. Il était l'un des nombreux observateurs qui décelaient une tendance plus profonde et plus étendue que les demandes de statut particulier énoncées par le Québec. Les provinces anglaises cherchaient également à établir une nouvelle relation avec le gouvernement fédéral mais il n'y avait pas de consensus quant à la forme que cette nouvelle relation devait prendre et il était clair que des difficultés marqueraient les prochaines années. La question fondamentale était de savoir si la Confédération réussirait à s'ajuster aux aspirations des 10 provinces, qui pourraient d'ailleurs être complètement différentes ou si elle croulerait sous le fardeau.

Les racines du problème prennent naissance en 1864-67 alors qu'on écrivait et négociait cette Confédération. Le principal architecte, John A. Macdonald exprima franchement comment il aurait voulu organiser le pays. « J'ai toujours prétendu, disait-il, lors des débats sur la Confédération, en 1865, que si nous pouvions nous entendre pour qu'un seul Parlement et un seul gouvernement légifèrent pour toute la population, ce serait le meilleur, le plus économique, le plus vigoureux et le plus fort système de gouvernement que nous pourrions adopter. »

« Mais nous nous sommes aperçus, en examinant ce sujet à la conférence et en discutant ferme sans aucune restriction avec le désir d'en arriver à une conclusion satisfaisante, qu'un tel système était inapplicable. »

Macdonald expliqua par la suite que Québec craignait qu'à l'intérieur d'une simple union sous un seul gouvernement, ses traditions linguistiques et religieuses puissent être attaquées. Il serait également difficile d'imposer un Etat unitaire aux colonies anglaises qui possédaient leurs propres lois et traditions.

La solution négociée par les Pères de la Confédération était un système fédéral qui, dit Macdonald, « . . . donnerait la force d'une union législative et administrative au gouvernement central tout en protégeant la liberté d'action pour les différentes parties . . . ». Mais en fait la balance du pouvoir penchait sérieusement vers le gouvernement central, comme Macdonald le voulait.

« Tous les grands sujets de législation » étaient réservés au gouvernement central, nota Macdonald avec satisfaction. Les lois provinciales pouvaient être désavouées par le Fédéral mais malgré cela les pouvoirs des provinces étaient définis en termes strictement locaux. Selon les mots de Macdonald: « Chaque province aura le pouvoir et les moyens de développer ses propres ressources et de contribuer à son propre progrès selon son style et sa manière. Ainsi donc toutes les améliorations locales, toutes les entreprises locales et tous les projets de toutes sortes sont entre les mains des législatures de chaque province. » En termes de pouvoirs politiques cela ne signifiait pas grand-chose, il y a un siècle, lorsque le rôle du gouvernement dans les affaires était restreint. Les gouvernements provinciaux ne devaient pas être autre chose que de superbes conseils de comté, comme le déclara un des Pères. Ottawa se chargea d'ailleurs de toute la dette publique et s'appropria évidemment les principaux pouvoirs de taxation.

C'était une ordonnance pour la confusion: une espèce de fédération en carton-pâte à l'intérieur de laquelle le gouvernement central s'était arrogé les principaux pouvoirs. Et l'histoire de la Confédération, à partir du 1er juillet 1867, en a été une de lutte constante des provinces qui ont tenté d'étendre leurs pouvoirs aux dépens d'Ottawa. Elles auraient pu abandonner en cours de route sauf que, lorsque l'on référa les différends d'ordre constitutionnel à l'autorité suprême de Grande-Bretagne, les savants Lords en Droit avaient tendance à favoriser les provinces. Pour certaines autorités canadiennes c'était un tragique renversement de la volonté des Pères de la Confédération; pour d'autres c'était une sage décision légale réflétant les réalités politiques. Le fait est que l'on reconnut des pouvoirs substantiels aux provinces et que tout espoir qu'elles s'abandonnent aux volontés suprêmes du gouvernement fédéral est depuis longtemps disparu.

Au cours de la dépression des années trente, les provinces n'étaient toutefois pas en bonne position pour faire valoir leur autorité constitutionnelle. Quelques-unes d'entre elles étaient au bord de la faillite et furent dans l'obligation de se tourner vers Ottawa. Puis vint la Deuxième guerre mondiale et le gouvernement fédéral assuma des pouvoirs très considérables afin de diriger l'effort national.

Les Canadiens, au moins les Canadiens anglais, devinrent de plus en plus habitués à payer leurs impôts à Ottawa et à en attendre un leadership national. Les Canadiens français, au Québec, élevèrent un peu plus les murs de leur ghetto afin de tenter de résister le mieux possible aux empiétements du Fédéral.

Ottawa sortit du conflit mondial avec le prestige de la victoire, d'où un accroissement de sa fonction publique énergique et expérimentée dans la planification à grande échelle, et un zèle nouveau pour la réforme économique et sociale. Partout dans le monde occidental les gouvernements prenaient leurs responsabilités de gérer leur économie de façon à éviter la plaie du chômage des années d'avant-guerre et à instituer des plans de sécurité sociale d'une ampleur jusque-là inconnue.

Les Pères de la Confédération n'avaient jamais envisagé une telle éventualité mais voilà qu'apparaissait une des contradictions inhérentes à la Confédération. Les petits problèmes qu'on avait laissés à la discrétion des gouvernements provinciaux devenaient de grands thèmes de législation: éducation, vie culturelle et sociale, la rénovation urbaine dans les villes craquant de toutes parts, les routes, la croissance économique régionale et autres questions. Manœuvrant autour de la constitution, le prestigieux gouvernement fédéral entra graduellement dans tous les champs d'activité, utilisant son pouvoir de dépenser, comme nous l'avons vu dans un chapitre précédent) pour donner des pots-de-vin aux provinces afin de les convaincre d'accepter les programmes à frais partagés.

Ce pouvoir de dépenser provenait du contrôle des impôts par Ottawa et c'était une autre contradiction de la Confédération. En 1867, on conféra au gouvernement fédéral le pouvoir très large d'amasser des revenus par tout système de taxation approprié. On ne donna aux provinces que ce que l'on considérait comme des sources mineures de revenus: les impôts directs, qui, avec l'invention de l'impôt sur le revenu devinrent cependant les plus grandes sources de revenu. Mais le Fédéral s'organisa pour venir récolter cette manne et on ne laissa que quelques restes aux provinces auxquels Ottawa ajoutait des subventions, dont certaines étaient proportionnelles à l'attitude de bons garçons ou de méchants garnements des provinciaux. Le système sembla fonctionner assez bien durant les 15 années qui suivirent la guerre. Le gouvernement fédéral réussit à maintenir son prestige politique en sauvant — ou en semblant sauver — l'économie d'une rechute dans la dépression, en favorisant une croissance économique rapide et en créant une série de programmes de sécurité sociale comme les allocations familiales, les pensions de vieillesse et l'assurance-hospitalisation. Mais à mesure que les demandes de la population se faisaient plus pressantes auprès des provinces, ces dernières devinrent de plus en plus frustrées par le

Grand Frère à Ottawa qui s'appropriait tous les impôts, empiétait continuellement sur leurs juridictions et chambardait leurs priorités.

Lorsque Québec entreprit sa Révolution tranquille, en 1960, et défonça les barrières de son ghetto pour réclamer une nouvelle alliance, l'Ontario et certaines des provinces de l'Ouest n'étaient pas loin derrière.

Mais Québec parlait en termes dramatiques de réforme constitutionnelle, de différences de langue et de culture et de menace de séparation; et cela tendait à amoindrir l'importance des revendications plus pragmatiques des autres provinces qui étaient principalement intéressées dans l'argent. Mais le pouvoir de taxer et de dépenser est l'essence même du pouvoir de gouverner en démocratie et les provinces anglaises voulaient donc sensiblement la même chose que le Québec: du pouvoir.

Lorsque Pearson devint Premier ministre en 1963, il tenta de faire face à cette agitation montante à l'aide de ce qu'il appelait le fédéralisme coopératif. Cela signifiait que les relations entre les gouvernements fédéral et provinciaux deviendraient plus intimes. Les conférences entre les chefs de gouvernements, les ministres et les fonctionnaires se multiplièrent comme des champignons. Bientôt il y eut des centaines de réunions par année de telle sorte que la conférence fédérale-provinciale était en train de devenir un nouveau palier national de gouvernement. Les Cabinets des 11 gouvernements rédigeaient d'abord leurs propositions; puis ils se rencontraient à Ottawa, habituellement en privé, afin de tâcher de négocier un consensus (si possible); finalement, ils se rendaient au Parlement et aux législatures afin de faire ratifier l'accord et comme c'était un traité délicat approuvé à l'avance par les 11 gouvernements, il ne pouvait être amendé. Nous étions loin du puissant gouvernement fédéral et des faibles provinces tels que conçus par les Pères de la Confédération.

Un des instruments importants de ce nouveau fédéralisme était le Comité d'étude sur la fiscalité créé en 1964. Il s'agissait pour chaque gouvernement de constituer des états de ses besoins financiers et de ses revenus selon des principes acceptés au préalable et de les rassembler ensuite afin de se faire une idée de la situation des 11 gouvernements et des projections des finances nationales. Ceci devait démontrer quelles étaient les vraies priorités et indiquer le niveau de gouvernement qui devrait obtenir la priorité des revenus fiscaux disponibles. Mais le rapport indiqua, au grand désarroi de tous, que les besoins de tous les gouvernements grandissaient. L'étude prédisait même que, pour rencontrer leurs besoins, les gouvernements devraient s'accaparer une part de plus en plus grande du Produit national brut — la valeur de tous les biens et services produits dans le pays. Cela, évidemment, ne pouvait qu'alarmer les conservateurs de tous les partis qui s'inquiétaient de l'importance des sommes qui pouvaient être transférées du secteur privé au secteur public sans nuire substantiellement à l'entreprise privée.

Mais l'étude démontrait, sans l'ombre d'un doute, que les besoins des provinces et des municipalités sous leur juridiction croissaient beaucoup plus rapidement que ceux d'Ottawa. Si l'on n'ajoutait pas de nouveaux programmes, le déficit provincial-municipal atteindrait $2.5 milliards en 1971-72 tandis qu'Ottawa bénéficierait d'un léger surplus de $323 millions.

Il y avait plusieurs méthodes d'analyse de ces projections. Selon le point de vue des provinces la preuve était faite que le gouvernement central devrait couper ses dépenses et leur remettre l'argent. Ottawa pouvait se rendre à leur demande en augmentant ses subventions ou en réduisant ses taxes de façon que les provinces puissent augmenter les leurs sans déranger les contribuables. Le gouvernement fédéral n'avait cependant aucunement l'intention de limiter ses dépenses. Pearson avait pris le pouvoir avec un programme de réforme sociale et il devait remplir ses promesses, entre autres celle d'un régime national d'assurance-santé. Il était dans la position inconfortable d'un Premier ministre élu dans une période de transition, essayant malgré tout d'exercer le leadership qu'attendaient de lui les Canadiens anglais tout en recherchant un nouvel équilibre entre les provinces. Le gouvernement fédéral était aussi réticent à consentir d'autres sources de taxation aux provinces de crainte de perdre son pouvoir de contrôler l'économie avec ses politiques fiscales. Et Trudeau et d'autres, comme indiqué dans le chapitre précédent, étaient déterminés à maintenir une position rigide face au Québec et à enrayer la glissade vers le statut particulier.

La scène était prête pour une confrontation fédérale-provinciale et elle se produisit lorsque les 11 chefs de gouvernements se rencontrèrent, en octobre 1966, afin de négocier un nouvel accord de partage fiscal. Les Premiers ministres firent leur entrée armés de copies du rapport du Comité d'étude de la fiscalité et de mémoires expliquant comment Ottawa devrait s'y prendre pour corriger la situation. Québec voulait, entre autres choses, obtenir 100 p. cent des impôts sur le revenu des particuliers et des corporations. Le Manitoba suggéra un transfert net de $1 milliard des revenus du Fédéral aux provinces. L'Ontario lutta pour obtenir plus de champs d'imposition. Pearson les attendait avec un programme — mis sur pied à la dernière minute et que les experts fédéraux eux-mêmes ne comprenaient pas lorsqu'ils tentèrent de l'expliquer en privé aux journalistes — programme qui abandonnait de l'argent aux provinces mais rien qui eût pu ressembler à ce que les provinces s'attendaient à obtenir. Le ministre des Finances, Mitchell Sharp, leur dit que la caisse du Fédéral était vide et que s'ils avaient besoin de fonds additionnels ils devraient s'arranger pour taxer en conséquence.

Le principe était valable: Les politiciens qui voulaient dépenser de l'argent devraient accepter la responsabilité d'imposer des taxes et d'en rendre compte aux électeurs. Il était également réaliste de faire face au fait que les dépenses fédérales continueraient de s'accroître et qu'il n'y aurait pas beaucoup de marge de manœuvre pour faire des concessions aux provinces. Mais les Premiers ministres ne comprenaient qu'une chose: le gouvernement fédéral occupait les principaux champs de taxation, dilapidant les fonds dans des programmes sophistiqués comme celui de l'assurance-santé en leur disant que pour rencontrer leurs besoins inévitables ils auraient à ajouter leurs propres taxes au fardeau fédéral — ce qui, à n'en pas douter, serait politiquement impopulaire et peut-être dommageable pour l'économie.

Les Premiers ministres étaient exaspérés et la conférence prit fin sans accord et sans communiqué final après une semaine de discussions confuses et amères. Ottawa pouvait appliquer ses propositions puisque le Fédéral disposait des principaux pouvoirs de taxation et avait le pied dans l'étrier. Mais les relations fédérales-provinciales étaient dans un état lamentable.

C'est alors que le Premier ministre Robarts parla pour

la première fois d'une conférence pour discuter de l'avenir de la Confédération. Il était préoccupé, comme nous l'avons vu, par la marée montante du nationalisme au Québec où son ami Johnson était récemment devenu Premier ministre. Il concevait également que si Ottawa et les provinces ne pouvaient pas s'entendre sur les priorités nationales et le partage des recettes fiscales il était temps de revenir en arrière, aux premiers principes, et de regarder la répartition des responsabilités dans le texte constitutionnel. L'année du Centenaire, en 1967, était une période appropriée pour aborder cette tâche avec bonne volonté et une des conséquences déjà discutée était d'encourager le gouvernement fédéral à reviser l'AANB.

Donc, lorsque Pearson — avec Trudeau à ses côtés— fit face aux Premiers ministres des provinces dans la salle de la Confédération, en février 1968, les questions en jen ne concernaient pas seulement la place du Québec dans la Confédération mais également les relations entre Ottawa et les provinces anglaises. On allait débattre et décider, comme jamais on ne l'avait fait depuis 1867, de l'équilibre du pouvoir à l'intérieur de la Confédération, de la structure et de l'existence même du Canada.

Voilà la situation critique dont hérita Trudeau lorsqu'il devint Premier ministre deux mois plus tard. Nous avons examiné son approche du problème de l'unité nationale, ses propositions de réforme constitutionnelle et son attitude vis-à-vis du Québec. Examinons maintenant ses relations avec les autres régions du Canada.

Piètre performance des détenteurs du réservoir aux millions

Lorsque les 10 Premiers ministres provinciaux se rencontrèrent à Toronto, en novembre 1967, afin de discuter de la « Confédération de Demain », le problème de la disparité régionale — l'abîme économique entre les provinces riches et les provinces pauvres — attira tout à coup l'attention nationale et devint une des questions politiques de premier plan. Les chefs des quatre provinces atlantiques firent valoir l'argument que si les Canadiens francophones ne recevaient pas un traitement équitable au Canada il en était de même pour les Canadiens vivant dans des régions défavorisées.

Le faible niveau de croissance et la pauvreté des Maritimes et de Terre-Neuve s'inscrivaient dans la vieille histoire apparemment sans issue de cette partie du Canada, mais on y songeait maintenant dans un nouveau contexte dramatique. C'était une menace à l'unité nationale au même titre que les mécontents du Québec. Et au lieu de tenter d'expliquer la situation en termes de statistiques, Joey Smallwood se braqua devant les caméras de télévision et parla des bébés: le droit pour tout nouveau-né canadien dans une région éloignée du nord-ouest de Terre-Neuve de bénéficier de la même éducation et des mêmes chances de servir son pays qu'un bébé né à Montréal ou à Toronto.

Trudeau s'empara de la question et en fit un de ses principaux thèmes électoraux au cours de la campagne: « Si l'on ne parvient pas à combattre le sous-développement des provinces altantiques, pas par charité ou grâce à des subventions, mais en les aidant à devenir des régions de croissance économique, l'unité du pays sera presque aussi certainement détruite qu'elle pourrait l'être par une confrontation Anglais-Français. »

Debout sur un promontoire dans un centre d'achats balayé par le vent à Saint-Jean Terre-Neuve, en cette journée d'élections, il promit d'organiser un transfert massif des ressources des provinces riches aux provinces pauvres un peu comme les Etats-Unis l'avaient fait avec le plan Marshall en consacrant des millions à l'Europe d'après-guerre pour lui permettre une reprise économique quasi miraculeuse.

C'était le genre de vision qu'il fallait pour faire face à un problème qu'aucune solution modeste n'avait réussi à résoudre. Le Premier ministre John Diefenbaker avait entrepris un programme timide et Pearson avait augmenté l'aide fédérale. Mais en 1968, le revenu personnel par tête n'était encore que de $1,843 dans la région atlantique, soit $1,200 de moins qu'en Ontario. Le taux de chômage était de 7.3 p. cent comparativement à la moyenne nationale de 4.8 p. cent. Le salaire industriel moyen atteignait $90 par semaine tandis que celui de la Colombie britannique dépassait $120. Chaque année des milliers de citoyens des Maritimes quittaient leur région pour se rendre dans l'Ouest vers les terres promises de Toronto et d'ailleurs à la recherche d'emplois et d'une vie confortable.

D'autres régions canadiennes souffraient également d'une faible croissance. Ça n'allait pas du tout au Québec, à l'est de Trois-Rivières.

On retrouvait du chômage au nord de l'Ontario et dans les Prairies où le développement industriel piétinait. Chaque province était en fait touchée et portait le fardeau de l'une de ses régions pauvre et désespérée.

Quelques semaines après avoir remporté la victoire aux élections générales, Trudeau envoya son ami et conseiller politique Jean Marchand dans les différentes régions pour cerner le problème et mettre sur pied un programme pour le combattre. Marchand était un ancien président de la Confédération des syndicats nationaux au Québec doté d'un style fort énergique et engagé dans la réforme sociale. Trudeau lui adjoignit comme sous-ministre Tom Kent, un intellectuel anglais, grand, mince et réservé, un journaliste qui avait rédigé le programme de réforme sociale de Pearson et qui était devenu son bras droit lorsqu'il devint Premier ministre.

Marchand et Kent, un couple curieusement assorti sur certains côtés, avaient travaillé ensemble avant les élections, au ministère de la Main-d'Oeuvre et de l'Immigration et c'était une équipe de première classe à Ottawa, combinant la force politique au cabinet avec la capacité intellectuelle et la détermination d'en arriver au changement et à la planification sociale. Ils pouvaient d'ailleurs presque se servir à loisir dans le Trésor fédéral: Lorsque Trudeau gela les budgets de la plupart des ministères, il ne toucha pas à celui de l'Expansion économique régionale.

Ce ministère fut créé le 1er avril 1969 et on y rassembla une douzaine de programmes et d'agences ayant trait au développement régional qui avaient auparavant été dispersés à travers plusieurs ministères: celui de l'Agriculture et du Développement rural; le Fonds pour le développement économique rural; le programme d'amélioration des terres marécageuses des Maritimes; l'agence de développement régional; la Commission du développement atlantique et plusieurs autres.

La nouvelle stratégie empruntait trois voies.

La croissance des centres. « Les priorités de la croissance dans notre société moderne reposent en premier lieu dans le développement industriel et urbain et ça n'aurait aucun sens que nous travaillions contre les forces du changement », déclara Marchand et son ministère choisit, en coopération avec les provinces, 23 zones désignées pour recevoir une aide accrue. On investit alors des fonds fédéraux considérables dans les villes et villages de ces régions afin de les doter de services et de commodités qui puissent attirer de nouvelles industries à la recherche d'emplacements pour s'établir.

On donna $8 millions à la ville de Saint-Jean, au Nouveau-Brunswick qui revendique le titre de première ville du Canada et qui est fière de ses traditions loyalistes, afin d'y construire un système d'aqueducs fournissant 80 millions de gallons d'eau par jour, de financer en partie une autoroute afin de décongestionner la circulation, de construire une école secondaire et d'autres installations.

La région de Sept-Iles-Port Cartier, au Québec, reçut des prêts et subventions de $9 millions afin de construire des égouts, paver les rues, relocaliser un terrain de roulottes afin de préparer un nouveau plan d'habitation. A Saint-Jean, Terre-Neuve, on inaugurait une nouvelle école élémentaire de $1.4 million en décembre 1971 en vertu du programme. Au lac Lesser Slave, en Alberta, un prêt de $200,000 aida à la réalisation d'un parc industriel.

Ces projets et des centaines d'autres réalisés grâce à l'aide du ministère dans les zones désignées des Maritimes, du Québec, du Manitoba, de la Saskatchewan totalisaient des investissements fédéraux de l'ordre de $163 millions en 1972-73. C'était une injection massive de capitaux fédéraux destinés à des améliorations locales et régionales qui auraient dû normalement être à la charge des provinces et des municipalités.

Primes au développement industriel: Afin d'encourager

l'industrie à s'établir dans des régions à faible croissance économique dans les 10 provinces, ou afin d'agrandir ou de moderniser les installations déjà existantes, le ministère offrit des subventions fort généreuses. Une compagnie éligible à tous les types d'aide pouvait recevoir jusqu'à 35 p. cent du coût en plus de $7,000 par emploi créé. Cette formule de paiement était conçue de façon à réduire le coût d'installation des compagnies qui choisissaient de s'installer dans des régions sous-développées plutôt que près des grands centres industriels comme Toronto ou encore aux Etats-Unis.

Marchand indiqua à un comité de la Chambre des Communes qu'en février 1972, 249 offres de subventions avaient été acceptées dans la région atlantique depuis la mise en vigueur du programme, créant 9,800 emplois.

Au Québec, 671 subventions avaient été accordées, créant 30,000 emplois tandis que 8,150 emplois étaient créés dans les Prairies grâce à 214 subventions. On s'attendait que l'ensemble des subventions dépasse même $187 millions en 1972-73.

Planification sociale et développement rural: La troisième voie consistait en une série de mesures destinées à fournir une aide accrue aux défavorisés ruraux — sans éducation et sans formation professionnelle — afin d'améliorer leurs possibilités dans la société industrielle et d'encourager les localités rurales à développer leurs ressources de façon maximale. A titre d'exemple l'ARDA comportait des mesures pour aider les fermiers marginaux à améliorer leur sol et leur approvisionnement en eau et pour permettre l'établissement de commerces gérés par les Indiens sur les réserves.

Le Fonds pour le développement économique rural apportait une planification rationnelle et un développement des régions rurales entre autres pour toute l'Ile-du-Prince-Edouard. Les expériences du programme « Nouveau départ » au niveau de l'éducation élémentaire et d'autres techniques pour aider les adultes à trouver un emploi régulier leur permettaient également de découvrir un nouveau mode de vie. Le ministère de la Main-d'Oeuvre offrait un entraînement professionnel à des ouvriers sur les lieux mêmes de leur travail afin qu'ils prennent de l'expérience. Le programme de relocalisation de Terre-Neuve permettait de transporter des familles de coins perdus dans des villages et des municipalités plus grandes et mieux pourvues en services. Le programme de rénovation des fermes des Prairies offrait de l'appui technique et de l'aide aux fermiers et aux Indiens dans les réserves.

Le ministère de l'Expansion régionale hérita de tous ces programmes issus d'efforts antérieurs et continua à les appliquer — la plupart en collaboration avec les provinces — grâce à des ressources croissantes. Les contributions fédérales s'élevaient à $132 millions en 1972-73.

Lorsque le ministère entra dans sa quatrième année en 1972-73 avec un budget dépassant $500 millions, rares étaient les critiques que l'on pouvait faire valoir quant à l'ampleur de l'effort et des ressources disponibles au ministère.

Stephen Weyman, président du Conseil économique des provinces atlantiques, déclara à un comité des Communes que le nouveau ministère « représente la première tentative de tout gouvernement canadien pour faire face au problème des disparités régionales de façon rationnelle. Avant la création du ministère de l'Expansion régionale, tous les programmes fédéraux régionaux souf-

94

fraient d'un manque de coordination et leur marge de manœuvre était beaucoup trop restreinte pour qu'ils puissent accomplir plutôt que d'effleurer simplement la surface de problèmes très fondamentaux existant depuis le début de la Confédération. » Mais le Dr. Weyman constata également que des améliorations majeures étaient nécessaires et les critiques se firent plus exigeantes. On voulait avoir la preuve que tous les efforts déployés et les sommes investies rapportaient ce qui avait été prévu. Marchand répondit qu'il faudrait 15 ans pour faire disparaître les disparités régionales et il refusa prudemment de s'engager face aux objectifs précis proposés par le Conseil de développement atlantique, son propre conseil consultatif. Il affirma cependant qu'il constatait des indices encourageants de progrès. Le revenu personnel dans la région atlantique atteignait 64.9 p. cent de la moyenne canadienne dans les années 1953-68 et passa à 68.5 p. cent de la moyenne canadienne en 1960-70. Le chômage qui atteignait 168 p. cent de la moyenne canadienne diminua de façon à atteindre 138 p. cent de la moyenne du pays. Les investissements augmetèrent, passant de 54.3 p. cent de la moyenne à 96.1 p. cent. Il était également vrai cependant que le nombre des chômeurs dans la région grimpa de 65,000, en 1968, à 80,000, en 1972.

Cette contradiction apparente laisse entrevoir certaines explications des problèmes du ministère. Pendant qu'il tentait de stimuler l'expansion économique régionale, les grandes politiques gouvernementales visaient à ralentir l'économie et à combattre l'inflation. En bref, le fossé entre pauvres et riches se combla partiellement parce que les conditions étaient pires dans les provinces riches. Dans une certaine mesure les efforts de Marchand ne contribuèrent qu'à éviter que la récession ne frappe les parties pauvres du pays, ce qui aurait été le cas sans l'intervention du ministère de l'Expansion régionale. Il y avait d'autres critiques. Plusieurs des subventions majeures allèrent à des entreprises étrangères — $6 millions à IBM, par exemple — et cela offensait certains nationalistes.

Mais aussi longtemps que la politique gouvernementale accueillait favorablement le capital étranger et les entreprises, le ministère ne pouvait évidemment pas les refuser.

Une étude réalisée par le Dr. David Springate, alors qu'il était étudiant à Harvard, fit valoir que certaines des subventions n'étaient qu'une bonne aubaine pour des compagnes riches et d'autres dont le caractère économique était fort marginal. Les critiques de l'Opposition s'inquiétèrent à la pensée que tout le programme pouvait être sur une mauvaise voie contribuant à encourager plutôt qu'à changer la structure économique fondamentalement défaillante de la région atlantique.

C'est le Conseil économique de l'Atlantique qui présenta les commentaires les plus judicieux quant au ministère: « Aussi longtemps que le ministère sera hautement centralisé et que les décisions importantes continueront de se prendre strictement à Ottawa, les efforts des prétendus plans conjoints et de la collaboration fédérale-provinciale ne seront en fait qu'une négociation continuelle pour obtenir les fonds disponibles », déclara le président Weyman. Le Conseil plaida en faveur de la décentralisation du ministère de façon que les citoyens des régions, qui connaissent le mieux les problèmes locaux, puissent jouer un rôle plus important dans la planification de leur avenir.

Le professeur William Y. Smith, de l'université du Nouveau-Brunswick, chargé du Conseil de développement atlantique, me formula son appréciation de la première étape du ministère. « Je suis un professeur, me dit-il, et si vous me demandiez quel pourcentage je donnerais au ministère de l'Expansion économique régionale, je peux vous garantir que je n'inscrirais pas un 80 p. cent avec distinction. Je lui donnerais environ un 60 p. cent ou un peu plus. Mais nous espérons que son rendement sera meilleur à l'avenir. »

En perdant l'Ouest

La scène se passe à Régina, en Saskatchewan et Trudeau est monté à l'arrière d'un camion afin de tenter de parler à un foule en colère d'environ 700 fermiers qui ne peuvent vendre leur blé. « Notre P.E.T. est un cochon », lit-on sur une affiche se balançant au-dessus de la foule. « Travaille pour le grain et non pour les femmes », dit un autre carton. Une femme s'écrie « Mon Dieu il est fou » tandis qu'un jeune garçon lance des grains au Premier ministre.

Le jour suivant, à Saskatoon, c'est à peu près la même chose. Les fermiers sont venus en ville en tracteurs, comme un régiment armé et quelqu'un a fait un tas de grain trempé mélangé avec du fumier de porc près de l'hôtel où Trudeau rencontre les délégués des fermiers.

Les journalistes qui suivent les événements en ces chaudes journées de juillet 1969 dans les Prairies parlent de l'aliénation de l'Ouest qui devient un des clichés politiques de l'époque Trudeau.

L'aliénation de l'Ouest à l'intérieur de la Confédération n'est pas un phénomène nouveau. Certains observateurs le retrouvent à l'époque de Louis Riel et de la révolte des

Métis contre l'autorité d'Ottawa, même si cela semble vouloir jouer un peu avec l'histoire. Mais l'Ouest a certainement souvent exprimé ses frustrations contre la chose politique en créant ses propres partis: Les Progressistes, le Crédit social et le CCF. Même lorsque les gens de l'Ouest ont voté pour des partis nationaux ils ont habituellement choisi l'Opposition avec le résultat que, non seulement ils n'avaient pratiquement pas de voix au Gouvernement, mais qu'ils avaient de fort nombreuses voix attaquant le gouvernement d'Ottawa et disant comment l'Ouest était si honteusement maltraité. Le gouvernement Pearson élu en 1963, avait sept députés de la Colombie britannique; après les élections générales de 1965 il y en avait un du Manitoba et aucun de l'Alberta ni de la Saskatchewan, comparativement à trois dans les Prairies en 1963. Ça faisait partie du folklore politique de dire, avec un certain accent de vérité, qu'en ce qui concernait le gouvernement fédéral, les limites du Canada étaient fixées à Lakehead.

Cette froide tradition et l'histoire malheureuse récente semblaient toutefois devoir permettre un changement en 1968 lorsque Trudeau remporta la victoire avec un appui national. La trudeaumanie fut aussi forte dans l'Ouest que dans toutes les parties du Canada et la Colombie britannique devait élire 16 libéraux; l'Alberta, quatre; la Saskatchewan, un et le Manitoba, cinq. L'insatisfaction du gouvernement central et les problèmes de l'Ouest demeuraient mais, pour la première fois depuis plusieurs années, le climat semblait pouvoir permettre d'aborder ces problèmes de façon rationnelle, d'en discuter et peut-être même de les résoudre.

Mais déjà, en 1968, un désastre naturel tombait sur les Prairies créant le ressentiment dans toute la région, apportant la crainte puis la colère. L'économie mondiale du blé croulait. Les productions record en Union Soviétique et en Inde avaient fait passer le marché international de deux milliards de boisseaux à 1.6. Les exportations canadiennes tombèrent, les élévateurs étaient remplis (à capacité) et les fermiers empilaient leurs grains non vendus à l'extérieur.

Le revenu de la ferme diminua de façon désastreuse et des hommes possédant des actifs en terre et en machinerie valant plusieurs centaines de milliers de dollars se retrouvèrent les mains vides ne pouvant plus acquitter leurs comptes. L'économie entière des Prairies fut touchée et les ventes au détail diminuèrent de 10 p. cent en Saskatchewan. L'université de la Saskatchewan accepta même que les frais de scolarité soient payés en grains plutôt qu'en argent.

On n'aurait pu blâmer Trudeau pour une crise mondiale du blé mais c'était une situation qui pouvait tourner au profit de ses adversaires. En décembre 1968 il leur donne d'ailleurs une chance d'attaquer. A l'occasion d'un dîner du parti libéral, à Winnipeg, on lui demande: « M. le Premier ministre, je voudrais savoir comment et quand vous allez vendre le blé des fermiers de l'Ouest? » Il entreprend sa réponse de 500 mots en posant une question qui semblait plutôt académique: « Eh bien, pourquoi devrais-je vendre le blé des fermiers canadiens? » Cette question prise hors de son contexte devient alors une phrase clé, presque un slogan, pour démontrer l'arrogance de Trudeau et son peu d'intérêt pour l'Ouest canadien. Mais la réponse complète comportait également ces quelques extraits: « L'Etat dispose actuellement de plusieurs moyens pour intervenir afin d'aider le fermier en difficulté. Chaque fois qu'il y a une sécheresse dans un autre pays, nous vendons plus, de même que ces pays achètent moins lorsqu'ils produisent plus. Ainsi, chaque fois que nos produits ne sont pas compétitifs avec ceux d'autres pays qui peuvent produire d'autres types de blé à des coûts moins élevés et en plus grande quantité à l'acre nous faisons face à un problème qui touche tout le Canada en raison de la très grande importance du blé pour l'économie canadienne.

« Mais c'est avant tout le problème du fermier. Et, croyez-m'en, il sait faire valoir son point de vue au Parlement en sensibilisant son député. Nous entendons tous les jours les députés de l'Ouest et c'est une bonne chose. Mais je crois cependant que nous devons réaliser, comme c'est le cas dans d'autres secteurs de l'économie, que l'**alternative** consiste pour l'Etat à devenir le producteur, à être propriétaire du sol et du blé, à engager les fermiers et à leur payer des salaires; ce sera alors sa responsabilité d'effectuer la mise en marché et la vente du blé. Mais si nous voulons conserver, au moins dans une certaine proportion la libre entreprise, nous pouvons aider — comme nous le faisons politiquement — le fermier de plusieurs manières; nous pouvons peut-être aussi encourager et parfois aiguillonner la Commission canadienne du blé ... Dans les circonstances où nous ne pouvons pas le vendre (le blé), nous en faisons une partie de notre programme d'aide extérieure ... Vous savez, ce sont des moyens que le gouvernement canadien peut employer lorsque le problème est très grave. Mais fondamentalement, à moins que vous n'admettiez que le gouvernement doive entrer de plain pied dans ce secteur, acheter les fermes et engager les fermiers, je crois que nous partageons tous la responsabilité et nous allons devoir faire du mieux que nous pouvons tous ensemble. »

Ce n'était pas de Trudeau une réponse particulièrement claire mais elle n'était pas non plus arrogante. Elle aurait pu plaire aux gens de l'Ouest où l'esprit des pionniers, celui des hommes qui font tout de leurs mains, se fond dans une tradition de coopération communautaire. Mais elle ne fut jamais vue dans cet éclairage, sans doute parce que la région recherchait un réconfort d'Ottawa sans toutefois n'y croire qu'à moitié en raison de la méfiance entretenue à l'endroit des gens de l'Est.

Ce qui aurait dû ressortir de cette déclaration, toutefois, c'est l'aveu un peu candide de Trudeau, qu'il ne connaissait véritablement pas les problèmes de l'Ouest et qu'il ne faisait que commencer à les apercevoir. Dave Thompson, un jeune Albertain chargé de faire la liaison entre l'Ouest et Ottawa pour le compte de Trudeau, affirmait: « Le Premier ministre est comme la plupart des gens de l'Est; il voit les Prairies comme de vastes champs de blé et des puits d'huile dans quelques régions éloignées. » Thompson entreprit de faire l'éducation de Trudeau, à l'été 1969, en organisant une tournée au cours de laquelle le Premier ministre se transporta par hélicoptère du Centre de recherche sur les fusées à Churchill, au Manitoba, puis au complexe minier de Thompson, aux fermes laitières à l'extérieur de Winnipeg, à une mine de potasse en Saskatchewan, aux industries de gaz et de pétrole de la région d'Edmonton et enfin aux fermes d'irrigation de Taber, en Alberta.

C'était un cours accéléré destiné à démontrer au Premier ministre que les Prairies étaient autre chose qu'une ferme géante avec çà et là quelques puits d'huile crachant la richesse. Et Trudeau eut l'occasion, lors de rencontres dans les **halls d'hôtels de ville** et de discussions à bâtons rompus dans un cadre non-officiel, de faire face à la méfiance et au ressentiment des gens de l'Ouest. La politique du bilinguisme leur apparaissait d'une part comme une volonté de mettre l'accent sur le français au détriment des cultures des différentes minorités ethniques de la mosaïque des Prairies. Ils n'appréciaient pas l'empressement apparent d'Ottawa à s'occuper des problèmes constitutionnels du Québec au moment où l'Ouest avait besoin d'aide. Ils se plaignaient par ailleurs de la politique tarifaire destinée à protéger l'industrie de l'Est alors que les gens de l'Ouest avaient peut-être à payer $250 millions par année en raison des hausses de prix pour leurs importations tandis qu'ils devaient vendre leurs propres produits de base à l'intérieur d'un marché mondial libre. Ils rejetaient également la politique nationale de l'énergie qui défendait à l'Alberta de vendre son pétrole aux grandes raffineries montréalaises mais ne lui garantissait aucun autre marché aux Etats-Unis. Ils n'avaient pas prisé non plus la décision d'Air Canada de transporter ses principales installations de Winnipeg à Montréal, une autre étape de la concentration dans l'Est des industries modernes à haute incidence technologique.

Mais l'ampleur du problème du blé reléguait toujours toutes les autres questions au second plan. Les Premiers ministres des provinces voulaient en parler lorsque Trudeau leur rendit visite. Les journalistes ne cessaient de s'en informer. Le Premier ministre se rendit aux maisons de ferme dans la Prairie et entreprit de converser dans les cuisines de ces habitations afin de se mettre au fait de leurs problèmes. Combien avaient-ils de blé en stock? Dans quelle condition était-il? Combien valait leur terre et quelle était la valeur de leurs investissements dans la machinerie agricole? Etaient-ils assez désespérés pour souhaiter que le gouvernement achète leurs fermes et les débarrasse de leurs dettes? Sinon qu'attendaient-ils exactement d'Ottawa?

Lorsqu'il rencontra des foules en colère, à Regina, il leur déclara, lorsqu'il réussit à se faire entendre: « Je comprends mieux la nature de vos problèmes maintenant mais je vais être franc avec vous ... je ne vois pas encore la solution. Je ne vais pas tenter de vous apaiser et de vous satisfaire en disant que je vais vous donner $200 millions. »

Il ajouta qu'il devait comparer leurs besoins à ceux des Indiens, des Métis, des pêcheurs des Maritimes et de la misère urbaine. C'était honnête et courageux mais ça manquait de tact. Les fermiers — tant la minorité militante des manifestants en colère que la majorité plus tranquille des fermiers qui étaient demeurés chez eux — savaient très bien qu'il n'y avait pas de solutions simples à leurs problèmes au moment où le marché du blé connaissait un effondrement mondial. Ils recherchaient une aide financière à court terme et une assurance à long terme que ce Premier ministre canadien-français à la tête du très lointain gouvernement de l'Est continuerait de se préoccuper de leurs problèmes. Ils n'obtinrent qu'une interrogation leur rappelant que leur situation n'était pas aussi tragique que celle d'autres Canadiens et un refus de se laisser emporter par le jeu politique. La brève lune de miel de 1968 était terminée et le fossé du désenchantement s'approfondissait.

De retour à Ottawa, Trudeau entra rapidement en action pour tenter de résoudre le problème du blé. La Commission canadienne du blé constituait l'une des nombreuses responsabilités du ministre de l'Industrie et du Commerce. Trudeau décida de la subordonner à un ministre d'Etat, Otto Lang, qui avait le mandat précis de formuler une nouvelle politique fédérale pour l'industrie des grains.

Agé de 37 ans, Lang était un professeur de droit opiniâtre et combattif possédant une foi inébranlable dans la puissance de la raison et en ses propres capacités. Fils d'un professeur de Humboldt, en Saskatchewan, il avait décidé très tôt d'entrer en politique et avait choisi de le faire en devenant d'abord avocat. Il gagna la bourse Rhodes pour étudier à Oxford, devint doyen de la Faculté de droit de l'université de Saskatchewan alors qu'il n'était que dans la trentaine et devint actif dans le parti libéral provincial. Il était l'un des seuls meneurs du parti à être assez forts pour refuser de plier sous les méthodes dictatoriales du Premier ministre libéral Ross Thatcher. A la chute de ce dernier Lang se retira de la politique provinciale pour une certaine période encore que sa belle-mère et son beau-frère fussent membres du parti majoritaire de Thatcher à l'Assemblée législative. Lang posa sa candidature pour la première fois à l'occasion des élections fédérales de 1968 et fut le seul libéral élu en Saskatchewan. Cela devait plus ou moins lui garantir un siège au Cabinet et la crise du blé lui donna l'occasion de montrer ce qu'il était capable d'accomplir.

Lang forma d'abord un groupe de travail afin d'étudier les problèmes de production, de la mise en marché et du transport du blé et d'autres céréales. Le comité était formé d'experts prêtés temporairement par les ministères de l'Agriculture, de l'Industrie et du Commerce et du Transport. Le coordonnateur du groupe était un vieil ami de Lang qui pensait du reste comme lui. Rod Bryden qui avait enseigné le droit corporatif et la planification urbaine à l'université de la Saskatchewan était un organisateur talentueux venu à Ottawa pour aider Lang à solutionner ses problèmes.

Au cours des quelques années qui ont suivi, Lang, le groupe spécial de travail et la Commission canadienne du blé ont énoncé une série de nouvelles politiques destinées à imprimer des changements de base dans l'industrie du blé. En 1970, l'opération de mise en jachère des sols lancée pour réduire substantiellement l'inventaire considérable de un milliard de boisseaux de blé qui paralysait l'industrie, permit aux fermiers d'être payés tout en ne cultivant pas pendant un an.

Le programme fourrager inauguré en 1971 consentait des primes d'encouragement aux fermiers qui abandonnaient temporairement le blé pour répondre à la demande croissante du marché du bœuf. Un nouveau système de prévisions aida les fermiers à diversifier leurs cultures en se tournant vers l'orge, la graine de colza et d'autres types de récoltes lorsque le marché paraissait propice. Avec la reprise mondiale du marché du blé les efforts déployés par le Canada pour faire mousser les ventes portèrent fruit et les commandes commencèrent à se multiplier de sorte que les réseaux ferroviaires transportant le blé des fermes aux ports étaient rudement mis à l'épreuve. L'introduction de programmes par ordinateur permit d'utiliser ces équipements avec le maximum de rendement et d'efficacité. En 1972, les fermiers réalisèrent leur rêve soit celui d'obtenir un système de double prix prévoyant que le prix du blé vendu au Canada serait de $3 le boisseau tandis que le blé destiné à l'exportation serait cédé au prix du marché mondial fixé à environ $1.95. Les exportations canadiennes atteignaient un nouveau record avec 704 millions de boisseaux en 1971 et lorsque ces ventes semblèrent vouloir atteindre

800 millions de boisseaux, en 1972, Trudeau annonça que son gouvernement financerait l'achat de 2,000 nouveaux wagons de chemin de fer pour transporter le blé dans les ports.

En guise de protection contre les années maigres auxquelles les fermiers devraient éventuellement faire face, Lang imagina une politique de stabilisation des revenus de la ferme. Il proposa que chaque fermier verse une partie de ses profits recueillis au cours des bonnes années afin de créer un fonds dans lequel le gouvernement fédéral déposerait $2 pour chaque $1 contribué par un fermier. Cette proposition aurait permis de garantir les revenus des fermiers même au cours des années les plus difficiles mais ces derniers l'accueillirent fort mal et Lang fut dans l'obligation de la retirer après une bataille féroce livrée par l'Opposition aux Communes.

Trois ans après la confrontation de Trudeau avec les fermiers en colère de la Saskatchewan, l'industrie du blé retrouvait sa prospérité d'autrefois en raison de l'accroissement de la demande dans le monde mais aussi à cause des politiques ingénieuses du gouvernement fédéral. Le bilan Trudeau-Lang dans le domaine du blé n'était pas parfait mais il était plus positif que celui de la plupart des autres gouvernements fédéraux.

L'Alberta devint riche, presque du jour au lendemain, lors de la première découverte importante de pétrole, à Leduc, en 1946. Au cours des années qui suivirent, le Trésor provincial, à Edmonton, s'enrichit de $3 milliards en royautés provenant de la location des terres et des taxes d'entreprises qui florissaient en cette période extrêmement prospère. Calgary s'appela la Capitale de l'huile et la tour Husky, ainsi nommée en l'honneur de la com-

pagnie américaine de pétrole, domina l'horizon chan-
geant de la ville.

Le marché de l'huile fut toujours aux Etats-Unis. Il n'y
avait pas de pipe-line pour transporter le pétrole à l'est
de la rivière Outaouais et les raffineries montréalaises
trouvaient moins coûteux de s'approvisionner au Véné-
zuéla et au Moyen-Orient. De toutes façons on croyait
éventuellement trouver du pétrole dans le golfe du Saint-
Laurent ou dans l'Atlantique, près des côtes.

La politique canadienne avait toujours été de pousser
Washington à ouvrir son riche marché au pétrole de
l'Ouest et les ventes s'étaient accrues de façon plus ou
moins continue. Mais lorsque les Etats-Unis découvrirent de vastes champs pétroliers en Alaska et que le pétrolier géant « Manhattan » se prépara pour un voyage
expérimental à travers les champs de glace, l'avenir de
l'Alberta était tout à coup remis en question. Est-ce que
les Etats-Unis fermeraient leur marché? Les pipe-lines
s'assécheraient-ils bientôt?

Quelques jours avant de se rendre à Washington pour
rencontrer le président Richard Nixon en mars 1969,
Trudeau invita le Premier ministre de l'Alberta, Harry
Strom, à Ottawa. Les deux hommes échangèrent leurs
vues sur le gaz et le pétrole au cours d'un après-midi
dans le salon du 24 avenue Sussex, la résidence officielle
du Premier ministre. Strom fit valoir l'importance
d'avoir un marché libre de l'énergie dans lequel le gaz
et le pétrole de l'Alberta pourraient couler vers les
Etats-Unis et il confia un mémoire détaillé sur le sujet.
Trudeau avait le document en main lorsqu'il rencontra
Nixon dans l'étude ovale de la Maison Blanche et il exprima l'opinion, de la façon la plus persuasive possible,
que malgré la découverte de pétrole en Alaska les Etats-

Unis auraient encore besoin des sources d'énergie canadiennes. Nixon lui dit qu'il allait annoncer le lendemain la création d'un groupe de travail du cabinet pour étudier la politique d'importation de pétrole mais il fut attentif aux propos de Trudeau et un communiqué conjoint fut publié dans lequel ils affirmaient: « ... une entente qui dans le respect de nos intérêts communs, permettra d'augmenter le mouvement des ressources énergétiques à travers nos frontières ».

Au cours d'une conférence de presse au Club national de presse de Washington, Trudeau fut explicite: « Nous avons une politique pétrolière continentale et notre objectif était de mieux la faire fonctionner dans de nouvelles circonstances », déclara Trudeau.

Au Canada le débat devint fort confus. Les nationalistes étaient convaincus que Nixon tentait de forcer le Canada à se commettre dans un certain traité continental de l'énergie et avertit Trudeau de ne pas abandonner les ressources canadiennes. Le gouvernement albertain et les chefs d'entreprises s'inquiétaient en pensant que le gouvernement d'Ottawa était trop nationaliste et ne ferait pas d'efforts pour obtenir un marché libre aux Etats-Unis. En fait la politique de Trudeau fut toujours de tenter de vendre le plus d'huile possible et d'obtenir des débouchés sur le marché protégé américain pour l'uranium canadien. La Commission nationale de l'Energie, une autorité indépendante mise sur pied par Diefenbaker afin de protéger les ressources pour l'avenir mit finalement fin aux ventes de gaz en 1972 lorsque les réserves connues atteignirent le point dangereux — laissant une accumulation de gaz pouvant combler les besoins des Canadiens pendant environ 30 ans.

Peu après l'accession de Peter Lougheed, conservateur,

108

au poste de Premier ministre de l'Alberta, en 1971, Trudeau le reçut à Ottawa pour une journée de discussions privées en compagnie de ses plus proches conseillers. Il déclara par la suite dans un discours qu'en raison de l'importance vitale du pétrole et du gaz pour l'Alberta, cette province devrait avoir son mot à dire dans la formulation des politiques nationales d'énergie et Trudeau avait accepté cela. Lougheed se prononça également avec force contre le régionalisme au Canada et promit de collaborer plus étroitement avec le gouvernement fédéral.

Le dossier démontre donc que Trudeau a suivi la voie de la politique canadienne traditionnelle à l'endroit de la plus importante industrie albertaine — malgré l'opposition grandissante des nationalistes — et a bénéficié d'assez bonnes relations de travail avec les gouvernements provinciaux.

« La Colombie britannique n'est pas aliénée par Ottawa; elle ne fait que souhaiter qu'Ottawa ne soit pas trop aliéné par la Colombie britannique. »

Cette raillerie conçue à Vancouver fait un peu connaître cette province qui fait partie de l'Ouest mais qui ressemble si peu aux Prairies. Elle démontre la grande confiance que manifeste la Colombie britannique dans son avenir. Elle indique aussi que tout en vaquant à ses occupations, Ottawa ne représente pour elle qu'une influence lointaine plutôt qu'une préoccupation quotidienne. La C.B. est riche et paie des taxes à Ottawa plutôt que d'en retirer des subventions. On n'y trouve pas de population canadienne-française et le problème du bilinguisme ne s'y pose donc pas. Ses liens commerciaux de même que, de plus en plus, ses liens culturels sont américains au sud et de l'autre côté du Pacifique plutôt qu'à l'Est.

Son attachement à Ottawa est beaucoup moins basé sur une comptabilité réaliste des avantages politiques et économiques que sur la tradition et le sentiment — le souvenir de valeurs partagées à une époque moins difficile, et de batailles livrées ensemble. C'est sans doute pourquoi les gens de la Colombie britannique se tournèrent contre Trudeau à peine un an ou deux après avoir voté pour lui avec enthousiasme. Il semblait vouloir se détacher de la tradition — la monarchie, le parlement, l'héritage britannique, même les bonnes manières — sans offrir de nouvelles valeurs pratiques en retour.

L'attitude de Trudeau envers les traditions a fait l'objet d'interprétations fort erronées; il les tolère de façon désintéressée mais sans hostilité — et cela amène la question de l'influence du Premier ministre Bennett sur l'opinion publique dans sa province. C'est un grand maître de la politique mais souvent malicieux qui ne rate jamais une occasion d'attaquer le gouvernement fédéral et de donner une fausse image de ses chefs et de ses politiques. Lorsque Trudeau le qualifia de « bigot » c'était un peu ridicule mais assez près de la réalité. Si la Colombie britannique ne comprend pas Ottawa, au point où c'est l'aliénation, c'est au moins autant la faute de Bennett que de Trudeau.

Même si l'on concède que Trudeau a fait des efforts marqués pour comprendre l'Ouest et résoudre ses problèmes, il n'en demeure pas moins un fait indéniable que l'aliénation de cette région a augmenté depuis son arrivée au pouvoir. On commença à parler du séparatisme de l'Ouest et lorsqu'on rejeta cette hypothèse du revers de la main on se rappela que l'on discutait de la même chose au Québec, 10 ans plus tôt. Les politiciens fédéraux de tous les partis s'inquiétaient de la force du

110

régionalisme de l'Ouest et des liens moins solides de la Confédération. Owen Anderson, un adjoint exécutif du Premier ministre Strom d'Alberta et John J. Barr, un politicologue, journaliste et conseiller du ministre de l'Education d'Alberta, publièrent même un livre en 1970 sous le titre menaçant de « Une révolte non achevée », dans lequel ils disaient: « Peut-être que personne, à l'exception des gens de l'Ouest eux-mêmes, ne peut comprendre la colère impuissante de la population de l'Ouest qui a tenté sans succès depuis 10 ans de se faire entendre afin d'expliquer sa situation régionale unique. »

Barr écrivait dans son essai: « Pourquoi les gens de l'Ouest seraient-ils amers de découvrir que les Québécois veulent conduire leurs propres affaires et contrôler leur avenir? N'est-ce pas ce que les gens de l'Ouest ont toujours voulu et ce pourquoi ils se sont battus? Maintenant que nous savons qu'il n'y a plus deux solitudes au Canada mais plusieurs nous pouvons tous arrêter de faire croire qu'il y a ici une nation unie ou même une nation tout court, dans le sens moderne de cette formule assez étroite d'Etat-Nation. Il s'agit d'un ensemble de régions plutôt paroissiales qui se trouvent réunies par un sens assez restreint d'une conscience commune et la peur de la domination américaine ou extérieure — mais chaque région recherche sa propre identité et la détermination de son avenir. »

Il y avait au moins un membre du cabinet Trudeau qui était d'accord avec cette interprétation: James Richardson, l'héritier d'un empire commercial établi à Winnipeg comprenant la vente de grain, les assurances et les placements. Alors qu'il était encore un jeune homme en 1968, il avait déjà un siège de directeur dans tous les conseils d'administration des compagnies qui l'intéressaient: le CPR, la Baie d'Hudson, International Nickel et plusieurs autres. Mais son plus gros « directorat » était en fait celui d'Ottawa — le cabinet fédéral. Il s'intéressait à la politique alors qu'il était étudiant mais n'avait jamais été actif avant 1968 lorsqu'il décida de briguer les suffrages et choisit d'appuyer Trudeau et les libéraux. Habitué des bureaux d'exécutifs et des réactés privés qui transportent les hommes d'affaires de premier plan entre Winnipeg, Toronto, New York et Montréal, Richardson arriva à Ottawa convaincu qu'aucun des problèmes de l'Ouest à l'intérieur de la Confédération ne pouvait être résolu par un travail acharné et un bon sens commun. L'expérience modifia bientôt son jugement. Même si Trudeau le nomma au cabinet en tant que voix du Manitoba, il découvrit rapidement qu'il ne pesait pas lourd au cabinet. C'était en partie attribuable à sa naïveté, en plus du fait que l'Ouest est noyé à Ottawa. Les trois provinces des Prairies élisent 45 députés, l'Ontario, 88; la Colombie britannique, 23 et le Québec, 74. Il y avait 18 ministres de l'Ontario et du Québec dans le cabinet Trudeau et six de l'Ouest — aucun à un poste supérieur.

Richardson commença à considérer les problèmes de la Confédération de façon assez radicale. Il constatait en premier lieu que le déséquilibre économique provoquait la concentration et le développement de l'industrie de pointe dans l'Est alors que l'Ouest était réduit à l'état de colonie, fournissant les matières premières dans un marché captif. Il y avait également le déséquilibre politique qui signifiait qu'Ottawa se tournerait toujours beaucoup plus vers l'Ontario et le Québec, principaux fournisseurs de politiciens et de votes. Richardson ne voyait pas d'autre solution que ce qu'il appelait la « Re-confédération » — une structure canadienne complètement nouvelle. Cela impliquerait, soit un Parlement ré-organisé dans lequel les régions auraient une représentation égale ou encore, et c'était plus plausible, une décentralisation radicale du pouvoir du gouvernement central vers les régions. Ce qui satisferait l'Ouest pourrait également satisfaire le Québec, fit valoir Richardson.

Il réussit à obtenir quelques concessions en poussant Ottawa à diversifier ses centres d'activités. Ainsi un nouvel Hôtel de la Monnaie de $16 millions s'installa à Winnipeg plutôt qu'à Ottawa; on inscrit une demande pour que la Corporation canadienne de développement ait son siège à Vancouver plutôt qu'à Toronto ou Montréal; on choisit plus de directeurs de l'Ouest au sein des corporations de la Couronne et la politique d'achats du gouvernement fut plus sélective afin de donner une chance égale aux gens de l'Ouest d'obtenir des commandes. Mais l'on ne percevait aucun signe que les structures mêmes du pouvoir et non pas les politiques pouvaient être à la racine de l'aliénation de l'Ouest et constituer la plus grande menace à la Confédération.

Colère en Ontario

Le Premier ministre Robarts, de l'Ontario, parlait déjà d'une nouvelle Confédération, en 1967, mais il ne pensait pas tant à des changements radicaux dans les structures de la Confédération qu'à une meilleure coopération fédérale-provinciale. Il était aigri par sa défaite à la conférence du partage fiscal, l'année précédente, et fort insatisfait des propositions du Fédéral en matière d'assurance-santé. Il s'inquiétait du séparatisme au Québec et se préoccupait de la réforme fiscale, alors en préparation, qu'il soupçonnait de se transformer en complot pour s'emparer d'une plus grande part des revenus et, par voie de conséquence, du pouvoir politique de dépenser et d'innover.

Robarts sembla assuré qu'il y avait une meilleure voie pour faire fonctionner la Confédération et il était silencieusement optimiste lorsque Trudeau prit le pouvoir en 1968. Les deux hommes s'appréciaient, s'admiraient même et pouvaient facilement communiquer. Au cours des conférences constitutionnelles, Trudeau fit même un bout de chemin pour tenter de répondre aux vues de Robarts lorsqu'il promit: « Jamais plus d'assurance-santé » — ce qui signifiait qu'il n'y aurait plus de programmes conjoints à frais partagés dans l'accord des provinces, ce qui réduisait le pouvoir de dépenser.

Pour les problèmes courants, toutefois, Trudeau fut infléchissable. Il refusa tout compromis sur le programme d'assurance-santé et força Robarts à l'accepter. Il ne voulait pas offrir à l'Ontario une part acceptable des revenus ou mettre en place les mécanismes qui pouvaient permettre, selon Robarts, de coordonner les politiques fiscales. Lorsque les experts de l'Ontario vérifièrent la portée des propositions de la Réforme fiscale contenues dans le Livre blanc du Fédéral, ils découvrirent à l'aide de leurs ordinateurs que cette réforme ne pourrait qu'enrichir Ottawa de plusieurs centaines de millions, appauvrissant d'autant les provinces. Lorsque Trudeau freina l'économie en 1969 il accusa l'Ontario de ne pas contrôler suffisamment son économie. Et lorsque les mesures fédérales ralentirent l'économie, l'Ontario se retrouva aux prises avec le chômage et une baisse dans l'augmentation normale de ses revenus.

En 1971, l'Ontario était de retour dans l'arène demandant de participer à la prise des décisions de politique économique au niveau national à travers une certaine

114

forme de coordination fiscale. Mais cette fois le ton se faisait plus menaçant. « Nous avons lancé l'avertissement, tôt en 1970, que le Fédéral venait chercher une trop grande part des revenus en Ontario, mais le Fédéral n'était apparemment pas disposé à nous écouter », déclara le ministre des Finances, Darcy McKeough au cours d'une réunion régulière fédérale-provinciale des ministres des Finances. « ... De la même façon, nous avons averti le gouvernement fédéral, à la fin de 1970, que le manque de liquidités des milieux d'affaires nécessitait une action afin de freiner la baisse des investissements privés dans les moyens de production. Les événements ont démontré que nous avions raison ... Si ces rencontres n'ont pas permis de faire place à des problèmes très importants de coordination de la politique fiscale, il apparaît clairement que nous devons les modifier et les reformuler de manière qu'ils puissent permettre d'atteindre les objectifs pour lesquels ils ont été constitués. »

L'alternative, déclara McKeough, c'est que l'Ontario définisse sa propre politique économique. Les experts fédéraux pouvaient ne pas être d'accord avec l'interprétation présentée par McKeough mais ils ne pouvaient tergiverser avec le fait que l'Ontario était assez puissant pour mettre sa menace à exécution. McKeough fit du reste valoir que les initiatives indépendantes de l'Ontario entreprises en 1971-72 pour stabiliser l'économie provinciale — le cœur de l'économie canadienne — furent comparativement plus importantes que les politiques budgétaires fédérales. « L'Ontario fut dans l'obligation d'adopter des politiques économiques expansionnistes afin de contrecarrer les politiques fiscales contradictoires du Fédéral auxquelles nous nous opposions et pour lesquelles nous n'avions jamais été consultés. »

C'était, sans éclat, un moment dramatique dans l'histoire de la Confédération. La plus grande et la plus riche des provinces affirmait qu'elle ne reconnaissait plus au gouvernement central le droit de déterminer la politique économique au niveau national. Elle voulait coopérer mais si elle était en désaccord avec une politique fédérale elle emploierait son propre pouvoir économique pour la renverser.

Rupture avec B et B

Le programme de Trudeau pour promouvoir le multiculturalisme constituait l'une de ses initiatives de politique nationale la moins remarquée mais la plus importante. « Même s'il y a deux langues officielles, il n'y a pas de culture officielle et il n'y a pas de groupe ethnique qui ait préséance sur un autre », proclama-t-il à la Chambre des Communes, le 8 octobre 1971 avant de s'envoler pour Winnipeg où il devait prendre la parole devant un congrès de Canadiens ukrainiens.

Environ un tiers des Canadiens sont d'origine britannique, un tiers d'origine française tandis que le troisième tiers est constitué d'une trentaine de groupes ethniques, une force vigoureuse et grandissante, un troisième pouvoir dans la communauté canadienne. Même si la plupart des Canadiens parlent français ou anglais plusieurs sont fiers de leur culture distinctive et cherchent à conserver leur langue d'origine.

Trudeau annonça une multitude d'octrois et de projets spéciaux pour aider les minorités ethniques à préserver et à renforcer leurs cultures en disant: « Une politique de multiculturalisme à l'intérieur d'une structure bilingue constitue le meilleur moyen d'assurer la liberté culturelle de tous les Canadiens. Une telle politique devrait permettre de faire disparaître les attitudes discriminatoires et les jalousies culturelles. L'unité nationale, si elle doit signifier quelque chose au niveau profondément personnel doit trouver sa source dans la confiance de chacun dans sa propre identité; de cela pourra surgir le respect pour l'identité des autres, l'ouverture à un échange d'idées d'attitudes et de conceptions. Une vigoureuse politique de multiculturalisme aidera à créer ce sens de l'identité. Elle peut devenir la base d'une société qui veut donner à tous une chance égale. »

La Commission royale sur le bilinguisme et le biculturalisme avait reconnu, dans son quatrième rapport, les droits des minorités ethniques et avait recommandé certaines mesures pour leur venir en aide, mais elle précisait: « Même si nous devons nous préoccuper de la diversité culturelle canadienne nous devons le faire en ayant à l'esprit qu'il y a deux cultures dominantes au Canada. » La Commission rattacha le bilinguisme directement au concept des deux sociétés fondatrices du Canada, l'anglaise et la française. Elle proposa que les autres groupes ethniques, tout en conservant leurs traditions, trouvent leur voie dans le cadre biculturel du pays et rejeta le multiculturalisme.

Donc, même si Trudeau affirmait qu'il ne faisait que répondre aux recommandations de la commission en venant en aide aux minorités et en allant même un peu plus loin, il sembla à certains observateurs que sa position était ambiguë sinon complètement décevante. Il rejetait en fait le biculturalisme et par le fait même le concept d'un Canada formé de deux sociétés fondatrices, les Deux Nations.

La politique de Trudeau fut, de façon générale, assez

bien acceptée par les Canadiens du troisième pouvoir et contribua même jusqu'à un certain point, dans l'Ouest, à démontrer que le gouvernement central n'était pas uniquement préoccupé par le Québec et la culture canadienne-française. La réaction au Québec fut, évidemment, à l'opposé. Le Premier ministre Bourassa protesta auprès de Trudeau contre ce volte-face à la philosophie de la commission BB et un observateur modéré et compétent comme Guy Rocher, vice-président du Conseil canadien, fit le bilan de la situation.

« Cette étape va accélérer le mouvement de retraite des Canadiens français vivant au Québec. Nous aurons une tendance plus marquée à nous isoler dans le Québec. A l'extérieur du Québec je ne suis rien de plus maintenant qu'un autre membre des minorités ethniques. Les Canadiens français n'ont pas encore compris les répercussions de cette politique. Je suis maintenant sur le même pied qu'un Ukrainien, qu'un Allemand, etc. Mais je le répète, il ne s'agit pas d'un complexe de supériorité; c'est une réaction historique. Le Canada auquel j'appartenais n'existe plus lorsque je le regarde comme un Canadien français du Québec ... Maintenant je vois le Canada comme un pays où il n'existe qu'une seule nation culturelle, le Québec puis il y a une autre nation multiculturelle, soit tout ce qui est à l'extérieur du Québec ... cette vision est basée sur le concept des Deux Nations. C'est un pas très étrange que vient de faire Trudeau! »

Des rencontres et des dollars

Dans ses relations d'ensemble avec les provinces, Trudeau élargit rapidement les mécanismes de consultation qui avaient été mis sur pied par Pearson sous le titre de

118

fédéralisme coopératif. Il établit une section spéciale à l'intérieur du secrétariat du cabinet afin de coordonner les politiques fédérales avec les provinces concernées et le nombre des conférences fédérales-provinciales et comités s'accrut à un rythme extraordinaire. En juin 1970, il y avait 57 comités comprenant la participation de ministres et de sous-ministres en plus de 400 autres formés de fonctionnaires moins importants. Gordon Robertson, le chef du secrétariat du cabinet fédéral commenta laconiquement: « On se demande parfois si ce n'est pas justement la multitude des rencontres qui a ouvert la porte aux désaccords dont on a donné de si abondants comptes rendus. Un Parkinson canadien pourrait sans doute démontrer que le nombre des disputes fédérales-provinciales varie, chaque année, de façon directement proportionnelle au nombre de rencontres fédérales-provinciales multiplié par le cube du nombre des agences de coordination fédérale-provinciale à l'intérieur des gouvernements respectifs. »

Selon la constitution, les municipalités sont des émanations des provinces et Trudeau fut prudent de façon à ne pas empiéter sur les pouvoirs provinciaux en faisant directement affaires avec les villes au niveau des problèmes urbains. Mais après de longues et difficiles négociations, il y eut un accord, en 1972, afin d'établir un Conseil national qui réunirait les trois niveaux de gouvernement dans le but de coordonner les politiques urbaines. Il s'agirait là d'un autre mécanisme complètement nouveau au Canada.

Trudeau se montra également prêt à effectuer des transferts imposants de revenus aux provinces. Jusqu'à une certaine limite, Ottawa taxait les citoyens des provinces riches — l'Ontario, l'Alberta et la Colombie britannique

— afin de redistribuer l'argent sous forme de subventions et d'octrois aux sept autres provinces.

Les contributions fédérales aux provinces grimpèrent dramatiquement de $2.3 milliards en 1969 à $4.3 milliards en 1972 et l'on prévoyait qu'elles dépassent $5 milliards en 1972-73.

Cela signifiait que pendant que tous les gouvernements s'emparaient d'une proportion grandissante du Produit national brut, le pourcentage de la richesse dépensé par Ottawa diminuait tandis que le pourcentage dépensé par les provinces et leurs municipalités augmentait rapidement. Ainsi donc le changement d'aiguillage dans l'équilibre du pouvoir fédéral-provincial qui était vigoureusement amorcé à l'arrivée de Trudeau, en 1968, se poursuivit et s'accentua probablement sous son administration.

Mais on ne découvrit aucune formule constitutionnelle qui aurait reconnu les nouvelles réalités et aurait permis de parer aux tensions et aux tiraillements évidents au Canada anglais comme au Canada français. Comme l'indiquait le rapport du comité conjoint du Sénat et de la Chambre des Communes sur la constitution du Canada en 1972: « La réforme constitutionnelle ne vise pas seulement le Québec et cette province n'est pas seule à la désirer. Nous avons découvert de profondes sources d'insatisfaction dans l'Ouest, dans les Territoires du Nord-Ouest et dans les provinces de l'Atlantique et des citoyens de l'Ontario ont également fait part de leur mécontentement face à certains aspects de la constitution. Nous avons aussi fait face à des sentiments de mécontentement chez plusieurs groupes — les autochtones, certains groupes ethniques, des Canadiens français à l'extérieur du Québec et la majorité des jeunes. »

Aussi valable qu'ait été la réponse de Trudeau aux problèmes régionaux de disparité, d'aliénation et de coordination, il n'était pas clairement apparu, en 1972 comme l'Architecte de la nouvelle Confédération.

Les politiques
de la participation

« Venez travailler avec moi » disaient les affiches percu-
tantes et dans le vent de Trudeau, en 1968, et la Démocratie de participation devint l'une des phrases-clefs de
la campagne électorale. Il demanda aux Canadiens de
faire le lien avec Ottawa, de jouer leur rôle dans le gouvernement et des millions de personnes adoptèrent l'idée
qu'elles pouvaient, de quelque manière, se joindre à ce
brillant politicien en prenant les décisions qui transfor-
meraient le Canada. Pourtant, à peine un an plus tard,
le Parlement était chambardé par des cris de colère de
« Heil Hitler » alors que Trudeau coupait court aux
débats de la Chambre des Communes et c'est maintenant
la sagesse du jour de croire que le Premier ministre mé-
prise le Parlement, est arrogant face à ses critiques et
avide de pouvoir personnel.

Trudeau manie certainement mieux le pouvoir que n'importe lequel de ses prédécesseurs. Il a doublé le nombre des membres de son cabinet personnel, étendant ainsi sa portée politique et son contrôle, et il a étendu le rayon d'action du Conseil privé à travers lequel il dirige la vaste machine administrative du gouvernement fédéral dotée d'un budget de $16 milliards et de 225,000 fonctionnaires.

Mais en même temps, Trudeau a fait du Parlement une institution plus efficace de certaines manières au niveau de la recherche plus poussée et de la critique et a délibérément provoqué les pressions publiques à son endroit et à l'égard du gouvernement.

Il a pris le pouvoir après une période dominée par un gouvernement minoritaire à Ottawa — il y en eut trois entre 1962 et 1968 — alors que l'on critiquait beaucoup la conduite des affaires par Ottawa comparativement à une confiance croissante dans les gouvernements provinciaux. On s'inquiétait également au déclin du respect pour le Parlement et à l'intérêt grandissant des jeunes au niveau des politiques de protestations et de confrontation. Trudeau estime qu'il fut élu pour assumer un leadership ferme au Parlement et au peuple, pour rétablir la stabilité politique et la confiance en la démocratie et il est franc quant à ce qu'il fait. « Au sein de notre système, tout le monde devient plus fort: le pouvoir des syndicats grandit, les corporations multi-nationales sont plus fortes, les universités sont plus importantes et vous savez que la presse et les médias sont de plus en plus puissants » déclarait-il à Tom Gould, de CTV qui mettait son utilisation du pouvoir en doute au cours d'une entrevue, en 1971. « Le seul que vous voudriez ne pas voir se renforcer est le gouvernement du pays ... Si c'est ce que vous voulez je peux limiter le personnel de mon bureau à six: il me sera alors impossible de me tenir à jour relativement à tous les sujets complexes que l'on discute quotidiennement dans ce gouvernement ou dans ce pays et vous aurez un gouvernement piteux aux genoux faibles. Et si c'est ce que vous voulez, vous feriez mieux d'élire quelqu'un d'autre. Je ne comprends simplement pas cette critique absurde à l'effet que le pouvoir exécutif est trop fort. J'ai tenté par tous les moyens de fortifier le Parlement . . . mais je n'ai pas tenté d'affaiblir l'Exécutif et je n'ai pas d'excuses à faire pour cela. »

Lorsque Trudeau devint Premier ministre, ses adjoints analysèrent ses responsabilités et ses besoins dans ses différents rôles en tant que chef du gouvernement au Parlement, chef de l'administration fédérale, chef du parti libéral, personnalité publique et simple citoyen. L'idée était d'organiser son horaire de façon qu'il puisse remplir adéquatement toutes ses fonctions et cet emploi du temps constitue un cadre convenable afin d'observer les voies qu'a empruntées Trudeau pour réaliser cette démocratie de participation qu'il avait promise.

Le Parlement: mythe et réalité

La Chambre des Communes est sans contredit le cœur de la démocratie canadienne mais c'est également le sujet de plusieurs mythes importants. Il est essentiel de séparer les faits de la fantaisie romantique si l'on veut comprendre ce qu'était la situation avant que Trudeau ne prenne le pouvoir et les changements qu'il a réalisés dans le système parlementaire.

C'était un mythe, longtemps avant l'arrivée de Trudeau à Ottawa, que les députés n'exerçaient aucun contrôle au jour le jour sur le Premier ministre et le cabinet. Il y eut une période classique de gouvernement parlementaire en Grande-Bretagne, il y a plus d'un siècle, lorsque les députés étaient suffisamment indépendants pour défaire un gouvernement et en nommer un autre, si nécessaire, afin de produire un changement de politique. Mais avec la venue de partis politiques très fortement structurés, le gouvernement réussit à discipliner les députés qu'ils aidaient à faire élire et les cabinets prirent le contrôle complet des affaires.

Depuis les premiers jours de la Confédération, un gouvernement canadien élu avec une majorité d'appuis aux Communes devient effectivement son propre maître. Un tel gouvernement eut toujours la possibilité de présenter toute législation qu'il jugeait à propos et les députés ne pouvaient ajouter ni une virgule ni un trait sur le « T » à moins que le ministre responsable ne donne son aimable consentement. Un député d'arrière-banc qui tentait d'être critique ou de faire de l'obstruction à la Chambre savait qu'il risquerait sa chance de promotion au poste de secrétaire parlementaire ou de ministre. Dans les cas extrêmes, la machine du parti aurait pu le désavouer en ne lui donnant aucun fonds pour la campagne électorale et en présentant contre lui un candidat officiel aux prochaines élections, assurant irrémédiablement sa défaite. S'il avait des objections sérieuses aux politiques gouvernementales, l'on s'attendait à ce qu'il ne fasse connaître son point de vue qu'en privé au sein du caucus du parti de façon que le public ne voie pas de failles dans l'unité du parti ou sache que la sagesse du cabinet était remise en question.

Lorsque les partis d'Opposition bloquaient un projet de loi trop longtemps, le gouvernement présentait simplement une motion pour terminer le débat et la faisait passer par sa majorité obéissante. Ce pouvoir d'imposer la clôture du débat remontait à un demi-siècle, à Ottawa, même si l'on ne l'utilisa que fort peu souvent.

Seule l'opinion publique, dans ces circonstances, pouvait freiner le gouvernement. Les ministres qui devaient faire face à des élections tous les quatre ou cinq ans n'osaient pas s'attirer la défaveur du public, individuellement ou collectivement. Donc même si les membres de l'Opposition ne pouvaient modifier la législation, ils pouvaient la ridiculiser aux yeux du public et la mépriser dans l'espoir que les électeurs rejettent le gouvernement à la première occasion.

Le transfert des pouvoirs des Communes au cabinet ne fut toutefois pas la dernière étape du processus d'évolution du système parlementaire. Les observateurs politiques commencèrent à faire remarquer comment le pouvoir passait des mains du cabinet entre celles du Premier ministre. « L'époque d'après-guerre a été témoin de la transformation finale d'un gouvernement de cabinet à celui d'un gouvernement de Premier ministre », déclara le parlementaire britannique R.H.S. Crossman, en 1963. Il commentait alors la tendance, à Westminster, la mère de tous les parlements, au moment où les Premiers ministres prirent personnellement le commandement des puissantes machines de parti et des bureaucraties gouvernementales.

Au Canada, Denis Smith, un expert en sciences politiques de l'université Trent, qui a fait une étude du parlement grâce à l'aide d'une bourse du Conseil du Canada, était généralement d'accord avec Crossman et alla même plus loin. Il déclara à l'occasion d'une conférence des penseurs du parti conservateur, en 1969, que la sécurité politique des Premiers ministres canadiens est encore plus grande que celle de leurs homologues britanniques parce qu'ils sont choisis au cours de conventions nationales du parti dans une explosion de publicité et doivent leur poste à l'appui du public plutôt qu'à leurs collègues du cabinet ou du Parlement.

Smith intitula son texte **« Président et Parlement »** et nota à propos du Premier ministre moderne: « Il est virtuellement aussi immuable qu'un président américain durant son mandat au pouvoir. » Les critiques de Trudeau s'emparèrent de la comparaison et firent valoir qu'il accaparait tant de pouvoirs personnellement qu'il était en train de devenir un président. Cette phrase-slogan conduisait à une mauvaise piste puisque de fait un Premier ministre dans un régime parlementaire a plus de pouvoir que n'importe quel président des Etats-Unis.

Un président contrôle le pouvoir exécutif mais ne possède qu'une influence limitée sur le Congrès qui se considère souvent comme une autorité rivale et refuse souvent d'entériner les politiques du président. Un Premier ministre a le contrôle de son Exécutif en plus de la majorité parlementaire nécessaire pour faire à son gré aux Communes.

Trudeau a déjà fait des blagues en privé en disant qu'il n'est pas intéressé au système du Congrès précisément parce qu'un tel système réduirait ses pouvoirs.

Voilà qui constitue le portrait réel de ce qu'était le système parlementaire lorsque Trudeau arriva au pouvoir.

Le Premier ministre contrôlait le cabinet. Le cabinet contrôlait les Communes, qui n'était pas tellement un endroit de débats rationnels mais plutôt une arène de combats politiques. Le Sénat était passivement résigné. Mais il y avait du changement dans l'air. Le public sembla dégoûté des crises répétées dues à des gouvernements minoritaires instables, assortis de débats illimités volontairement allongés par l'Opposition et qui empêchaient de solutionner des problèmes urgents. Le tout imprégné d'une partisanerie parfois dégradante dans les débats. Lorsque le gouvernement Pearson fut défait, plus ou moins par accident, lors d'un vote aux Communes, en février 1968, les parlementaires devinrent surexcités et plusieurs étaient convaincus que le gouvernement devrait démissionner. Mais lorsque le Premier ministre Pearson se présenta à la télévision pour expliquer la réalité qui primait sur cette histoire à dormir debout, la réponse du public ne se fit pas attendre et l'on demanda aux députés de cesser de s'amuser et de s'occuper des affaires du pays.

Le chef du NPD, Tommy Douglas, se plaignit qu'il était difficile de savoir si le gouvernement conduisait le pays en vertu de la volonté divine ou grâce aux services de nouvelles de la CBC et il est clair, en rétrospective, qu'il s'agissait d'un événement significatif dans l'histoire du Parlement. Capables de voir et d'entendre leurs chefs politiques à la télévision, les électeurs étaient moins prêts à donner carte blanche à leurs députés élus dans la conduite des affaires quotidiennes. Un Premier ministre pouvait en appeler au peuple directement au-dessus de la tête du Parlement et la réaction se ferait sentir au Parlement en quelques heures seulement.

Il n'y avait pas eu de changements majeurs dans les règlements des Communes entre 1867 et 1962. Mais il y eut à ce moment des changements hésitants et expérimentaux, en 1962, 1964 et 1965 lorsque les députés en vinrent forcément à la conclusion que quelque chose devait être fait pour accélérer la marche des affaires dans une société au sein de laquelle un grand gouvernement devenait plus responsable que jamais de la réglementation et de l'amélioration de la qualité de la vie.

Trudeau fut élu en partie parce qu'il avait promis d'accélérer le changement du système de façon à le rendre plus démocratique.

On ne doit toutefois pas juger ses accomplissements comparativement à un concept idéaliste de Parlement qui n'a jamais existé mais plutôt en tentant de déterminer quel a été le succès de sa tentative de pousser une institution imparfaite et collée à la tradition dans la deuxième partie du vingtième siècle.

Les difficultés politiques inhérentes à sa volonté de changement furent illustrées par l'un de ses premiers gestes. Il trouva absurde que chaque ministre du cabinet soit dans l'obligation de s'asseoir chaque jour à la Chambre des Communes pendant environ une heure au cas où un membre de l'Opposition aurait une question à lui poser. Il voulait que les ministres travaillent plus à leurs bureaux ou dans les comités du cabinet et il mit sur pied un système de rotation selon lequel chaque ministre devait être en Chambre trois jours par semaine au lieu de cinq. Ce fut fait sans tact et sans même la courtoisie de consulter l'Opposition, mais ce n'était pas un geste majeur: un système semblable était utilisé au parlement britannique depuis des années. Il y eut des protestations indignées au Parlement et quelques critiques dans la presse: on prétendait que le gouvernement traitait le Parlement avec mépris, écrasant les droits de l'Opposition de questionner et de mettre en doute ses activités. Mais Trudeau faisait plus pour l'Opposition que ne l'obligeait la coutume. Il offrit lui-même de voter $195,000 des fonds publics aux chefs des partis de l'Opposition, ce qui leur permit d'engager 20 recherchistes à plein temps et cinq à temps partiel afin de les aider à documenter leurs critiques contre son gouvernement. Sa position originale était que comme le gouvernement pouvait utiliser les ressources de la Fonction publique, il n'avait pas besoin de recherche indépendante mais ses propres députés d'arrière-banc se plaignirent que cette solution ne leur apportait rien même si elle satisfaisait aux désirs des membres du cabinet. C'est pourquoi il décida de faire voter $130,000 pour les services de recherche du caucus libéral. Même s'il ne s'agissait pas d'une réforme majeure, c'était un précédent pour un gouvernement d'encourager les analyses critiques de ses politiques. Cela s'ajoutait d'ailleurs à l'expansion rapide des moyens de recherche de la bibliothèque du Parlement.

A la fin de 1968, un comité formé de députés de tous les partis était prêt à présenter ses propositions pour effectuer des changements radicaux dans les règlements et les procédures d'examen et d'autorisation des dépenses gouvernementales et dans les débats et l'approbation de la législation. Un des pouvoirs traditionnels du Parlement était de retenir les fonds — c'est-à-dire de refuser de voter des sommes pour dépenser — jusqu'à ce que ses griefs soient corrigés. L'Opposition pouvait profiter des débats budgétaires pour soulever toutes sortes de plaintes et tenter parfois d'obtenir des concessions du gouvernement en prolongeant le débat si longtemps qu'il y avait une embarrassante pénurie d'argent pour payer les fonctionnaires. Aux extrêmes, le gouvernement pouvait être forcé d'aller aux urnes si le Parlement refusait de voter les crédits nécessaires.

Mais tout cela prenait un temps fou et le débat politique selon les règles officielles de la Chambre n'était pas efficace pour scruter minutieusement les détails routiniers des dépenses gouvernementales. Même lorsque la Chambre consacrait 50 jours par année à ce genre d'affaires, cela ne représentait pas plus que 200 heures de discussion sur les prévisions budgétaires de douzaines de ministères et d'agences. Le comité multi-partite recommanda — même si les conservateurs furent réticents — de retirer tout ce champ d'activité du travail régulier de la Chambre et de le confier à 16 comités spéciaux de députés, et la Chambre fut d'accord. Les petits comités d'environ 20 membres pouvaient procéder de façon moins officielle que la Chambre et interroger à loisir les ministres et les fonctionnaires de façon qu'ils donnent les faits. Les députés pouvaient commencer à acquérir une certaine expertise dans différents domaines des dépenses gouvernementales telles que la Défense ou l'Agriculture. On donna instruction aux comités de fournir leur rapport sur les prévisions budgétaires et leurs recommandations à une date fixée à l'avance de façon qu'on ne tente pas de retenir l'action gouvernementale en exigeant une rançon. Toutefois on conservait 25 journées entières pour que les partis d'opposition, exposent, à chaque session, tout problème dont ils désiraient l'étude en plus de la possibilité de forcer un vote et de pouvoir tenter de défaire le gouvernement.

Il y a des avantages clairs dans le nouveau système. On peut consacrer plus de temps à l'analyse des dépenses: le gouvernement calcule que les comités passent 500 heures chaque année à cette activité. Pendant ce temps la Chambre qui siège en même temps que les comités bénéficie de plus de temps pour s'occuper des problèmes d'ordre général et de la législation.

132

Un autre changement majeur survenu avec l'accord des partis, en 1968, fut d'examiner les projets de loi en détail au sein des comités plutôt que de le faire à la Chambre. Encore là, l'idée était de permettre aux députés d'acquérir de l'expérience, faire témoigner des experts s'ils le désiraient et passer plus de temps à scruter des détails ce qui n'aurait pas été possible à la Chambre des Communes. Evidemment la Chambre au complet continua de débattre les principes de chaque projet de loi et pouvait du reste accepter ou refuser les amendements proposés par le comité.

En plus de faire passer les projets de loi par les comités, Trudeau étendit la technique d'énoncer la politique gouvernementale de façon expérimentale sous forme de livres blancs. Il y eut des livres blancs sur la réforme fiscale, les affaires indiennes, la sécurité sociale et plusieurs autres questions. La plupart de ces livres blancs furent référés aux comités pour étude avant que le cabinet ne prenne sa décision finale quant à la politique à mettre de l'avant et à la législation à faire approuver.

De cette manière, les députés étaient invités à conseiller le gouvernement avant qu'il ne s'engage dans une position. Les livres blancs stimulèrent également de vastes discussions publiques et des vingtaines de témoins experts furent appelés à comparaître devant des commissions parlementaires afin de donner leur avis sur une politique publique.

Entre le 8 octobre 1970 et le 16 février 1972 (période convenable à titre d'exemple parce que les statistiques sont disponibles) 21 comités des Communes ont été organisés et ont tenu 900 réunions. Ils ont fait comparaître 2,751 témoins et le dossier de leurs interventions totalise plus de 30,000 pages de texte. Tout cela représentait une extraordinaire augmentation de l'activité du Parlement. Les députés étaient plus impliqués qu'ils ne l'avaient jamais été dans l'étude de questions d'ordre public et ils avaient plus d'influence sur les décisions finales du gouvernement. Des experts de l'extérieur et des organisations représentant des intérêts particuliers avaient également été amenés jusqu'à un degré jamais atteint, à participer au processus de prise de décision.

Mais ce ne fut pas l'histoire d'un succès sans limite. Parce que l'Opposition ne pouvait plus retenir les Crédits, une bonne partie de l'aspect dramatique — même si ce drame avait été souvent fictif — n'animait plus la Chambre. La presse et, par voie de conséquence, le public perdirent donc intérêt dans les débats puisque les questions d'intérêt public étaient débattues en comités avant d'être référés à la Chambre pour légiférer. La plupart des soirs, maintenant, il n'y a qu'une poignée de membres ennuyés qui passent en revue les affaires de routine tandis qu'un ou deux journalistes de l'agence Presse canadienne observent dans la galerie de la presse, sachant très bien que les articles qu'ils vont envoyer ne prendront pas beaucoup d'espace dans les journaux du lendemain. Quelques ministres admettent qu'il est plus facile de faire adopter les prévisions budgétaires par un comité lorsqu'ils peuvent se faire accompagner de fonctionnaires qui répondent aux questions, que la tâche ne l'était lorsqu'ils devaient faire face à l'opposition rugissante sur le parquet de la Chambre. On parle maintenant d'ajuster de nouveau les règlements de façon que certaines prévisions, au choix de l'Opposition, soient, comme avant, étudiées devant l'ensemble des membres à la Chambre des Communes plutôt qu'en comités restreints.

Une critique plus sérieuse et plus subtile est à l'effet que le gouvernement n'a jamais songé sérieusement à transférer tant d'affaires aux comités. Dans le système parlementaire, comme nous l'avons vu, le cabinet contrôle normalement et complètement les Communes. Comme les comités furent toujours considérés comme de simples répliques de la Chambre, le gouvernement insista pour en obtenir également le contrôle en nommant le président et en y maintenant un nombre de membres majoritaires.

Lorsque Trudeau donna une certaine expansion à ces comités et leur confia plus de pouvoirs de façon qu'ils fassent comparaître des témoins et procèdent à des enquêtes, l'on croyait qu'ils deviendraient aussi plus indépendants — un peu comme les comités du Congrès, à Washington. Mais parfois, lorsque des comités ont tenté de montrer une certaine indépendance, des ministres ont insolemment rejeté leur avis et ont ordonné aux membres majoritaires du gouvernement de suivre la ligne du parti.

Ce qui s'est en fait développé constitue un malencontreux mélange des systèmes du Parlement et du Congrès, et le leader parlementaire du gouvernement, Allan Mac-Eachen ordonna, en douce, une étude spéciale du fonctionnement du système des comités, travail qui serait effectué par une unité spéciale bi-partisane de son ministère. Cette étude devrait conduire à des recommandations au cabinet qui permettront de rationaliser le système des comités et de mieux le comprendre en décrivant les droits et les pouvoirs de ses membres, et les relations entre les comités, la Chambre et le gouvernement. Pendant que l'on procédait à des changements substantiels dans les manières de conduire les affaires de l'Etat, dans les coulisses du Parlement et la plupart du temps par entente entre le gouvernement et l'Opposition, l'attention du public et la critique se portèrent sur des questions plus dramatiques mais moins fondamentalement importantes.

Comme la plupart des nouveaux Premiers ministres, Trudeau arriva au pouvoir avec un grand programme de législation, impatient de commencer son travail. Il était intrigué — comme l'avait été Pearson — de l'idée de planifier soigneusement le travail de chaque session du Parlement et de faire passer les projets de loi à travers « l'usine » selon un horaire fixe. L'Opposition aura la chance de débattre chacun des projets de loi mais après un certain nombre de jours, on devrait prendre un vote final. Au Parlement britannique, le gouvernement et l'Opposition réussissaient généralement à s'entendre sur des limites de temps mais à Ottawa, l'Opposition, qu'elle fût libérale, conservatrice ou NPD n'envisagea jamais une telle coopération. Cette Opposition préférait plutôt se lancer dans une véritable guérilla contre le gouvernement en utilisant l'obstruction systématique comme arme de premier plan. Cette tactique était rarement employée pour aider à gouverner le pays mais habituellement pour tenter d'embarrasser le gouvernement face à ses électeurs en l'empêchant de voter des réformes promises.

Les libéraux qui faisaient partie du comité spécial sur la procédure, en 1968, voulurent changer cet état de choses. Malgré les objections des membres de l'Opposition au sein du comité, ils proposèrent un nouveau règlement — 16 A — qui aurait créé un comité permanent des leaders parlementaires de tous les partis chargés de déterminer l'horaire de travail de la Chambre et — voici le hic — donnant au gouvernement le pouvoir d'imposer son horaire lorsqu'il n'y avait pas d'entente possible.

« Les Canadiens sont impatients et veulent des réformes », déclara Trudeau. Mais il devint bientôt clair qu'ils n'étaient pas tellement impatients qu'ils confient au gouvernement un tel pouvoir de contrôle sur la Chambre des Communes. Lorsque le chef conservateur Robert Stanfield dénonça le règlement proposé comme l'éteignoir de la Société juste, il fut appuyé par la presse et l'opinion publique. Après des jours de débats et des tentatives de négocier un compromis, le gouvernement recula: si Stanfield acceptait le plan selon lequel les prévisions budgétaires étaient référées au comité, ce qui ne lui plaisait d'ailleurs pas, le gouvernement s'engageait à retourner le règlement 16 A au comité de procédures afin que tout le problème de l'horaire de travail parlementaire soit réexaminé.

On accepta le compromis juste à temps pour que les députés puissent retourner dans leurs foyers pour Noël mais Trudeau réussit à gâcher l'atmosphère par une remarque enfantine qu'il regretta d'ailleurs immédiatement. Il fit valoir que l'Opposition avait été attirée dans un piège: pendant que les députés d'opposition concentraient toutes leurs batteries sur le règlement 16 A, ils avaient laissé le gouvernement procéder à tous les changements vraiment importants en ce qui avait trait aux prévisions et à la législation. « Je suis extraordinairement heureux », avait dit Trudeau en se régalant. Il y avait beaucoup de vérité dans ce qu'il avait dit, ce qui rendait ses propos encore plus blessants. Comme nous l'avons vu, lorsque l'Opposition abandonna son pouvoir de retenir les Crédits, elle perdait son droit traditionnel de demander le redressement des torts du gouvernement à son enroit, et tout l'équilibre du Parlement fut modifié.

Pendant ce temps, Trudeau n'avait rien abandonné. Son idée de fixer l'agenda des travaux parlementaires n'avait pas été défaite mais référée au comité pour un nouvel examen. A l'été 1969, la majorité libérale du comité (des procédures) était prêt à proposer un nouveau règlement qui remplacerait 16 A.

C'était le règlement 75 présenté en trois parties. La première section (a) prévoyait que lorsque les leaders parlementaires de tous les partis s'entendraient pour la période de temps consacrée à l'examen d'un projet de loi, la Chambre rendrait cette prescription exécutoire sans autre débat. La portée de cet article était de soumettre les députés à des arrangements conclus par leurs chefs. Les Indépendants, individualistes, excentriques et députés rebelles, comme il s'en trouve dans tous les parlements, ne pourraient frustrer la majorité en faisant valoir leur droit de parole en tant que membres privés. La section (b) prévoyait que lorsque la majorité des leaders de la Chambre s'entendaient sur un horaire, il n'y aurait alors qu'un débat de deux heures afin de permettre aux dissidents de faire valoir leurs objections avant que l'entente ne devienne un règlement de la Chambre. C'est la section (c) qui souleva les problèmes parce qu'elle prévoyait que lorsqu'il n'y aurait pas d'entente majoritaire, le gouvernement pourrait imposer son propre horaire et le passer de force.

Une fois de plus ce furent les cris à la tyrannie et à la dictature, et c'est à ce moment que l'Opposition commença à lancer des « Heil Hitler » à Trudeau, le démocrate de la participation, l'année précédente.

Le règlement 75 était beaucoup moins sévère que 16 A.

Il comportait l'assurance que chaque projet de loi soit débattu pendant au moins une journée à chacune des étapes de la procédure, ce qui indiquait qu'aucun projet de loi présenté à l'intérieur d'un horaire de travail fixé par le gouvernement, ne pourrait être adopté en moins de 10 jours. Malgré tout, l'Opposition, appuyée par les médias, fit valoir qu'il s'agissait là d'une nouvelle forme de règlement de clôture, la négation de la liberté d'expression, le bâillonnement du Parlement et s'engagea à le combattre de toutes ses forces et même durant l'été chaud d'Ottawa si nécessaire. Avec son talent pour les remarques précises mais sans tact, Trudeau répliqua qu'il s'agissait là d'un « flibustier stupide » et déclara: « Ils (l'Opposition) n'ont pas à gouverner, ils n'ont qu'à parler. Et le meilleur endroit pour parler, s'ils veulent un forum, c'est évidemment le Parlement. Lorsqu'ils arrivent chez eux, lorsqu'ils sortent du Parlement, lorsqu'ils sont à 50 verges du Parlement, ce ne sont plus des Honorables membres du Parlement — ce sont des inconnus.» C'était ce qu'il fallait pour jeter de l'huile sur le feu mais le gouvernement fut finalement convaincu que les Canadiens étaient saturés de toute cette affaire et, prenant son courage à deux mains, utilisa l'ancienne forme de règlement de clôture pour forcer l'adoption de la nouvelle forme de clôture, le règlement 75.

L'épisode coûta à Trudeau un certain degré de bonne volonté chez les observateurs qui commencèrent à soupçonner ses intentions et ne lui apporta que peu de choses. Le règlement 75 n'est pas un instrument efficace pour fixer l'emploi du temps dans les affaires des Communes et son article de clôture ne fut utilisé qu'une fois au cours des trois années qui suivirent afin de mettre fin au débat qui n'en finissait plus, sur la réforme fiscale. Même si le gouvernement a été mieux organisé que la plupart pour proposer sa liste de projets de lois au Parlement avant le début de chaque session, il n'a fait aucune tentative sérieuse de les faire passer selon un plan préétabli avec l'Opposition ou imposé par la majorité libérale.

On peut mesurer l'impact de Trudeau sur le Parlement et vice-versa par le temps nécessaire à débattre et à faire adopter des projets de loi.

Sous le Premier ministre conservateur John Diefenbaker, dans les quatre sessions de 1960-63, d'abord avec un gouvernement majoritaire puis minoritaire, le Parlement siégea pendant 457 jours et passa 158 bills publics, soit une moyenne de moins de trois jours pour chaque nouvelle loi.

Dans les cinq sessions de 1963-68, lorsque Pearson fut à la tête de deux gouvernements minoritaires, 252 bills furent adoptés en 680 jours, soit un peu plus de trois jours pour chaque nouvelle loi.

Dans les trois premières sessions de Trudeau, en 1968-72, alors qu'il dirigeait un gouvernement majoritaire et que le Parlement fonctionnait sous de nouveaux règlements radicaux, 187 projets de loi furent adoptés en 595 jours, soit un peu plus de trois jours pour chaque nouvelle loi sans compter les milliers d'heures de travail supplémentaires fournies par les comités analysant minutieusement les projets.

Ces statistiques ne donnent qu'une idée générale des affaires du Parlement qui incluent beaucoup d'autres activités que celle de présenter des lois. Elles indiquent toutefois que sous les règlements de Trudeau il y a eu plus de débats sur la législation que moins, et l'Opposition ne fut certes pas au neutre.

En 1971, par exemple, l'Opposition réussit à bloquer le projet de loi de stabilisation du revenu des fermes des Prairies jusqu'à ce que le gouvernement décide que la voie la plus sûre était de retirer le projet et de le repenser.

Lorsque Trudeau se plaint d'obstruction il est un peu l'écho de tous les Premiers ministres qui l'ont précédé. Ce n'est pas lui mais Diefenbaker qui dit, en 1962, lorsque son gouvernement était immobilisé par les discours libéraux: « Les gouvernements proposent et l'Opposition dispose. Il n'y a qu'une manière dont le gouvernement peut s'assurer de faire passer son programme législatif si une Opposition a les yeux tournés vers des objectifs désirables pour elle mais non pour la conduite efficace des opérations du Parlement et c'est par le règlement de clôture. »

Le travail du Parlement sur la législation est en grande partie une œuvre pénible qui n'attire pas l'attention des médias et du public. L'excitation quotidienne est fournie par la période des questions et les membres de l'Opposition disposent de 40 minutes pour confronter le Premier ministre et son cabinet et, en théorie, les forcer à répondre de leur action et de leur inaction.

La période des questions est devenue de bon droit un mythe au sein de plus grands mythes à propos du système parlementaire. On en parle comme d'une ancienne institution, le forum historique qui distingue notre démocratie de celle des Etats-Unis, le gardien essentiel de nos libertés. La vérité est que la période des questions comme nous la connaissons n'a été développée qu'au cours des 30 dernières années. On n'a qu'à regarder dans le Hansard d'avant-guerre pour constater que la période des questions était brève et, selon nos normes modernes, contrôlée. Les députés donnaient habituellement un avis écrit de leurs questions, sauf dans des circonstances authentiquement urgentes ou critiques et les ministres préparaient soigneusement leurs réponses. C'est encore de cette manière que l'institution fonctionne en Grande-Bretagne. Lorsque l'Orateur a approuvé la forme et la précision de la question et l'a écrite sur l'ordre du jour et que le ministre a donné sa réponse, les faits de la situation et la nature de la question doivent être établis.

Puis ce sont l'habileté et le jeu politiques, alors que les députés posent des questions supplémentaires, tentant d'obtenir plus d'information et se livrant à des échanges oraux, ou que l'Opposition tente de démontrer la faiblesse de la position du gouvernement tandis que le ministre de son côté juge de la matière qu'il devrait révéler et des erreurs qu'il devrait admettre. Comme Diefenbaker, qui étudia le Hansard britannique, l'a dit: « Ils réduisent les ministres en charpie par des questions supplémentaires. »

Une nouvelle manière de procéder s'est développée à Ottawa. Les députés soumettent encore des questions écrites et reçoivent des réponses préparées, habituellement écrites. Mais les échanges quotidiens à la Chambre sont presque entièrement oraux. Les membres de l'Opposition posent toutes les questions qu'ils désirent dans la forme de leur choix, ne se préoccupent pas trop de l'Orateur et formulent plus souvent qu'autrement des accusations au lieu de demander des informations. Les ministres sont rarement informés d'avance des questions qui peuvent leur être posées mais les membres de leur personnel leur indiquent les sujets d'intérêt dans la presse qui peuvent faire l'objet de questions et ils font leur entrée en

Chambre armés d'un dossier comprenant des réponses à des questions anticipées. Par exemple, Trudeau a une assistante à la législation, Joyce Fairbairn, une jolie blonde qui était la belle de la galerie de la presse parlementaire pendant plusieurs années avant d'abandonner le reportage et de passer au service du Premier ministre. Elle est mariée à Michael Gillan, qui était également un journaliste de la Galerie avant de devenir l'adjoint exécutif du ministre des Finances d'alors, Edgar Benson. Les journalistes qui savent quels seront les sujets qui se transformeront en nouvelles et qui connaissent la meilleure manière de les présenter au public sont très en demande auprès des ministres qui veulent se les adjoindre. Mais lorsque le personnel d'un ministre ne le renseigne pas adéquatement, ou n'a pas fait son travail, il peut être pris en défaut par l'Opposition et être ridiculisé alors qu'il tente plus ou moins habilement de dire qu'il répondra un autre jour ou qu'on le force à formuler des allusions gênantes qui lui font du tort. Au mieux la période des questions est un stimulant qui permet au gouvernement de s'acheminer vers de meilleures performances. Le fait de savoir qu'on peut les forcer à répondre de leurs actes dissuade les ministres de faire des choses qu'ils ne devraient pas faire; et la crainte que l'inaction soit exposée en plein jour par les députés de l'Opposition les encourage à faire les choses qu'ils doivent faire. Au pire, la période des questions devient un terrible champ de bataille politique sur lequel les manières, la décence et les responsabilités politiques ont peu d'importance. Des insultes pleuvent, on s'attaque aux personnalités et des insinuations sont consignées dans le Hansard et dans la presse. Le mieux que l'on puisse dire de cette institution en ces occasions est que la violence orale puisse servir de substitut à la violence physique que l'on employait pour résoudre les différends politiques en des temps plus lointains.

A la Chambre des Communes britannique les députés parlant de sièges opposés sur la première rangée n'ont pas le droit de dépasser des lignes tracées sur le plancher, et ces lignes sont disposées à deux longueurs d'épée l'une de l'autre. Les épées étaient déjà passées de mode à l'ouverture de la Chambre des Communes canadienne mais le principe demeure.

Ce sont les emportements immodérés de Trudeau aux Communes, habituellement à un stade critique de la période des questions qui ont le plus entaché sa réputation de parlementaire. Nous avons déjà mentionné l'occasion notoire où il traita les membres de l'Opposition de « inconnus ». Une autre fois il qualifia une question de Stanfield de « goddamned question ». Le pire de tout se produisit lorsqu'il répondit aux pointes de l'Opposition en remuant ses lèvres pour former des mots que l'Opposition interpréta comme « Fuck off ». M. Trudeau insista qu'il n'avait rien dit mais fut d'accord pour avouer qu'il avait le genre d'idées qui pourraient être exprimées par les mots « Fuddle-duddle », un substitut poli de « Fuck off » et une admission tacite qu'il avait les mots dans la bouche sinon sur les lèvres. Il fut bien établi ailleurs, à tout événement, que Trudeau, malgré toute sa culture, pouvait parler de façon vulgaire. Il pouvait aussi faire preuve d'humour. Lorsqu'un reporter lui demanda, à une autre occasion, s'il avait encore eu les mots « Fuck off » à la bouche en Chambre, Trudeau lui répondit: « Non, mais vas-y donc (te faire foutre). »

Il y a eu beaucoup d'hypocrisie quant à ces réactions d'indignation au mauvais langage de Trudeau en Chambre. Les députés qui sacrent généreusement en privé affirment qu'ils ont été outragés d'entendre le Premier ministre blasphémer en public même si le mot **Fuck** est d'usage commun chez les jeunes, dans les livres et les films. On doit aussi se rappeler que Trudeau est quotidiennement soumis aux insultes et à la provocation en Chambre et les partis d'opposition ne sont jamais plus ravis que lorsqu'ils réussissent à lui faire perdre son calme. Ce qui est cependant le plus inquiétant c'est qu'il s'est montré facile à provoquer. Ce n'est pas son langage qui est indigne mais le fait qu'il l'utilise lorsqu'il sait qu'il ne le devrait pas. Ça porte à croire qu'il s'agit d'un homme qui ne se contrôle pas toujours.

Ces périodes de questions excitantes ne sont évidemment pas nombreuses. La plupart des jours, les échanges ne sont ni bons ni mauvais mais simplement ennuyeux. Stanfield commence avec une question que tout le monde attendait puisque c'est ce que ses conseillers considèrent comme la principale nouvelle de la journée; Trudeau esquive la question ou lance une réponse piquante. Puis d'autres membres de l'Opposition tentent de griller le gouvernement et les ministres entreprennent l'étape lassante des réponses. Des députés qui voudraient dire des choses que l'Orateur estime ne pas devoir être dans l'ordre font perdre un temps fou à la Chambre en arguments de procédures et le niveau intellectuel de ces interventions est enfantin.

On échange certes des gros mots mais accompagnés de petits clins d'œil, de signes de la tête et de haussements d'épaules à l'intention des petits copains de l'autre côté de la Chambre. Ce sont en fait les membres d'un club qui font leur numéro, une sorte de théâtre de guérilla mise en scène plus particulièrement pour les membres de la Galerie de la presse qui, ils le savent, vont livrer la marchandise toute chaude au public comme si les mots étaient vraiment importants, les débats féroces et les problèmes réels. Souvent, donc, la période des questions fait plus de tort que de bien au processus démocratique. Elle transforme en trivialités des problèmes complexes en les réduisant à des échanges de commentaires partisans ou à des insultes personnelles entre le Premier ministre et le chef de l'Opposition.

Lorsque le correspondant en poste à Ottawa pour le Wall Street Journal décrivit la période de questions pour le bénéfice de ses lecteurs, les éditeurs du journal n'en crurent pas leurs yeux et publièrent son article en première page sous le titre: « Les politiciens canadiens poussent des cris, sifflent et chahutent pendant 40 minutes tous les jours. » Et Charles Lynch, qui est sans doute le chroniqueur politique le plus lu au Canada, nota indirectement comment un conflit quotidien organisé peut détourner l'attention de la réalité, dans un article de mars 1972 qu'il commença en disant: « Maintenant que le Premier ministre Trudeau et le chef de l'Opposition Stanfield participent tous deux à des manifestations dans une campagne électorale qui n'en est d'ailleurs pas une et qu'ils sont loin de la Chambre, les Communes ont pu commencer à entreprendre un travail sérieux. »

Trudeau a été respectueux de cette période de questions mais il la trouve souvent fort ennuyeuse. Il devient agité et irritable, répond sèchement aux questions et montre son mépris pour les membres de l'Opposition qui sont trop partisans ou personnels à son goût. Mais la vérité est que la période des questions est souvent ennuyeuse même d'un siège de la Galerie de la presse. Les journalistes aident à préserver le mythe que c'est vraiment une institution remplie de vitalité et très importante

146

parce qu'elle sert leurs fins en fournissant des conflits de personnalités autour de sujets courants d'une façon simple et ordonnée, tous les jours.

Peut-être n'y a-t-il qu'un homme qui trouve que la période des questions requiert toute son attention tous les jours et c'est l'Orateur. Il doit intervenir entre l'Opposition et le gouvernement dans le feu de l'action afin de maintenir l'ordre sans perdre son essentielle réputation d'impartialité. Trop d'erreurs de jugement peuvent facilement le détruire. Trudeau a eu la chance de pouvoir compter sur Lucien Lamoureux, un homme qui allie la connaissance du règlement à un jugement sûr et honnête. Mais lorsqu'il se retire de la Chambre à la fin de la période des questions, il est en sueur, doit prendre une douche et changer de vêtements.

Lamoureux fut élu sous la bannière libérale mais devint indépendant pour appuyer sa neutralité. Il indiqua qu'il souhaitait pouvoir être relevé de ses responsabilités face à ses électeurs de Cornwall afin de pouvoir se concentrer sur les nombreuses fonctions d'Orateur. Il n'y a pas de solution facile au problème de conférer une permanence à l'Orateur sans qu'il ait à assumer les responsabilités d'un député ordinaire. Mais l'une des plaintes sérieuses que l'on peut porter contre Trudeau et son attitude au Parlement est qu'il n'avait pas, au moment d'écrire ce livre, tenté de résoudre les difficultés de Lamoureux. Comme résultat, la Chambre était en danger de perdre un Orateur de première classe.

La période des questions est particulièrement frustrante pour les députés ministériels d'arrière-banc. L'Orateur reconnaît généralement le droit de parole aux critiques de l'Opposition mais lorsqu'un ministériel réussit finalement à poser une question, ses chefs de parti s'attendent à ce qu'elle ne soit pas accusatrice ou trop insistante.

147

Ce fut un choc pour plusieurs nouveaux brillants députés libéraux élus dans la vague Trudeau de 1968 de réaliser qu'on s'attendait à les voir lorsque leurs votes étaient nécessaires pour appuyer le gouvernement mais qu'on ne souhaitait pas en entendre trop parler en dehors de ces circonstances. Ils avaient accepté l'invitation des affiches électorales: « Venez travailler avec moi »; plusieurs d'entre eux avaient des visions idéalistes du Parlement; et ils voulaient participer. Mais ils découvrirent bientôt que toute l'action et toutes les prises de décision se déroulaient au niveau du cabinet et des bureaucrates. Même leurs rencontres hebdomadaires avec le Premier ministre et les ministres lors des caucus privés du parti étaient de peu de valeur parce qu'on ne les informait des législations que lorsqu'elles étaient prêtes à être présentées au Parlement et il était trop tard pour apporter des changements. Les réunions du caucus avaient tendance à servir de soupape aux libéraux frustrés qui voulaient s'entendre parler, ce qui pouvait être utile mais pas particulièrement satisfaisant pour les députés capables et ambitieux dont plusieurs avaient été des exécutifs ayant fort bien réussi dans leur vie privée. Même lorsqu'un député avait un point pertinent à soulever au caucus, Trudeau était capable de le couper par un commentaire foudroyant. Ainsi Phil Givens, un ancien maire de Toronto, arriva à Ottawa comme un député qui s'attendait à s'attaquer aux problèmes urbains mais il découvrit à son grand désarroi que Trudeau considérait les problèmes des municipalités comme étant de juridiction provinciale en premier lieu — ce qu'ils sont effectivement en vertu de la constitution. Lorsque Givens se plaignit au caucus, Trudeau lui déclara qu'il s'était fait élire au mauvais endroit et devrait avoir un siège dans une législature provinciale. Trudeau fit plus tard ses excuses pour lui avoir administré cette gifle en pleine figure mais Givens décida au bout d'un certain temps que Trudeau avait raison et se fit élire au Parlement ontarien.

Un an après la grande victoire libérale de 1968, le duvet fleuri enveloppant les députés d'arrière-banc était disparu et quelques-uns d'entre eux étaient dangereusement déçus. Les épouses aussi se plaignaient de la difficulté de trouver des maisons à un prix abordable, proportionnel aux salaires des députés, à Ottawa, et de l'obligation pour les députés de demeurer à la Chambre des Communes, soir après soir. Elles se plaignaient aussi de la difficulté d'apprendre le français afin de soutenir la croisade du gouvernement en faveur du bilinguisme.

Barney Danson, un prospère manufacturier de machinerie destinée à faire du plastique, installé dans le Toronto métropolitain et député de York Nord, écrivit à Trudeau pour lui suggérer d'organiser une rencontre spéciale à deux jours du caucus, en fin de semaine, afin d'examiner le rôle du député d'arrière-banc, et Trudeau approuva chaudement l'initiative. Avec le président régulier du caucus, Gérard Laniel, un courtier d'assurance, député de Valleyfield, Québec, Danson organisa des seminars privés sur le rôle des députés aux Communes, en caucus, en relation au cabinet et la à Fonction publique et en tant que représentant des électeurs. Bruce Howard, un agent d'immeubles de Penticton, Colombie britannique, livra un discours-choc dans lequel il tenta d'élaborer le nouveau rôle du député d'arrière-banc: « Pourquoi regretter le jour où le député était l'homme fort dans la communauté? Lorsqu'il était le pourvoyeur d'emplois, le chargé de patronage et en périodes de difficultés, celui qui arrangeait tout? Il reste encore un peu de cela mais chaque année la bureaucratie grandissante, les Corporations de la Couronne accaparent de plus en plus le rôle du député. C'est bien. C'est comme l'automation. Cette sorte d'automation permet au député de se libérer pour jouer un rôle plus important. Maintenant un député devrait avoir le temps d'accomplir son vrai travail en tant que leader dans son milieu. Le temps de motiver et d'activer. Le temps de prendre part à la révolution qui vient de commencer. Nous savons maintenant que la vraie réforme sociale ne se fera pas simplement en votant une loi. Nous savons, par exemple, que les gens qui ne sont pas motivés peuvent être sortis d'un taudis, installés dans un nouvel édifice et transformer cet édifice en un nouveau taudis. Nous savons que nous pouvons dépenser des sommes énormes pour combler les disparités régionales mais nous n'accomplirons rien si les gens ne sont pas motivés de façon à utiliser l'argent correctement ... Nous avons eu neuf mois pour apprendre à connaître les problèmes de nos régions et les moyens gouvernementaux pour les solutionner. Nous avons trois mois (ajournement d'été) devant nous. Ils ont besoin de nous dans un coin perdu du Nouveau-Brunswick et dans un village de l'Alberta. Trois mois, le long été chaud. Assez long pour une émeute. Assez long pour une révolution. Qu'est-ce que ça sera pour les députés qui se cherchent un rôle? Qui est pour la révolution? »

C'était de la rhétorique splendide et l'idée des agents d'immeubles, courtiers et manufacturiers de plastique de mener la révolution des pauvres et des sans-voix intriguait. Ça conduisit même peut-être certains libéraux à réfléchir durant la période d'ajournement et les officiels du parti qui voulaient que leurs poulains retournent

150

chez eux, s'engagent dans la communauté et se fassent élire étaient certainement satisfaits. Mais ça n'ajouta rien pour améliorer le rôle parlementaire du député d'arrière-banc. Toutefois, lorsque Trudeau avait demandé à Laniel d'être président du caucus, il lui avait donné carte blanche pour réformer l'organisation et Laniel prenait son rôle au sérieux.

Le caucus fut réorganisé en profondeur et on établit des comités parallèles à ceux du cabinet. On adopta une déclaration des principes de fonctionnement et la principale section de cette charte des députés d'arrière-banc disait: « Au moins un mois avant l'ouverture de la session, le caucus général devra tenir une rencontre afin d'étudier le prochain programme législatif, discuter du contenu avec le cabinet et présenter toutes recommandations appropriées au gouvernement . . . Avant qu'une décision finale ne soit prise sur un projet de loi, le ministre responsable devra discuter du projet en termes généraux avec les membres du comité du caucus concerné et une discussion détaillée aura lieu subséquemment à l'occasion de la première lecture (lorsqu'un projet de loi est présenté au Parlement et imprimé mais avant qu'il ne soit débattu). Aucun bill ne devra être soumis en deuxième lecture (débat général aux Communes) avant qu'une telle consultation n'ait eu lieu ou n'ait été annulée par un accord mutuel. Une procédure identique devra être suivie en ce qui a trait aux changements majeurs des politiques gouvernementales pour lesquels aucune loi n'est nécessaire. Trudeau appliqua ces droits des députés d'arrière-banc en exigeant que les ministres n'apportent des propositions au cabinet pour approbation finale, que lorsque ces propositions avaient été discutées avec le caucus. Le plan n'était pas à toute épreuve.

Certains ministres étaient réticents à l'idée d'avoir à con- sulter les députés d'arrière-banc et tentèrent de trouver des moyens pour l'éviter. On suggéra même que d'une certaine manière c'était anti-parlementaire de révéler les détails de législation au caucus avant de la présenter aux Communes. John Roberts, un jeune député éner- gique de York-Simcoe commenta avec scepticisme: « Nous avons maintenant des caucus régionaux, des caucus ad hoc, des caucus sur des sujets précis mais aussi un caucus national qui est tellement occupé à écouter les rapports des sous-caucus au début de l'assemblée et le résumé du PM à la fin, qu'il a très peu de temps entre les deux pour faire quoi que ce soit, sinon de nous livrer les exhortations du leader de la Chambre et du whip d'être présents aux votes aux Communes. »

Des députés expérimentés se plaignirent précisément que le nouveau caucus était tellement occupé avec ses orga- nisations et la législation que les députés avaient perdu l'occasion de faire entendre les plaintes qui leur parve- naient de leurs comtés de façon que le Premier ministre et le cabinet puissent comprendre le climat politique du pays. On modifia toutefois subséquemment les nou- veaux rôles du caucus de façon à permettre des discus- sions plus générales.

Mais Trudeau faisait au moins certains efforts afin d'im- pliquer ses députés d'arrière-banc dans les prises de décision et c'était un changement voulu dans le style de gouvernement parlementaire. Si le système de la parti- cipation ne fonctionna pas toujours, la faute reposa quelques fois sur les épaules des députés eux-mêmes. Un des députés les plus entreprenants de la récolte libé- rale de 1968 était David Anderson, autrefois un officier du service étranger canadien, un espion officiel, ou un officier d'intelligence, affecté à la surveillance de la Chine communiste, de Hong Kong, avant de gagner le comté d'Esquimau-Saanich, sur l'île de Vancouver. Utilisant de façon imaginative son influence en tant que député, Anderson entreprit une campagne solitaire contre la pollution par les détergents de lessive et dirigea une longue campagne de guérilla judiciaire contre le plan du gouvernement américain d'expédier du pétrole de l'Alaska le long de la côte de Colombie britannique, risquant une perte d'huile désastreuse pour les eaux et la côte de Colombie britannique. Les initiatives d'Anderson ne furent pas toujours prisées par ses collègues du Parlement qui préféraient des méthodes plus conventionnelles et il fut mis au pas en quelques occasions. Mais lorsqu'il quitta Ottawa en 1972 pour devenir le chef du parti libéral provincial en Colombie britannique, il déclara que les députés d'arrière-banc n'avaient qu'à s'en prendre à leur propre inertie pour leur manque relatif de pouvoir. Ce n'est pas avant 1970, par exemple, que le caucus demanda et reçut de Trudeau l'autorisation d'élire son propre président plutôt qu'il soit directement nommé par le chef.

C'est aussi en 1970 que Trudeau fit un autre pas pour aider les députés d'arrière-banc en nommant un comité indépendant des salaires et dépenses des parlementaires. Le comité était sous la direction de Norbert Beaupré, un exécutif coriace qui avait dirigé les 19,000 employés de l'empire Domtar et connaissait une chose ou deux dans le domaine des niveaux de salaires payés dans l'industrie privée! Les autres membres du comité étaient, l'avocat en droit ouvrier, Marc Lapointe, et l'ancien député conservateur distingué, Arthur Maloney. L'idée d'augmenter les sommes allouées aux députés provoque toujours des commentaires désagréables dans la presse et rend les contribuables mal à l'aise, ces derniers blâmant les politiciens de se voter eux-mêmes de grosses augmentations. Politiquement, un Premier ministre est sage de faire la sourde oreille aux plaidoyers de ses supporteurs et de ne rien faire. Mais la plupart des gens qui connaissaient les circonstances, en 1970, savaient qu'il fallait faire quelque chose pour le député d'arrière-banc moyen. Le salaire de $12,000 plus $6,000 en dépenses non imposables ne permettait pas de couvrir les coûts inévitables de plusieurs députés qui avaient puisé dans leurs épargnes puis contracté des dettes. J'ai conduit une enquête auprès d'environ 50 députés de tous les partis à cette époque et conclu que les dépenses d'un député moyen totalisaient $8,700 par année. Ceci signifiait que le député devait puiser dans son propre salaire et il ne lui restait plus que $10,000 par année pour vivre. Dans certains grands comtés éloignés, les dépenses étaient beaucoup plus élevées. Gustave Blouin, dont le comté de Manicouagan couvrait plus de 330,000 milles carrés, au Québec, devait louer un avion léger au tarif de $85 l'heure afin de visiter certains de ses électeurs et devait $21,000 aux banques. « J'ai complètement épuisé toutes mes épargnes personnelles », commenta Robert Thompson, l'ancien chef du Crédit social qui devint un député conservateur. Jack McIntosh, le maire de Swift Current, en Saskatchewan, avant de devenir un député conservateur me dit: « Si je n'avais pas eu une autre source de revenus, jamais je n'aurais pu demeurer député. »

Confronté avec de telles histoires, le comité Beaupré recommanda que le salaire des députés passe de $12,000 à $23,000 puis à $25,000 par année et qu'il y ait un compte de dépenses raisonnable plutôt qu'un montant fixe non imposable. Le plan était sensé, mais trop compliqué et trop généreux pour réussir à l'expliquer à un public soupçonneux. En avril 1971, Trudeau proposa, en alternative, de faire passer les salaires de $12,000 à $18,000 et d'augmenter les allocations de dépenses de $6,000 à $8,000, et la Chambre approuva ce projet par 149 voix contre 30. Ce n'était pas une bonne solution, parce que ça maintenait, d'une part, les allocations fixes de dépenses sans impôt et sans compte à rendre et parce que ça ridiculisait, d'autre part, l'appel lancé par le gouvernement aux syndicats de restreindre leurs demandes salariales afin de combattre l'inflation. Mais ça allégea certainement le fardeau de plusieurs députés et les encouragea à faire un meilleur travail.

Le plan de pension auquel contribuent les députés a également été modifié de façon plus généreuse — trop généreuse selon les critiques, même si l'on doit admettre le fait que la politique est une affaire hautement risquée et dans laquelle seuls quels députés ont pu réussir à durer plus que deux ou trois élections. Lorsqu'ils sont battus ou abandonnent, ils doivent essayer de recommencer une carrière interrompue et plusieurs trouvent l'opération difficile. Même avec une bonne pension de parlementaire il est douteux qu'ils puissent compenser les revenus et bénéfices perdus au cours de leurs années en politique.

Un autre moyen dont Trudeau se servit pour aider ses députés, fut d'élargir le cabinet et d'augmenter le nombre des secrétaires parlementaires, qui servent d'adjoints aux ministres et qui gagnent $4,000 de plus par année. Mais avec toutes ces nominations en plus des 20 présidents de comités espérant toujours une promotion et une augmentation, les officiers du caucus, le Whip, son assistant et d'autres fonctionnaires de la députation, plus de la moitié de la majorité libérale aux Communes avait des devoirs qui la liaient d'une manière ou d'une autre au gouvernement. Ceci a eu tendance à réduire l'indépendance des députés et soulève de sérieuses questions quant à la relation acceptable qui devrait exister entre le pouvoir exécutif et législatif. Les députés ont de plus en plus d'influence dans les caucus et les comités de la Chambre. Mais peut-on attendre d'eux qu'ils freinent le cabinet et même le battent dans un cas d'urgence, s'ils sont dépendants du Premier ministre, pour être plus grassement payés et bénéficier d'une promotion? Cette question illustre l'un des problèmes de la démocratie de participation lorsqu'elle se marie au système parlementaire et elle n'a pas encore eu de réponse.

Pendant que la plupart des efforts de réforme ont été concentrés sur la Chambre des Communes parce que c'est là que réside le vrai pouvoir, le Sénat a également subi un changement substantiel au cours des années Trudeau. A l'avènement de la Confédération, il devait servir de Chambre haute à laquelle des citoyens compétents et fiables de toutes les provinces auraient pu être nommés pour garder un œil sur les Communes indisciplinées. Mais il se détériora et se transforma en maison de repos pour des membres loyaux du parti nommés par des Premiers ministres reconnaissants pour services rendus. La succession des Premiers ministres libéraux, à partir des années trente, fit que le Sénat était farci de libéraux et lorsque Diefenbaker reprit le pouvoir, en 1957, il ne réussit qu'à commencer à rétablir l'équilibre en nommant des conservateurs au fur et à mesure qu'un siège devenait vacant. Pearson rétablit la pratique de nommer des libéraux mais choisit plusieurs hommes plus jeunes qui étaient prêts à faire revivre le vieil endroit. Ces hommes, dans la quarantaine et la cinquantaine, commençaient à impressionner la Chambre rouge lorsque Trudeau devint Premier ministre. Sa première nomination fut celle de Paul Martin, le vétéran ministre qu'il avait défait dans la course à la direction du parti.

Martin se remit du choc de la défaite et s'attela courageusement à la tâche afin d'écrire un nouveau chapitre dans sa carrière. Il encouragea les jeunes sénateurs à organiser des comités d'études dans des domaines où les Communes ne s'étaient pas aventurées, approuva des fonds pour le personnel et la recherche des comités pendant que les Communes hésitaient encore et intervint auprès de Trudeau pour qu'il fasse de bonnes nominations à la Chambre haute.

Si quelqu'un avait à désigner quatre domaines de préoccupation critique et d'intérêt dans notre société rapidement changeante, ceux-ci pourraient être le contrôle de la science et de la technologie, la persistance de la pauvreté au milieu de l'opulence, le rôle des médias de communications de masse et le problème d'atteindre un niveau élevé d'emploi sans inflation. Tous ces sujets ont fait l'objet d'études majeures du Sénat et de rapports, tandis qu'aucun n'a beaucoup retenu l'attention des Communes. On peut évidemment critiquer en disant que le gouvernement n'agit jamais en vertu des recommandations du Sénat. Mais la valeur réelle de telles études effectuées par les sénateurs, les Commissions royales ou les autres formes d'enquête n'est pas dans les solutions proposées mais dans la lumière qu'elles font sur les problèmes et l'intérêt public qu'elles développent. L'action vient plus tard.

Trudeau a nommé 25 personnes au Sénat. La grande majorité ont été de loyaux libéraux mais l'un était du Crédit social, un autre du CCF-NPD et plusieurs sans affiliation politique déterminée — ce qui constituait les premières nominations non partisanes depuis des années et s'ajoutaient aux quelques rares autres qui avaient été faites depuis le début de la Confédération. Il a envoyé quatre femmes au Sénat, un chef ouvrier et un membre de la Fraternité nationale des Indiens.

Le Sénat a encore une longue route devant lui pour gagner l'estime du public mais sa réputation s'est probablement améliorée plus que celle des Communes au cours des années Trudeau.

On doit nécessairement introduire ici une note de bas de page à ce compte rendu des relations de Trudeau avec le Parlement. Il a été accusé à plusieurs reprises de chercher à affaiblir le contrôle du Parlement sur son gouvernement en s'en prenant à l'auditeur général. C'est un mythe. Les faits sont disponibles dans les dossiers du Comité des comptes publics pour qui veut se donner la peine de les étudier. Mais il devrait être suffisant de noter qu'en avril 1970, avant la naissance du mythe, le président du Conseil du Trésor, C. M. Drury déclara aux Communes: « L'auditeur général a proposé qu'il soit libéré de toute limitation gouvernementale quant au nombre des employés qu'il engage et au salaire qu'il peut les payer . . . Le gouvernement n'a pas d'objections à ces propositions. » Drury invita le Comité des comptes publics des Communes à préparer un projet de loi en conséquence. Ce comité est le seul où le gouvernement n'est pas majoritaire et où le président est un membre de l'Opposition. Mais ce comité ne rédigea pas le genre de projet de loi qu'avait demandé l'auditeur général et que le gouvernement avait dit qu'il accepterait. Après quelques années de bisbille et de fabrication de mythe, le comité — encore à l'invitation de Drury — reprit le travail afin de rédiger un autre projet qui, il est à espérer, pourra résoudre la question.

La machine du Bloc Est

Les quartiers généraux de l'exécutif du gouvernement sont situés dans le Bloc Est sur la colline parlementaire, Bloc décoré de façon appropriée de tours de garde sans fenêtres, de tourelles vides et de gargouilles peu rassurantes. Construit à l'époque de la Confédération, il établit un précédent dans les projets de construction du Fédéral en coûtant scandaleusement plus cher que prévu et en étant désespérément inadéquat pour loger tous les principaux ministères de l'Etat qui sont éparpillés aux quatre coins de la capitale.

Le Bloc Est est celui où le Premier ministre a ses bureaux, rassemble son personnel de conseillers politiques autour de lui et dirige les affaires de la bureaucratie par les mandarins du bureau du Conseil privé. Aujourd'hui ces deux groupes de personnel d'élite occupent la moitié de tout l'édifice et ont d'ailleurs débordé des salles victoriennes aux plafonds hauts et élégants dans une variété de réduits dans le grenier.

Comme nous l'avons noté, il y avait une tendance marquée à la concentration du pouvoir entre les mains du Premier ministre bien avant que Trudeau n'arrive au pouvoir. Mais Trudeau a accepté le pouvoir beaucoup plus ouvertement que la plupart de ses prédécesseurs et a soigneusement organisé son utilisation. Les observateurs qui avaient l'habitude de se plaindre de l'indécision et de l'inefficacité dans le Bloc Est s'inquiètent maintenant d'une puissance et d'un dirigisme excessifs.

Les Premiers ministres s'étaient organisés, jusqu'à la Deuxième guerre mondiale pour conduire les choses à leur petite façon. Ils convoquaient des ministres à des réunions du cabinet sans ordre du jour de sorte qu'ils pouvaient contrôler quels sujets seraient discutés et on ne conservait pas de minutes officielles des décisions. « Après une réunion, peu savaient précisément ce qui avait été décidé; on ne pouvait se fier que toute l'information pertinente avait été disponible ou considérée; et la transmission précise des décisions, si transmission il y avait, constituait un heureux accident! », déclara le secrétaire du cabinet du PM, Gordon Robertson, au cours d'une conférence à l'Institut canadien d'administration publique, en 1971.

Ces jours hasardeux prirent fin en 1940 lorsque la guerre exigea une rapide expansion des activités du gouvernement et du Premier ministre, W.L. Mackenzie King qui ne pouvait plus conserver toutes les informations dans sa tête et tous les pouvoirs entre ses mains.

Le cabinet s'organisa en comités et on créa un petit secrétariat dans le bureau du Conseil privé afin de servir le Comité central de la guerre. En 1945, il y avait 10 officiers au secrétariat et la paix apporta de nouvelles responsabilités sociales et économiques et le besoin de plus de conseils d'experts et de coordination des politiques. Les comités du cabinet se multiplièrent et le secrétariat continua de grandir.

Lorsque Lester Pearson devint Premier ministre, en 1963, il entreprit une réorganisation majeure du système du cabinet. On forma neuf comités du cabinet appuyés par des services spécialisés mais même ce système très serré ne parvint pas à contrôler le gouvernement — particulièrement la croissance des dépenses. Le cabinet continua de prendre des décisions sans avoir une idée trop précise du coût final, d'où viendrait l'argent et quels seraient les programmes prioritaires. En 1968, Pearson réalisa que de sérieuses difficultés financières se profilaient à l'horizon et il créa, en janvier, un nouveau et puissant comité du cabinet sur les priorités et la planification afin de contrôler les engagements financiers, Trudeau avait été secrétaire parlementaire de Pearson avant d'entrer au cabinet, en 1967. L'atmosphère d'une situation financière tendue lui était familière et, en fait, il y eut une crise grave qui ballotta le dollar canadien pendant la course à la direction du parti libéral. Il n'était donc pas surprenant que lorsqu'il devint Premier ministre, en avril 1968, un de ses premiers gestes majeurs fut de réorganiser le cabinet afin de resserrer le contrôle sur la planification et les opérations du gouvernement.

Il balaya l'ensemble des vieux comités et établit les nouveaux en leux conférant une autorité supplémentaire pour s'occuper des cinq principaux domaines au niveau des politiques et des problèmes: les affaires extérieures et la défense; la politique économique; la politique sociale; la science, la culture et l'information; et les opérations gouvernementales. Les comités devaient tenir des séances régulièrement et les ministres étaient excusés de certains de leurs devoirs aux Communes afin d'y assister. Toutes les questions devaient passer par les comités avant d'aller au grand cabinet. Afin d'accélérer le cours des affaires, on statua que chaque comité approprié prendrait une décision sur chaque problème et, à moins que le ministre n'enregistre une objection, la décision serait automatiquement confirmée par le cabinet sans discussion. Effectivement, le cabinet devait fonctionner en cinq sections et ce cabinet réuni au grand complet formait une sorte de Cour d'appel. En accord avec ces cinq comités des politiques, la nouvelle organisation de Trudeau comprenait également quatre comités de coordination.

Le Comité de législation et de planification à la Chambre travailla à intégrer les décisions d'orientations dans un programme cohérent à présenter au Parlement. Le Comité des relations fédérales-provinciales tenta de s'assurer que toutes les politiques et législations étaient consistantes avec les vues du gouvernement quant à ses limites constitutionnelles et son approche générale des provinces. Il développa aussi des politiques fédérales qui devaient être soumises aux conférences constitutionnelles et garda un œil ouvert sur tous les comités fédéraux-provinciaux.

Le plus important, cependant, est que l'on prolongea le mandat du Comité des priorités et de la planification, de la coordination et du contrôle des engagements financiers à la couverture d'objectifs très larges et d'implications à long terme de toutes les politiques gouvernementales. Trudeau devint le président de ce comité en compagnie d'une demi-douzaine de ses collègues, les ministres seniors, ainsi que des meilleurs conseillers politiques. Afin de servir ce comité on créa une nouvelle division de la planification dans le secrétariat du cabinet sous la direction de Michael Pitfield, un jeune Mandarin faisant son chemin, ami de Trudeau et parfois son compagnon de voyage. Pitfield avait un personnel de 47 employés. Le Comité des priorités et de la planification ne devait pas être un cabinet à l'intérieur du cabinet, détenant le pouvoir de la décision finale. Ses décisions, comme celles des autres comités, étaient sujettes au débat et à la confirmation par le cabinet au complet. Mais la qualité de ses membres lui donna, de toute évidence, une autorité inusitée et l'on sut bientôt à travers toute la bureaucratie qu'elle était connue comme l'agence centrale de planification du gouvernement, qui plaçait cette planification au niveau des principales priorités.

Le quatrième comité de coordination était le Conseil du Trésor traditionnel qui avait été formé lors de la Confédération afin de conseiller le ministre des Finances mais qui devint graduellement un pouvoir en soi. En plus de gérer le service public et d'observer le fonctionnement des ministères, il autorisait les dépenses gouvernementales. Parce qu'il contrôlait le programme complet des dépenses gouvernementales chaque année dans le Livre bleu des prévisions budgétaires, il établissait effectivement les priorités du gouvernement. Mais sous le plan Trudeau son autorité financière générale était limitée à la mise en application des normes établies par le Comité des priorités.

Le Conseil augmenta toutefois son influence dans d'autres directions. La Commission Glassco sur l'organisation du gouvernement avait demandé que le gouvernement développe les techniques de gestion scientifique dans le service fédéral et la principale de ces techniques est le PPBS, un système de planification et de budget par programmes. Ce système est conçu de façon à ce que les ministères établissent clairement les objectifs de leur programme, qu'ils soupèsent les alternatives et surveillent les performances de façon à s'assurer que les objectifs ont été atteints. Le Conseil du Trésor se trouve au centre du système en tant que comité du cabinet. En plus des comités réguliers du cabinet décrits ci-dessus, il existe des comités spéciaux qui se réunissent sur demande. Le Comité de la sécurité et de l'intelligence se réunit, par exemple, pour s'occuper de la crise du FLQ, en octobre 1970.

La nouvelle machine du cabinet établie par Trudeau, en 1968, était certes brillante et impressionnante. Mais le vrai test est de savoir comment elle a fonctionné et il s'agit là, pour la plus grande partie, d'un jugement politique subjectif. Les mesures objectives sont intéressantes mais ne révèlent pas beaucoup de choses.

Le nombre des documents de base à présenter au cabinet est passé de 700 par année sous Pearson à 800 sous Trudeau. Le nombre de séances complètes du cabinet est tombé de 139 par année, en 1966-67, à 70 ou 80 par année. Le nombre de séances des comités du cabinet est passé de 120, en 1966-67, à plus de 300 par année.

Le secrétariat du cabinet comptait 70 personnes, en plus du personnel de soutien, en 1971. Il était divisé en deux sections de Planification et d'Opérations afin de faire un heureux mélange de la prudence et de l'expérience des hauts fonctionnaires empruntés, par rotation, des différents ministères, avec les brillantes idées et l'enthousiasme de jeunes technocrates parfois recrutés directement dans les universités avec leur bagage complet, barbe, jeans et guitare. Les comtiés du cabinet sont mixtes comprenant ministres et fonctionnaires et permettent des échanges en profondeur qui ne sont pas possibles aux séances régulières du cabinet. Certains observateurs ont émis l'hypothèse que cette situation est de nature à augmenter l'influence des fonctionnaires et des conseillers parce qu'ils sont des experts, et les politiciens des amateurs; mais le secrétaire du cabinet, Robertson, ne partage pas ce point de vue:

« Les ministres ont l'occasion d'apprendre plus de ce

que font leurs collègues et d'être plus informés de tous les aspects des activités gouvernementales que ne le permettaient les systèmes antérieurs. Les politiques et les programmes sont rattachés plus consciemment et de façon plus constante à la totalité des problèmes plutôt qu'à des aspects partiels ou sectionnels. Les ministres ont plus d'influence sur la formulation des politiques de façon générale et sur leur développement et les fonctionnaires en ont moins qu'ils n'en avaient ... Ce jugement ne rencontre pas tout à fait les vues de la sagesse conventionnelle mais après 30 ans au service du gouvernement, dont plus de 15 au centre, je suis confiant qu'il est exact. En fin de compte il y a une tentative plus planifiée de soupeser à l'avance la nature probable des événements d'envergure nationale et sociale avant qu'ils ne surgissent comme problèmes immédiats nécessitant une action urgente. De telles choses tombent rarement à l'intérieur des limites établies pour l'efficacité administrative et lorsque des plans étaient confinés à d'aussi timides limites, des questions fort importantes étaient négligées. »

Robertson est peut-être un témoin préjugé. Il fut le principal architecte du nouveau système et est le plus important fonctionnaire à Ottawa, un homme agréable mais réservé, aux cheveux gris, au visage basané du skieur et au sourire timide. Il fait le point tous les matins avec Trudeau et l'informe des affaires de la journée et, en tant que chef du bureau du Conseil privé, il exerce une influence considérable sur le travail du cabinet en gérant le flot de documents et en préparant l'agenda.

Un ministre sage recherche sa compréhension et son

appui pour toute proposition majeure qu'il veut faire passer au cabinet, et tout bureaucrate ambitieux est conscient de l'influence de Robertson et de son commentaire: « Tout fonctionnaire au-dessus des classes de commis ou de sténographes qui n'a pas contribué jusqu'à un certain point à la politique qu'il administre devrait perdre son emploi . . . » Maintenant il dit dans ce qui pourrait constituer le credo du Mandarin: « L'agenda du cabinet, semaine après semaine, reflète les problèmes, les intérêts et les aspirations du peuple canadien. Comprendre, informer, conseiller et prendre part à la discussion dans de telles séances est une récompense en soi. De sentir, pour un fonctionnaire, qu'il a contribué, aussi modestement que ce soit, à des décisions constructives pour former un meilleur pays dans un monde meilleur n'apporte pas de gloire mais un grand sens de participation à des événements qui comptent. Dans une communication présentée à l'Institut d'administration publique en 1967, Robertson suggéra plusieurs des changements à la procédure parlementaire et à l'organisation du cabinet que Trudeau mit de l'avant lorsqu'il prit le pouvoir l'année suivante. On peut donc difficilement s'attendre à ce que Robertson critique les résultats. Mais, en fait, peu de gens informés contestent le jugement que le temps des ministres est mieux utilisé, que les décisions de politiques sont plus soigneusement considérées et que le programme complet du gouvernement est mieux coordonné et mieux contrôlé. Le puissant comité d'experts industriels et de fonctionnaires créé par John Robarts pour servir de conseiller dans la réorganisation du gouvernement ontarien étudia le modèle d'Ottawa et le cita avec admiration en recommandant, en 1970, qu'un système identique de comités du cabinet de personnel de soutien soit adopté. Trudeau lui-même se vante d'avoir restauré la stabilité du gouvernement et d'avoir mis fin à l'administration improvisée par l'urgence des situations et nécessitée par des crises qui n'avaient pas été prévues.

Il est difficile de réfuter cette opinion et les critiques se tournent, la plupart du temps, vers un autre aspect, à savoir que Trudeau a construit une machine qui est trop lente, trop centralisée et qui produit de froides réponses techniques plutôt que des solutions dont la chaleur humaine n'est pas absente.

Nous trouvons là une partie de l'explication de la démission de Paul Hellyer, en 1969. Hellyer a tendance à se concentrer sur un problème avec énormément d'énergie, une conviction intense mais une vue étroite.

Lorsqu'il entra dans le cabinet Trudeau, en 1968, comme sous-Premier ministre, il s'orienta vers les problèmes d'habitation et d'affaires urbaines et conduisit un groupe de travail à travers le Canada afin d'identifier les problèmes et trouver des solutions. Vers le début de 1969, il était prêt à présenter un programme au cabinet et selon son expérience dans les gouvernements antérieurs, un ministre puissant qui savait ce qu'il voulait pouvait habituellement avoir ses coudées franches au cabinet en ne rencontrant pas de difficulté. Mais lorsque le groupe de travail invita Robertson à dîner pour lui expliquer ce qui serait proposé et demanda de l'aide pour faire passer le projet à travers la machine, Hellyer réalisa que l'affaire n'était pas dans le sac. Robertson était également président du comité permanent de fonctionnaires provinciaux et fédéraux sur la constitution et les affaires urbaines étaient, avant tout, de juridiction provinciale. Ottawa était anxieux de ne pas indisposer les provinces et Robertson informa rapidement Trudeau du conflit possible. Ainsi les propositions de Hellyer ne furent pas seulement transmises au Comité de la politique sociale mais également au Comité des relations fédérales-provinciales puis au Comité de la planification et des priorités. Au lieu que ses propositions passent en douce au cabinet et qu'il soit déjà lancé dans l'action, Hellyer se retrouva, réunion après réunion, en train d'expliquer son plan, de justifier sa recommandation et de montrer qu'une autre idée ne serait pas meilleure. Lorsque Hellyer fut rendu au bout de sa patience, il donna simplement sa démission.

Un autre ministre mécontent, Eric Kierans, se plaignit, après avoir démissionné, que malgré toutes les séances et toutes les réunions, rien ne semblait vouloir changer. Les nouvelles idées qui défiaient la sagesse conventionnelle des fonctionnaires n'étaient pas bienvenues des ministres; mais lorsque des ministres s'opposaient à une politique proposée par des fonctionnaires, les Mandarins du bureau du Conseil privé remettraient la politique à l'agenda jusqu'à ce qu'elle soit finalement acceptée. Selon certaines sources, c'est de cette manière que la création d'Information-Canada a été approuvée: Trudeau et les Mandarins désiraient l'organisme et ils appuyèrent donc leur proposition plus longtemps que Hellyer, Kierans et les autres ne soutinrent leurs objections à l'effet que le projet n'avait pas été bien pensé — ce qui du reste se révéla vrai.

Kierans se plaignit aussi que Trudeau ignorait les avis qu'il ne voulait pas entendre au cabinet, mais c'est là une opinion minoritaire. Même les ministres qui ne sont pas de fervents admirateurs du Premier ministre sont généralement d'accord pour dire qu'il est un président du cabinet de première classe qui encourage l'expression

168

complète de l'opinion et recherche consciencieusement un consensus.

La plainte la plus courante des ministres est qu'ils passent trop de temps dans les comités du cabinet et pas assez dans leurs ministères ou à la Chambre des Communes.

Robertson admet qu'ils ont peut-être raison: « Il est bien possible que les améliorations apportées au système du cabinet l'aient été à un trop grand prix en ce qui a trait au temps dont les ministres disposent pour remplir leur rôle politique complet. Le véritable équilibre ne sera jamais final . . . ou certain », disait-il, en 1971. La critique la plus perspicace de toutes, cependant, est que le résultat final de la mise en place de cette machine de participation élaborée sera peut-être de rendre le Premier ministre plus puissant qu'il ne l'aura jamais été. Il est le seul qui possède une vue d'ensemble de la situation grâce aux bureaux du Conseil privé, et suit les développements. Pendant que tous les autres ministres sont pris dans les comités interminables, inondés de papiers du Conseil privé et qu'on leur remet un dossier de rapports de trois pouces d'épaisseur avant chaque réunion du cabinet, Trudeau, de son côté, est informé quotidiennement par Robertson qui lui résume les principales implications des politiques et les opinions qui sont en contradiction. Il se rend au cabinet beaucoup mieux informé que ses ministres et jouit donc presque du même avantage que les anciens Premiers ministres d'avant-guerre, qui conduisaient tout selon leur bon-vouloir, sans agendas et sans dossiers officiels.

Le bureau du Conseil privé fonctionne avec la discrétion habituelle de la fonction publique et le cabinet ainsi que ses comités se rencontrent en privé, ce qui explique que cette section de l'administration n'attire pas l'attention

169

du public. La lutte pour le pouvoir éclate, cependant, occasionnellement en public. La politique toutefois est avant tout une affaire publique et la plupart des plaintes au sujet de « **l'establishment** » de Trudeau dans le Bloc Est sont dirigées vers son propre personnel, celui du bureau du Premier ministre.

Le chef du bureau est Marc Lalonde, le premier secrétaire du Premier ministre. Chauve, visage osseux, homme pressé au sourire circonspect et à la bonne humeur agressive, il est un vieil ami et allié politique de Trudeau. Avant que l'un ou l'autre ne se fasse un nom à Ottawa, ils livraient les mêmes batailles au Québec et partageaient la même conception du fédéralisme. Lalonde vint à Ottawa pour la première fois en tant qu'assistant de Davie Fulton qui était alors ministre de la Justice pour les Conservateurs. On lui confia, plus tard, des études pour le gouvernement et il fut recruté par Pearson comme secrétaire des politiques, en 1966. Il avait pensé retourner à Montréal et ouvrir une étude de Droit lorsque la possibilité que Trudeau devienne Premier ministre se présenta. Lalonde fournit son appui enthousiaste dans les coulisses et lorsque les délégués crièrent leur acceptation de Trudeau à la convention de direction, en 1968, Lalonde quitta discrètement sa place près de Pearson et s'installa derrière le nouveau chef.

Lorsque Trudeau déménagea dans le bureau du Premier ministre, dans le Bloc Est, Lalonde savait par expérience ce qu'il devait faire du personnel. Chaque Premier ministre depuis la Confédération avait ses conseillers personnels et déjà à l'époque de King, le personnel avait augmenté de 30. Le niveau demeura le même jusqu'à ce que Pearson l'augmente à 40, avec des salaires et budgets de voyages de $330,000 par année. Même

170

là, le personnel de Pearson ne suffisait pas à la tâche et le bureau était parfois dans un état de chaos à peine contrôlé. Le temps de Pearson n'était pas toujours bien utilisé et il fut quelques fois placé dans des situations politiques très embarrassantes à cause de la faiblesse de planification et c'est d'ailleurs ainsi qu'il fut dans l'obligation de s'esquiver dans de petites rues, lors d'une visite officielle à Québec afin de ne pas se retrouver au beau milieu d'une manifestation séparatiste. Lalonde était déterminé à ce que de telles choses n'arrivent pas à Trudeau.

Il était également conscient du nouveau style de politique qui prenait naissance. Il était évident qu'à l'âge de la télévision et du jet, les gens s'attendraient à un contact plus direct avec leur chef national. Le style personnel intrigant de Trudeau accéléra soudainement la tendance et il était clair qu'il serait énormément en demande auprès du public.

Trudeau lui-même était anxieux d'établir des voies de communication entre lui, le public et le parti libéral. Contrairement à la plupart des Premiers ministres, son apprentissage politique avait été très court et il n'avait que quelques amis politiques à l'extérieur de Québec et d'Ottawa sur lesquels il pouvait vraiment compter et auxquels il pouvait se fier pour des conseils judicieux. S'il voulait des sources d'information et des indications à l'extérieur de la bureaucratie et du cabinet il aurait à mettre sur pied un réseau d'intelligence.

Toutes ces fonctions étaient propres à un personnel politique et le bureau du PM fit plus que doubler ses effectifs, lesquels passèrent à 85 personnes avec un budget de $900,000, en 1970. Ce fut le tollé au Parlement et la critique dans la presse, appuyée principalement sur la crainte que Trudeau ne passât par-dessus la tête des députés et n'établît une quelconque forme de démocratie directe avec l'aide d'une équipe de manipulateurs de sang-froid, d'experts en sondages, d'organisateurs politiques et d'attachés de presse — probablement canadiens-français de surcroît.

En fait, Trudeau conserva la plupart des employés de Pearson et plusieurs membres du personnel additionnel avaient auparavant travaillé pour des ministres libéraux et n'étaient pas des figures nouvelles au Parlement. Son chef de bureau de presse, par exemple, était Roméo Leblanc, sardonique et se traînant les pieds mais habituellement utile, un Acadien que Pearson avait recruté alors qu'il était le correspondant du réseau français de Radio-Canada à Washington.

Leblanc travaillait parfois comme un paratonnerre pour Trudeau selon la théorie que si les gens de la presse étaient en colère contre lui ils ne tenteraient pas de faire disparaître leurs frustrations en s'en prenant au Premier ministre. Mais le travail de porte-parole du Premier ministre est un emploi qui use son homme et personne ne peut le garder très longtemps. Lorsque Leblanc le quitta, en 1971, pour se joindre à l'université de Moncton, dans sa province natale, il fut remplacé, non pas par un créateur d'image professionnel mais par un diplomate, Peter Roberts, qui avait été intéressé à occuper un poste discret au secrétariat du cabinet mais qui se réveilla tout à coup sur le siège brûlant. Un de ses adjoints est Al Donnelly, un ancien chroniqueur financier de l'agence de nouvelles « Presse Canadienne » qui travailla plus tard au ministère des Finances. Un autre est Vic Chapman, une ancienne vedette de football venu au bureau de Trudeau après avoir travaillé pour John Turner. Il est responsable de la logistique, soit les avions, les hôtels, les locaux de travail et le bar, lorsque les journalistes voyagent avec le Premier ministre. Il tenta également de montrer à Trudeau comment frapper un ballon de football pour le botté inaugural de la coupe Grey mais il faut croire que cet exercice de fabrication d'image fut moins qu'un brillant succès.

Mary Macdonald, qui était secrétaire exécutive de Pearson et s'occupait des problèmes dans son comté est devenue la gérante du travail de bureau de Trudeau et son adjointe chargée de résoudre les problèmes de ses électeurs.

Gordon Gibson, qui était son adjoint exécutif puis conseiller spécial chargé de régler les problèmes spéciaux, est le fils d'une riche famille libérale de Colombie britannique et il vint en premier lieu à Ottawa dans le but de travailler pour le ministre de Colombie britannique, Arthur Laing, au cours des années Pearson. Gibson a fait carrière sur la colline parlementaire en se promenant toujours à bord d'une motocyclette jusqu'à ce qu'il soit victime d'un accident qui l'a rendu boiteux. Il a démissionné du personnel de Trudeau, en 1972, afin de devenir un candidat au Parlement de Vancouver, contredisant ainsi la théorie que le vrai pouvoir était passé des Communes au bureau du Premier ministre.

Tim Porteous, un homme tranquille qui écrivait des chansons satiriques pour des revues musicales, travailla également sur la colline avant de devenir le rédacteur de discours de Trudeau, une tâche frustrante parce que, lorsque Trudeau lit un discours, la question est toujours de savoir qui, du Premier ministre ou de l'auditoire, va abandonner le texte à son sort le premier. Porteous devint adjoint exécutif.

Ivan Head est un professeur de Droit venu à Ottawa d'Alberta pour aider Trudeau, lorsqu'il était ministre de

la Justice, préparer sa proposition d'une charte constitutionnelle des libertés. Il devint par la suite son assistant
à la législation, informant le Premier ministre de ses devoirs à la Chambre des Communes. Il fut aussi chargé de
missions spéciales auprès des gouvernements étrangers
lorsque des contacts personnels en dehors des canaux
diplomatiques étaient souhaitables. Son emploi suivant
fut celui de rédacteur de discours et il publia une sélec-
tion des pensées de Trudeau sous le titre, « **Conversations avec les Canadiens** » (Presses de l'université de
Toronto). Lorsqu'il cita en préface un commentaire
australien à l'effet que les discours de Trudeau étaient
« tellement bien exprimés que l'on croirait entendre de
la poésie » il fut assez généralement et fortement répri-
mandé pour son manque de modestie, même si, dans une
conversation privée, il est plutôt retiré que vaniteux.

Le rédacteur des discours français de Trudeau est Jean
Lemoyne, un ami de longue date, ancien journaliste et
auteur d'un livre d'essais intitulé **Convergences** qui lui
a valu un prix du gouverneur général. Le livre con-
tient un éloquent plaidoyer en faveur de l'égalité des
droits de la femme et de l'homme, qui fut rédigé bien
avant que la cause ne devienne à la mode, et dont il fut
fait mention dans le rapport de la Commission royale
d'enquête sur le statut de la femme. Lemoyne est à la
base de plusieurs des meilleurs extraits de Trudeau relativement au rôle de la technologie dans les affaires
humaines.

Jim Davey, le secrétaire du programme est un nouveau
genre de conseiller politique à Ottawa dans un nouveau
genre de travail et sa présence fut à l'origine de certains
soupçons que l'on entretenait à l'endroit du personnel
de Trudeau. Un homme mince aux cheveux blonds, vi-

174

sage pointu et inquiet, Davey fut formé comme physicien avant de devenir un expert en programmes et en systèmes. Il travailla au projet de l'intercepteur Arrow, à l'aéroport Malton, près de Toronto, avant que Diefenbaker ne décide de l'abandonner. Lorsque l'équipe de concepteurs et de dessinateurs se dispersa, Davey partit pour Montréal afin de devenir gérant de projet pour la compagnie Chamcell Ltée spécialisée dans l'analyse des systèmes. Il avait certaines idées relativement à l'utilisation de techniques de gestion en politique et les essaya dans le comté de John Turner, ce qui ne fut pas sans inquiéter Turner lui-même et le personnel de sa campagne électorale, habitué à des méthodes plus conventionnelles. Mais Davey était au nombre du petit groupe de libéraux du Québec qui ont organisé la campagne de Trudeau à la direction du parti puis la campagne aux élections générales. Entré au bureau du Premier ministre, sa fonction était de « s'assurer que le gouvernement et le parti aient et conservent un programme rationnel et cohérent ». Ce large mandat s'étendit dans les premiers jours pour inclure une visite au **Hudson Institute** près de New York, où Herman Kahn et d'autres penseurs tentaient de prévoir l'organisation du monde en l'an 2,000, un voyage au collège Rochdale pour observer le style de vie de la contre-culture (Davey était sympathique au projet et tenta d'obtenir plus de fonds fédéraux) et des expériences utilisant les techniques de l'industrie pour organiser l'emploi du temps du Premier ministre.

Davey tente de conserver une vue générale du programme du gouvernement pour s'assurer qu'il correspond à la société en évolution, et intervient lorsque des problèmes sérieux semblent vouloir se développer. Il est maintenant une figure beaucoup moins mystérieuse qu'il ne l'était, et vit au cœur de la ville de la fonction publique, Ottawa, où ses voisins sont entre autres le ministre des Affaires extérieures, Mitchell Sharp et l'auditeur général, Maxwell Henderson. Il se rend à son bureau du Bloc Est à pied tous les matins afin de se maintenir en santé et suit les instructions de Trudeau à son personnel de demeurer effacé.

Une autre des innovations de Trudeau qui occasionna des erreurs fut l'organisation de prétendus bureaux régionaux. Une des critiques normales des Premiers ministres avait été à l'effet qu'ils n'avaient pas le pouls de l'opinion en dehors d'Ottawa et de leur propre région du pays. Trudeau était particulièrement vulnérable en tant que Québécois qui n'avait jamais œuvré ailleurs au Canada, sauf à Ottawa, et qui n'avait que peu de liens personnels avec les autres régions. Les officiers responsables des bureaux régionaux dans l'Ouest, l'Ontario, le Québec et les Maritimes, devaient combler cette lacune en établissant un réseau de contacts privés qui garderaient le bureau du Premier ministre en alerte quant à ce que les gens « là-bas » pensaient et aux problèmes régionaux qui semblaient vouloir se profiler à l'horizon. Une partie de cette opération de service d'intelligence politique devait comprendre la création d'un comité national de 150 personnes devant observer et faire rapport des réactions aux politiques gouvernementales. Les députés, dont plusieurs libéraux, étaient aux abois devant ce défi à leurs propres responsabilités et n'étaient pas du tout rassurés lorsque le chef des bureaux régionaux, le Québécois Pierre Levasseur, un homme coupant et très expérimenté, fit remarquer que certains députés étaient tellement suffocants que 90 p. cent de leur travail pouvait être effectué par des machines de bureau. Réagissant aux inquiétudes et aux critiques de la presse, Trudeau modifia le concept des bureaux régionaux — l'idée d'un comité national fut abandonnée — et lorsque Levasseur quitta son poste, il fut remplacé par Dave Thompson, un grand Albertain, souriant, homme de tact qui s'était spécialisé dans les Affaires de l'Ouest et avait travaillé au ministère de l'Agriculture. Les chefs de bureaux régionaux prouvèrent qu'ils pouvaient être discrètement utiles. Ils se tenaient en contact avec des adjoints dans les bureaux de certains Premiers ministres provinciaux, constituant un lien informel entre les chefs de gouvernements; ils visitaient aussi les campus d'universités afin de connaître les opinions des universitaires et des étudiants, dînaient avec des hommes d'affaires et rencontraient des organisateurs ouvriers. Ils représentaient souvent le Premier ministre dans des discussions politiques privées entre chefs libéraux des régions. Ils constituaient également un nouveau canal de communications entre le Premier ministre toujours très occupé et les députés entreprenants, et il ne fallut pas longtemps pour que les députés libéraux de l'Ontario qui avaient empêché la nomination d'un chef de bureau régional, en Ontario, changent de point de vue et demandent à Trudeau de nommer Colin Kenny, l'ancien directeur du parti libéral de l'Ontario.

Une des tâches importantes des officiers de bureaux régionaux est de planifier les voyages de Trudeau dans leur région. Au lieu de se rendre par avion pour prononcer un discours et de revenir le même jour à Ottawa, Trudeau aime à utiliser le temps consacré au voyage de la meilleure façon possible en remplissant plusieurs engagements. Le préposé du bureau saura qui veut rencontrer Trudeau et qui le mérite, quels sont les problèmes dont il devrait d'abord entendre parler et comment il peut bénéficier des meilleurs résultats de sa présence en public. Il connaît également les limites d'endurance du Premier ministre et des règles d'opérations telles que, par exemple, celle qui veut que le Premier ministre mange seul au souper de façon à rassembler ses ressources et ses énergies pour ses engagements en soirée.

C'est Thompson qui réalisa le projet de Grandes Plaines, un comité de 32 hommes d'affaires, scientifiques et experts de l'Arctique, formé pour livrer à Trudeau des idées sur le développement de l'Ouest et du Nord, telles que la construction d'une autoroute praticable à l'année vers l'Arctique, un nouveau port dans la Baie d'Hudson et un avion géant destiné à transporter l'huile du Nord vers les marchés du Sud. Thompson, ainsi donc, remplit ses fonctions de directeur du bureau régional en mettant Trudeau en contact avec de l'information et des idées provenant d'ailleurs que de la bureaucratie.

Même si le patronage n'est plus un facteur pour obtenir un emploi dans la fonction publique, pour la plupart des postes, le Premier ministre et son cabinet font encore 400 nominations par année à des conseils d'administration, des commissions, des corporations de la Couronne, des tribunaux et d'autres corps publics. Certaines peuvent être très importantes comme celle du président de CBC et d'Air Canada. Le Premier ministre fait aussi des nominations au Sénat et recommande un gouverneur général à la reine. Ce secteur de l'administration fut longtemps négligé au cours des années et les nominations étaient souvent faites en vitesse sans étude suffisante du dossier des candidats disponibles. Encore là, peut-être parce que Trudeau avait si peu d'expérience personnelle sur laquelle se fier et peu d'amis politiques, il nomma

178

un directeur spécialisé dans les engagements. Francis Fox, un avocat qui avait auparavant travaillé pour Ron Basford lorsqu'il était ministre des Affaires des consommateurs et des corporations, fut choisi pour occuper ce poste et s'adjoignit plus tard un assistant. Ils sont à la recherche de candidats possibles dans le service public, vérifient les noms soumis par les ministres, rencontrent des groupes qui peuvent avoir intérêt à une nomination et font rapport à Trudeau.

La Section de la correspondance est de loin la plus considérable du bureau du Premier ministre, employant 44 personnes et dirigée par Henry Lawless, un jeune homme précis et stylé qui était anciennement directeur de la Fédération canadienne des maires et des municipalités. Lorsque Pearson était Premier ministre il recevait environ 185 lettres par jour et ce chiffre a grimpé à 550 par jour lorsque Trudeau prit le pouvoir mais retomba à une moyenne de 275 dans les premiers mois de 1972.

Alors que la plupart des Premiers ministres se sont montrés satisfaits d'envoyer un accusé de réception pour répondre à des lettres de routine, Trudeau a insisté pour que de vraies réponses soient données et ceci requiert une organisation très sophistiquée. Le courrier en provenance de ministres, de députés, de Premiers ministres provinciaux et d'autres personnages importants, est acheminé directement de la Section de la correspondance au bureau du Premier ministre. Les autres lettres qui sont d'un intérêt particulier — qu'elles soient sages, spirituelles ou attachantes — sont remises à Trudeau accompagnées d'un brouillon de réponse qu'il peut accepter et signer ou rejeter en faveur de sa propre réponse. Le courrier de routine qui ne réfère pas à Trudeau est confié au personnel. Un module de recherche produit des réponses standards à des questions standards et aux plaintes, et des réponses sont codifiées sur des cartes spéciales. En choisissant une combinaison de cartes appropriées aux différents points soulevés dans la lettre, un fonctionnaire peut composer une lettre-réponse individuelle. Les cartes activent un dactylographe électrique qui produit la lettre en laissant l'espace pour le nom, l'adresse et les informations additionnelles qui doivent être ajoutées. Même s'il y a eu des plaintes relativement à la longue période de temps qui peut s'écouler avant d'obtenir une réponse — parfois six semaines — les lettres sont habituellement persuasives lorsqu'elles arrivent et fournissent à Trudeau un canal important de communications avec le public.

Le courrier, évidemment, peut constituer un baromètre sensible de l'opinion publique et Lawless ainsi que son personnel fournissent une analyse soignée, genre ordinateur, de la correspondance reçue chaque mois, à Trudeau. Cette analyse est composée de sept grandes feuilles de statistiques et d'un sommaire qui les traduit en termes plus humains. Le sommaire de février 1971, par exemple, commençait ainsi: « L'humeur de nos correspondants semble avoir été affectée par les conditions climatiques d'un hiver qui ne semble jamais vouloir finir . . . ceux qui ne sont pas enterrés sous la neige sont ennuyeux, gris et uniformes (ark!) ».

Mais les statistiques n'en étaient pas moins intéressantes. Il y avait eu 10,909 lettres, télégrammes et coupons (des campagnes où l'on demande aux gens d'écrire au Premier ministre) ce mois-là. Ils traitaient d'une grande variété de sujets à partir des inondations de Skagit Valley en Colombie britannique (11 lettres de critiques) de l'inquiétude pour les Juifs d'Union Soviétique (94 inscrites sous le vocable « anxieux ») du chômage (7 critiques; 11 anxieux; 1 favorable) des propositions pour augmenter le salaire des députés (58 critiques; 1 anxieux; 1 favorable) et d'une vingtaines d'autres sujets. On les analysa et les compara avec le ton des lettres du mois précédent pour voir la tendance des préoccupations du public.

Mais le grand sujet en février 1971 était l'avortement. Des 1,961 communications reçues sur ce sujet, 1,914 critiquaient la proposition que la loi soit adoucie et seulement 13 étaient favorables à l'avortement sur demande. Quelques-unes étaient anxieuses, demandaient des informations ou proposaient des idées. Le rapport remis à Trudeau soulignait qu'un nombre considérable de lettres opposées à une plus grande accessibilité de l'avortement provenaient de régions fortement peuplées de Canadiens français en Ontario, au Manitoba, en Alberta, au Nouveau-Brunswick, comme d'ailleurs au Québec.

Le nouveau bureau du Premier ministre, renforcé, aide clairement Trudeau à faire un meilleur travail en tant que chef du gouvernement. Il est évidemment clair aussi qu'il l'aide à accroître son influence à l'extérieur du Parlement.

Deux mois après son élection, Trudeau créa un groupe de travail afin de lui recommander des moyens dont Ottawa pourrait se servir pour mieux communiquer avec le public. Ses objectifs étaient d'assurer que le gouvernement fédéral soit très présent à l'esprit des Canadiens, particulièrement au Québec, et de fournir les principales données concernant les programmes gouvernementaux sans quoi la participation serait impossible. Le groupe de travail fit la preuve de l'incroyable incompétence et du gaspillage dans les sections d'information existantes au sein de plusieurs ministères fédéraux et proposa la création d'une agence appelée Information Canada. On craignit d'abord que cette agence ne devienne un ministère de la propagande, gérant la nouvelle gouvernementale, manipulant les médias et lavant le cerveau des gens. Mais lorsque Trudeau créa l'agence, la vraie difficulté fut fort différente. On ne donna à cette agence aucune autorité de plus que celle de la persuasion comparativement aux sections d'information en place et le premier directeur, Jean-Louis Gagnon, était soupçonné soit d'être un communiste, un serviteur libéral ou encore un mauvais administrateur. Le directeur adjoint était Bob Phillips, un ancien Mandarin du Conseil privé et un Canadien enthousiaste et nationaliste qui avait certaines idées pour développer l'agence comme une sorte de continuité de la Commission du centenaire de 1967 qui avait réussi brièvement à rendre les Canadiens fiers et heureux dans leur pays. Confrontée à l'hostilité des officiers de l'information fédérale établie, à la suspicion des politiciens et de la presse, avec peu d'autorité et une direction confuse, Information Canada n'alla nulle part en particulier.

Les partis et le peuple

Les organisations de parti politique qui avaient été acceptées comme constituant le principal ressort du processus démocratique furent mises rudement à l'épreuve au cours des années soixante, aux Etats-Unis comme au Canada. On les critiqua largement comme étant non-démocratiques, machines probablement corrompues grâce auxquelles le riche et le puissant manipulait le pauvre et le faible à l'époque des élections.

182

Une armée de jeunes gens conduits par des révolutionnaires romantiques et des zélés de la Nouvelle Gauche
marchèrent sur Chicago en 1968 afin de protester en
faisant valoir que la convention du parti démocrate réu-
nie pour choisir un candidat à la présidence était « ar-
rangée » et pourrie. Leurs démonstrations se transformèrent en affrontements avec la police et forcèrent plusieurs adultes américains à reconnaître que tout ne mar-
chait pas sur des roulettes dans leur démocratie.

Au Canada, beaucoup de cet idéalisme et de cette énergie coulèrent dans l'organisation Trudeau. Des milliers
de ceux qui portèrent ses couleurs orange et blanc et
qui l'aidèrent à remporter la course à la direction du
parti libéral n'avaient jamais auparavant été impliqués
en politique. C'était pratiquement une croisade d'enfants pour un nouveau style politique — celui de la participation de masse — et les attentes naïves étaient tellement fortes qu'une certaine déception était inévitable.
Le problème était de savoir comment empêcher cette déception de se transformer en désillusion amère, et la
réponse était importante, non seulement pour la survie
de Trudeau et des libéraux mais pour le bien-être de
tout le processus politique. Parce que même si le système de parti avait ses lacunes et que le Parlement ne
pouvait se prêter adéquatement à la participation directe, les alternatives n'étaient pas attrayantes. La politique de protestation et de confrontation conduisait à la
violence. Le leadership direct d'une figure charismati-
que par la communion télévisée avec les masses ne serait qu'une autre forme de dictature. A un certain moment, Trudeau pourra peut-être réformer le Parlement
pour le rendre plus ouvert aux pressions publiques et à
la paticipation, et améliorer les communications entre

l'Exécutif et le public mais le principal véhicule de participation populaire continuera d'être le parti politique.

Le Parti conservateur avait traversé une période extraordinaire de soulèvement et de renouvellement sous la présidence de Dalton Camp. Un mélange d'administrateur, de faiseur d'image, d'organisateur de cuisine, de philosophe et d'idéaliste, Camp avait convaincu les électeurs conservateurs, les membres du parti, de démettre John Diefenbaker de son poste de chef et d'élire Robert Stanfield à sa place au cours d'une excitante convention publique, à Toronto, en 1967. Il avait fait passer le pouvoir des membres du parti au-dessus de celui du chef du parti, ce qui signifiait que le parti pouvait être le véhicule des volontés populaires. Mais ce n'était qu'un début pour faire du parti politique un instrument viable, comme en signalait d'ailleurs l'urgence l'une des organisatrices conservatrices les plus expérimentées, dans une analyse en profondeur de la politique moderne. Flora MacDonald, une bouillante rousse, avait travaillé au quartier général du Parti conservateur, avait mérité par élection le poste de secrétaire nationale et devint une figure clé dans la campagne de Stanfield à la direction.

Elle travaillait également dans le Département des sciences politiques de l'université Queen's, à Kingston, où elle était en contact quotidien avec l'opinion des étudiants et un membre actif du Conseil social de planification. « Plusieurs sentent déjà qu'il y a tellement peu de radicalisme authentique à l'intérieur du système de parti que quiconque voulant influencer le changement doit regarder ailleurs », lança-t-elle à la conférence sur la politique du Parti conservateur, en 1969. « A moins que les partis ne s'adaptent pour répondre aux changements dans la société — à moins que les associations de partis ne deviennent plus engagées dans la vie de la communauté — à moins que l'on ne reconnaisse que le temps est venu pour que le rôle des associations de comté évoluent vers un rôle nouveau, différemment unique — alors le jour n'est pas loin où la communauté remettra en question le privilège de petits groupes identifiés par l'étiquette du parti de faire avaler leur choix de candidats à l'électorat. » Sa crainte était que « par leur manque d'action dans la communauté, les partis politiques vont devenir de plus en plus inutiles » — remplacés par « des groupes de pression, des mouvements de protestation, des activistes étudiants et des conseils sociaux de planification agiront comme agents des transformations sociales ».

Le Nouveau Parti Démocratique n'avait été formé qu'en 1961, une nouvelle version social-démocrate de la Fédération Coopérative du Commonwealth, la vieille formation socialiste, et visait à élire des députés et à prendre le pouvoir. Mais déjà les activistes et les radicaux — observant la Nouvelle Gauche aux Etats-Unis — réclamaient une action politique extra-parlementaire. Réticents à faire les compromis de politiques qu'exigeait le succès électoral, ils voulaient que le parti crée une conscience socialiste populaire en radicalisant les syndicats et en travaillant via des organisations communautaires telles que les groupements de locataires et de consommateurs, afin de produire une confrontation avec « l'Establishment » des employeurs, des propriétaires et des grandes corporations. Cette approche militante de la politique donna naissance, en 1969, au groupe Waffle, à l'intérieur du NPD.

Le développement du Parti libéral avait été décrit succinctement par George Grant, le brillant mais sombre philosophe du nationalisme canadien qui écrivit « **Lament for a Nation** » (Complainte pour une nation) : « Le libéralisme constituait à son origine la critique du vieil ordre établi. Aujourd'hui c'est la voix de cet ordre établi. » Le succès a gâté les libéraux; trop longtemps au pouvoir, le parti était devenu le véhicule de ceux qui détenaient les commandes du pouvoir plutôt que de ceux qui voulaient s'en emparer pour changer le monde. Le choc de la défaite aux élections de 1957 et le massacre de 1958, secoua cette suffisance et Pearson entreprit de reconstruire et de démocratiser le parti.

Mais lorsque Trudeau le remplaça, en 1968, c'était encore le parti de la haute classe moyenne. Environ 80 p. cent des délégués adultes qui le choisirent comme chef à la convention gagnaient plus de $10,000 par année; 53 p. cent étaient des professionnels, propriétaires ou exécutifs et seulement 2 p. cent étaient classés comme travailleurs spécialisés. Selon les mots amers de John Varley, un chef de la Fédération libérale étudiante: « Le parti a fonctionné durant la plus grande partie de son existence comme un appareil faible, plus ou moins opérationnel, rabougri dans sa croissance, moche dans son style et dominé par le cabinet et le chef. »

La caractéristique de classe moyenne du Parti libéral ne signifiait pas qu'elle s'opposerait nécessairement à une réforme ou à des changements radicaux de la société. La plupart des révolutions sont dirigées par la classe moyenne. Mais ça semblait encore un peu absurde lorsque Trudeau se rendit à un banquet de cérémonie de ses prospères supporteurs à Montréal, en 1969, et leur dit: « Notre parti doit devenir celui du peuple, parce que l'on dit maintenant — et plusieurs jeunes gens le disent — que le gouvernement n'est pas à Québec, ni à Ottawa, mais dans les rues; on décide maintenant du choix entre l'ordre ou le désordre dans les rues; si ça continue l'orientation que l'on doit donner à notre société sera décidée dans la rue. Cela signifie donc que nous devons descendre dans les rues ... Nous devons être présents en tant que libéraux, parmi les pauvres. Nous devons être présents dans les zones grises de nos grandes villes. Nous devons être partout où les gens souffrent, où sévit le chômage et la pauvreté. »

La principale responsabilité de transformer le Parti libéral d'un instrument destiné à protéger les privilèges des riches en un véhicule de réforme et de participation incomba à Richard Stanbury, un homme probablement peu révolutionnaire. Avocat de Toronto, il avait été chef du comité national des politiques. Son frère, Robert, devint membre du cabinet de Trudeau et par l'une de ces coïncidences naturelles qu'un parti au pouvoir peut se permettre d'organiser, Richard fut nommé au Sénat, en février 1968 et commença à retirer un salaire public juste avant de devenir président du parti en avril 1968. Mais Stanbury, tout comme le président des Conservateurs, Dalton Camp, était un mélange de réaliste et d'idéaliste et son analyse de la place des partis en politique moderne fut encore plus dure que celle de Flora MacDonald: « Le parti politique a été vu par le public comme une machine sinistre », écrivit-il dans un document de travail pour discussion chez les libéraux, en 1969. « Les gouvernements dans le passé ont eu tendance à s'en servir comme d'un instrument utile en temps d'élection mais l'ont considéré comme un obstacle entre les élections. L'élite l'a considéré comme au-dessous du mépris. ». La solution de Stanbury était que pour survivre le Parti libéral devrait être ouvert et démocratique; représentatif de l'ensemble de la communauté; habile dans les techniques de participation; un canal dans les deux sens de communication entre le gouvernement et le peuple et formé de libéraux dont les motifs étaient le service public et non le patronage.

Mais l'homme nommé par Trudeau au poste d'organisateur national de ce nouveau parti libéral était un homme du milieu de « **l'Establishment** ». Torrance Wylie avait travaillé pour Pearson dans le bureau du Premier ministre et était devenu assistant exécutif du président des Brasseries Molson, à Montréal, puis servit d'officier de liaison, durant les élections de 1968, entre Trudeau et le comité de sa campagne dans Mont-Royal. Wylie avait de toute évidence plus de contacts au bureau du PM que chez les simples membres du parti mais il avait étudié le système des partis alors qu'il était à l'université de Carleton et entretenait certaines idées sur la façon de construire un parti de masse.

Le principal programme adopté par les nouveaux chefs pour élargir la base du parti libéral fut un exercice de formulation de politique en trois phases, l'expérience la plus élaborée de démocratie de participation jamais tentée au Canada.

La première phase était une gigantesque séance d'étude, en novembre 1969, sur les problèmes sociaux qui pourraient de toute évidence dominer les années soixante-dix. Des universitaires distingués, des experts dans toutes les disciplines, dont des représentants d'une centaine des principales organisations nationales, furent invités à informer les chefs libéraux des partis provinciaux et des comtés. Il y eut des seminars, des petites discussions en groupes, un livre de 62 documents de travail que l'on plaça à la tête de lit de chacun des délégués libéraux, et un discours philosophique de Trudeau avisant le parti de servir de radar au gouvernement en le guidant vers des objectifs pour les 10 prochaines années. Toute l'affaire était typiquement libérale en ce sens que c'était fort bien organisé dans un hôtel de luxe à Harrison Hot Springs, un centre de villégiature de Colombie britannique où les délégués fortunés qui avaient payé $100 par jour, comprenant les frais d'avion, pouvaient se détendre dans des piscines chaudes entre les débats. On fit venir un étudiant radical de l'université Simon Fraser afin de jeter le venin de la Nouvelle Gauche sur la tête des libéraux coupables et on paya le voyage de Montréal à des représentants d'un mouvement de développement communautaire pour les défavorisés qui expliquèrent que leur première règle était d'éviter les politiciens de parti.

La session d'étude n'apporta pas de nouvelles idées brillantes et fut considérée avec mépris par la vieille école d'organisateurs libéraux qui se décrivaient comme les gens de la vraie « patente » peu intéressés aux petites histoires de politique domestique. Malgré tout les délégués libéraux retournèrent chez eux, informés, stimulés et remplis de faits et d'opinions jusqu'aux oreilles.

Ces délégués devaient maintenant organiser des discussions de politiques dans leur propre comté et cela devait constituer la deuxième phase de l'opération. L'idée était d'attirer le public et non simplement les libéraux dans ce processus. Le petit manuel du comment-tenir-la-réunion indiquait que l'on devrait tenter d'inviter des représentants des syndicats locaux, des associations de parents-maîtres, des hommes d'affaires et des groupes de locataires afin de discuter des politiques publiques et de faire valoir des idées. Les quartiers généraux du parti imprimèrent 300,000 exemplaires d'une brochure décrivant les problèmes de base et demandant au lecteur de faire connaître son point de vue. Les résolutions de ces débats locaux sur les politiques devaient ensuite être transmises à la phase trois, soit une gigantesque conférence nationale des politiques, en 1970. Malheureusement, la deuxième phase fut un échec. Stanbury avoua tristement plus tard que seulement 25 associations libérales de comté avaient réussi à faire participer le public, tandis que 50 avaient fait des efforts louables et près de 200 s'étaient satisfaites de discuter des décisions politiques à l'intérieur même de leurs rangs étroits. De sorte que lorsque les 2,400 délégués et observateurs arrivèrent à Ottawa, en novembre 1970 pour la troisième phase, c'était essentiellement le même parti libéral, plus gros, mieux organisé mais sans échappatoire possible à cette classe moyenne tandis que les pauvres et les gens sans pouvoir n'étaient pas représentés.

On se servit de nouvelles techniques de participation et de symboles de démocratie. Le leadership de Trudeau fut confirmé au vote secret et il entreprit de répondre de ses actes en formulant une réponse à chaque question (non répétée à l'avance) qu'on lui posait de la salle, une situation dont tout politicien le moindrement habile peut tirer profit. Au lieu de voter à main levée, « oui » ou « non » sur des problèmes complexes, les délégués inscrivaient leur opinion sur un bulletin de vote fait de telle façon qu'ils puissent exprimer le degré de leur accord ou désaccord pour chacune des vingtaines de propositions du programme. Les procédures de participation étaient tellement élaborées, en fait, qu'elles avaient tendance à désamorcer le débat et à embrouiller les différences. Mais lorsqu'on se trouva effectivement face à un consensus, il s'avéra que le parti était loin en avant

190

du gouvernement quant à son enthousiasme pour le changement économique et social. Les délégués, par exemple, désiraient clairement un programme de revenu garanti, des lois plus souples pour la marijuana, la disparition de l'avortement dans le Code pénal et un progrès ferme et constant vers un plus grand contrôle canadien de notre économie.

Trudeau n'a jamais mis ces politiques en application, ce qui revient en fait à se demander ce qu'est, au fond, la participation. « Participer ne veut pas dire que vous allez prendre la décision », expliqua-t-il lors d'une interview en 1971. « Dans notre forme de gouvernement, le système parlementaire, des gens sont élus pour représenter les comtés et il y a un exécutif formé pour prendre les décisions et si vous ne voulez pas changer le système parlementaire ce sera toujours comme cela. » Pour Trudeau, la participation de délégués libéraux signifie qu'ils seront entendus avant que le cabinet et le Parlement décident d'une politique. Ça ne va pas plus loin que le droit d'exprimer un argument ou une opinion et de demander une explication si ce n'est pas accepté par le gouvernement. Après la conférence libérale, Trudeau rencontra des officiels du parti et fut d'accord pour adopter un système selon lequel les ministres qui présentent des propositions au cabinet doivent démontrer si elles sont en accord avec la politique du parti et sinon pourquoi. Tout en donnant une certaine représentation des membres face aux prises de décision du cabinet, ce système n'a évidemment eu aucune influence dans les principaux domaines.

Tous les délégués qui furent présents à la conférence de 1970 constituaient un conseil national du programme et on décida de les consulter occasionnellement. Interrogés en 1971 sur les meilleurs moyens de combattre l'inflation, ils répondirent qu'il fallait des contrôles et le cabinet rejeta leur opinion une fois de plus.

Trudeau et Stanbury mirent également en place ce que l'on appelait les Troïkas, destinées à faire le lien dans chaque province entre le gouvernement et le parti. Ces groupes sont habituellement composés du ministre qui a la responsabilité de la province, du président du parti au provincial et d'un député. Trudeau y est souvent représenté par le bureau régional. Ces groupes sont en théorie un canal à travers lequel les chefs du parti peuvent soulever des problèmes au niveau du cabinet et du caucus parlementaire et le cabinet ainsi que les députés peuvent faire valoir leur point de vue au parti. Mais ils constituent aussi le pipeline à travers lequel Ottawa dispense ses faveurs, du moins ce qui reste de patronage sous son contrôle, et à travers lequel les « patroneux » font leur approche du gouvernement.

Mais le cabinet politique constitue aussi une nouvelle structure. Ce sont des dirigeants du parti libéral et des membres du personnel de Trudeau qui établissent l'agenda au lieu des fonctionnaires et ces agendas permettent au parti d'exprimer ses vues à Trudeau et ses ministres une fois tous les deux mois.

Un groupe de députés, de dirigeants libéraux et d'autres personnes affectées à l'étude de la politique de la participation indiquèrent en 1970: « La conception élitiste d'un gouvernement démocratique envisage la prise des décisions dans un climat de quiétude et d'efficacité. Le fait est, cependant, que ce style de gouvernement, quelles que soient ses vertus, est devenu un anachronisme dans l'esprit des hommes — une révolution touchant les valeurs humaines fondamentales et éprise de dignité, d'un statut, de personnalité, de signification et de pouvoirs individuels. C'est très simple: les gens veulent avoir leur mot à dire. » Le rapport concluait: « Nous n'acceptons pas que la participation traditionnelle limitée soit encore possible dans le monde des années soixante-dix. Nous sommes à l'époque des communications développées, de l'accroissement de la confiance individuelle, de la dissidence, de l'aliénation et de la confrontation. Les institutions sont attaquées et la volonté de changement est irrésistible. Les gens veulent avoir plus à dire et doivent être entendus. Lorsqu'ils ne sont pas entendus, ils encerclent et dépassent les véhicules traditionnels ou les font crouler. Notre tâche en tant que libéraux n'est pas simplement d'encourager la participation — ce serait irresponsable et futile. Nous devons accomplir notre tâche jusqu'au bout, jusqu'à sa conclusion logique — nous devons nous imprégner de même que nos concitoyens de l'esprit de participation et, ce qu'il y a de plus important, créer les instruments nécessaires de façon que la participation soit vraie, pertinente et devienne la base d'un changement social pacifique. C'est un but noble auquel Trudeau et le parti libéral se sont attachés et vers lequel ils ont progressé, par tâtonnements parfois et souvent de façon décevante mais progressé quand même.

Personnalité publique, et simple citoyen

Trudeau reçoit plus de 3,000 invitations par année pour être présent à diverses cérémonies dans toutes les parties du Canada et a la possibilité de beaucoup voyager et de parler à plus de gens qu'aucun de ses prédécesseurs. C'est le premier des Premiers ministres à se sentir à l'aise à l'âge de l'avion à réaction et il utilise abondamment la flotte gouvernementale d'avions rapides et d'hélicoptères.

En additionnant ses engagements entre juillet 1970 et août 1971, son bureau a découvert qu'il avait passé 37 jours dans l'Ouest du pays, 13 jours dans les Maritimes, 11 en Ontario, à l'extérieur d'Ottawa et 10 au Québec. Il a également séjourné 36 jours à l'extérieur du Canada en visites officielles.

Il effectue la plupart de ses voyages lorsque le Parlement n'est pas en session et son horaire au cours de l'été 1971 donne une idée de ses activités: 8-9 juin, Toronto et Hamilton; 13-16 juin, Victoria; 22-23 juin, Toronto, Bronte, Brampton, Sheridan Park, Aurora, Toronto; 30 juin-2 juillet, Victoria, Kelowna, Cranbrook, Kimberley, Vancouver; 9-12 juillet, Medecine Hat, Lethbridge, Standoff, les lacs de Watertown (parc national), Blaimore, Calgary; 16 juillet, Smith's Falls, Ontario; juillet-8 août, Yarmouth, Lunenberg, Cheticamp, Sainte-Anne, Louisbourg, Saint-Pierre, Grand Bank, Marystown, Swift Current, Saint-Jean, Saint-Antoine, Corner Brook, Port-aux-Basques, Charlottetown et le parc national Dalvay, touchant toutes les provinces Maritimes. Les 10-11 septembre, il est à Toronto, Pickering, Oshawa, Peterborough, Port Hope, Belleville, Picton, Cornwall, Ontario; le 17 septembre, Saint-Lin et Sainte-Adèle, Québec.

En plus des cités et villes, Trudeau a visité les régions éloignées de Terre-Neuve, s'est promené en canot à l'intérieur de la Colombie britannique, a fait une tournée de l'Arctique et a dirigé son cabinet dans un safari dans les Prairies. Il est facile de s'amuser de ses voyages en les confondant avec des vacances où le Premier ministre embrasse des jeunes filles au passage au cours de ces expéditions politiques destinées à faire voir le prestigieux Premier ministre à ses admirateurs. Mais ces voyages peuvent également constituer de sérieuses tentatives d'établir la communication entre le peuple et le gouvernement.

Trudeau ne fait pas de bons discours et est au mieux dans les discussions. Son personnel s'arrange donc pour organiser des périodes de questions-réponses où la chose est possible. Ils lui font faire des émissions de ligne ouverte à la radio et des programmes de télévision. Il affronte la presse locale, participe à des sessions avec des étudiants d'université et d'école secondaire, se rend dans les hôtels de ville où il écoute la lecture de mémoires présentés par des organisations locales puis répond. Ces événements sont plus souvent des teach-in que des réunions politiques conventionnelles et lorsque les questions sont ardues et hostiles le climat devient dramatique et se transforme presque en théâtre politique.

Ces voyages et ces rencontres ont permis à des milliers de Canadiens de participer à des discussions avec leur Premier ministre et ceci constitue un développement particulier dans la démocratie de participation. Mais la spontanéité n'est pas toujours à l'avantage de Trudeau et il est aussi capable de clarifier une question que de l'embrouiller. Il répond parfois en posant une autre question, une technique qui peut stimuler la pensée mais qui peut également enrager celui qui veut une réponse précise même si cette réponse est un simple « non ». Il se pique d'être honnête ce qui pour lui devient parfois l'équivalent d'insensible lorsque des gens qui savent pertinemment qu'il n'y a pas de réponse à leur problème s'adressent à lui pour obtenir un peu d'encouragement et d'espoir. Malgré sa maîtrise de la langue anglaise il utilise parfois une phrase dans un mauvais contexte, ce qui ne manque pas de semer la confusion.

A Ottawa, Trudeau reçoit plusieurs groupes officiels qui viennent présenter des mémoires et des demandes et reçoit aussi en privé une variété surprenante d'invités. Il a donné des petites réceptions au 24 avenue Sussex, à sa maison d'été du lac Harrington, dans la vallée de la Gatineau, de l'autre côté de la rivière Outaouais, pour des chefs étudiants, des éditeurs de journaux, des hommes d'affaires, des correspondants étrangers en voyage, des politiciens provinciaux qui sont à Ottawa pour des conversations informelles, et a reçu tous les députés libéraux et plusieurs autres.

Lorsque le beatle John Lennon et Yoko étaient à Ottawa, en 1969, c'était typique de Trudeau d'avoir réussi à se libérer pendant 50 minutes pour les rencontrer. Il ne s'agissait pas d'un coup publicitaire comme plusieurs semblaient le croire. Une partie l'était mais Trudeau voyait des parallèles entre sa propre position de politicien pop suivi par la jeune génération et celle d'un musicien pop. Lennon, à cette époque, était en train de se libérer de la contre-culture des drogues et de la révolution et tentait d'amener ses partisans à rechercher sérieusement la paix mondiale. Trudeau, de son côté, tentait de maintenir sa popularité tout en modifiant son image de Premier ministre dans le vent en chef de gouvernement responsable.

Les deux idoles discutèrent du changement de la culture des jeunes et de leur attitude et avancèrent à la blague qu'ils ne pourraient connaître leur position à la parade des succès avant que Lennon ne fasse son prochain disque et que Trudeau annonce les prochaines élections.

Les journalistes politiques demeuraient nécessairement les principaux canaux de communication entre Trudeau

196

et le public. Mais son habitude de s'engager dans des dialogues informels au cours de rencontres publiques et de faire des commentaires explosifs ou exploratoires contribuaient à semer la confusion chez les journalistes qui tentaient de s'en tenir aux faits et qui n'étaient pas tout à fait certains de comprendre si le Premier ministre se livrait à des spéculations ou annonçait une politique officielle. Cela causait des difficultés des deux côtés et je demandai en une occasion, à Trudeau, s'il était au courant des problèmes qu'il se causait lui-même et aux journalistes en faisant des remarques inconsidérées et extravagantes que nous avions à rapporter comme étant sérieuses. Il répondit qu'il le savait et qu'il avait trouvé la solution: arrêter de lire les journaux. Ce qu'il ne fit d'ailleurs pas puisque son personnel lui prépare un résumé quotidien de la presse et particulièrement des commentaires défavorables.

Les relations entre un homme politique puissant et la presse ne sont pas souvent faciles, toutefois, et sont modelées selon une tendance qu'a bien décrite l'écrivain américain Leo Rosten: « Les journalistes accueillent un chef nouvellement élu avec l'espoir qu'enfin voilà l'homme, le vrai. On chante les talents du grand homme, on les rechante même dans la lutte pour la survivance journalistique. Puis se produisent les "incidents", un compromis politique peu admirable, un contrecoup politique, des attaques de l'Opposition et les journalistes commencent à revenir sur terre. On les a eus . . . on a abusé de leur bonne foi. Comment ont-ils pu marcher dans cette affaire? D'autres journalistes, des "columnists" et éditeurs commencent à crier que les groupes de chroniqueurs politiques se sont laissé emporter par des mots. Les correspondants sont blessés, irrités, indignés et se sentent coupables. Et ce sont les mêmes hommes qui ont bâti le mythe qui le détruisent. »

C'est ainsi que ça s'est passé avec Pearson et Diefenbaker et ça doit sans doute arriver avec Trudeau. Les médias n'ont pas vendu Trudeau aux électeurs en 1968 mais il est certainement vrai de dire que la plupart des reporters politiques — moi y compris — admiraient son style, se plaisaient dans l'excitation de sa campagne et contribuèrent à son image. Trudeau répondit par des commentaires flatteurs sur la puissance de la presse même s'il ne fut jamais aussi à l'affût que les autres Premiers ministres. Lorsque Diefenbaker voyageait à l'extérieur d'Ottawa en compagnie d'un groupe de journalistes, il avait l'habitude de se promener dans l'avion ou dans le train, de raconter ses anecdotes incomparables et de répondre aux questions. Pearson invitait souvent les membres de la presse à sa suite d'hôtel pour une conversation et un verre en fin de soirée. Trudeau préférait se tenir un peu en retrait, attachant une certaine importance à son intimité et à ses moments de repos. Après la campagne électorale, Trudeau continua pendant quelques mois, comme Pearson le faisait, à inviter des membres de la Galerie de la Presse au 24 avenue Sussex pour prendre un verre en soirée ou dîner tout en discutant officieusement des problèmes courants. Mais en janvier 1969 les choses se gâtèrent alors qu'il était accompagné d'un groupe de journalistes à Londres, à la conférence des Premiers ministres du Commonwealth. Trudeau s'exhiba dans un restaurant chic avec une amie qui était intéressée à raconter aux journalistes sa relation avec lui. Il reconnut qu'il était le seul à blâmer dans cette histoire mais ça n'améliora pas les choses. Et lorsqu'on lui dit que des journalistes harassaient une autre femme de ses amis à Londres, il explosa de colère et dénonça l'attitude « dégueulasse » des journalistes. Si, comme son personnel le lui avait dit, un journaliste avait tenté d'obtenir de l'information d'une femme en se faisant passer pour un membre du personnel du Premier ministre, c'était « dégueulasse ». Mais Trudeau eut tort de s'en prendre à tout le groupe de journalistes, dont plusieurs n'avaient rien écrit de ses aventures sociales et revinrent à Ottawa, en colère. Les relations ne furent jamais aussi cordiales entre la presse et Trudeau après ces incidents.

Puis arrivèrent les incidents inévitables, les compromis, les reculs qui permirent aux journalistes de remettre en question leur jugement de 1968. Ils commencèrent à se demander si, en fait, ils n'avaient pas été joués, comme le faisaient valoir leurs critiques. L'imposition de la Loi des mesures de guerre transforma des admirateurs en critiques amers. L'augmentation du chômage offensa la conscience sociale de plusieurs autres. Lorsque les journalistes commencèrent à égratigner le mythe qu'ils avaient aidé à créer, Trudeau ne s'aida pas en boudant et souvent même en méprisant les journalistes. Il n'y avait maintenant que de rares invitations au 24 Sussex et très peu de conférences de presse officielles. Il accordait plus d'entrevues à des correspondants étrangers en visite au Canada qu'aux Canadiens, habituellement à la demande du ministère des Affaires extérieures.

Alors que la période de nouvelles élections approchait, le climat des deux côtés commença à changer de nouveau. Un ou deux des critiques de presse les plus féroces de Trudeau demandèrent un congé sans solde de leurs journaux afin d'entrer en politique partisane pour faire la lutte au Premier ministre. D'autres reporters bien connus et des columnists reçurent des offres de partis d'opposition afin de devenir candidats mais décidèrent qu'ils n'étaient pas faits pour la politique partisane et qu'ils n'étaient pas si catégoriquement opposés à Trudeau. Et pendant que les journalistes n'étaient plus portés vers Trudeau aucun autre « grand homme incarné » ne fit son apparition pour leur redonner espoir.

Trudeau reprit la pratique de rencontrer des groupes de journalistes de la Galerie de la Presse afin de discuter en prenant un verre mais cette fois à son bureau et non chez lui. Il entreprit, d'autre part, de donner des entrevues à un tel rythme qu'elles étaient en train de devenir une drogue sur le marché journalistique.

Au cours des quatre années, évidemment, Trudeau rencontra les journalistes environ deux fois par semaine, lorsque le Parlement était en session, après la période des questions à l'extérieur de la Chambre des Communes. Il répondait habituellement poliment aux bonnes questions mais montrait occasionnellement son irritation face aux questions qu'il trouvait injustes ou hostiles en livrant des répliques cinglantes aux journalistes ou en tournant simplement le dos et courant vers les escaliers conduisant au sanctuaire de ses bureaux.

Il n'y a pas de statistiques disponibles mais il est sans doute exact de dire que Trudeau a été aussi accessible à la presse que ses prédécesseurs et il s'est prêté à un nombre beaucoup plus important de panels télévisés que les autres Premiers ministres.

Il a cependant réussi dans une très large mesure à conserver sa vie privée. Les journalistes faisaient valoir, au début, que le droit à la vie privée est très limité pour les Premiers ministres, parce qu'il y a un intérêt public légitime dans leurs moindres gestes: où ils sont à tout moment, parce que même durant leurs vacances ils demeurent Premiers ministres; qui sont leurs amis parce que l'on juge souvent un homme par ses amis; à quelles influences il s'expose au cinéma, au théâtre et pratiquant les sports. Mais Trudeau ne voulait rien accepter de tout cela. Il déclara que seul sa performance de Premier ministre était d'intérêt public. Les journalistes qui persistaient à tenter d'en connaître davantage sur sa vie privée furent découragés d'une manière ou d'une autre.

Lorsque Trudeau reçut Barbara Streisand, l'actrice américaine, des journalistes attendirent avec espoir devant le 24 Sussex, confiants d'obtenir une entrevue. Le Premier ministre sortit vêtu de son costume de course, échangea quelques mots avec les journalistes, traversa la route vers Rideau Hall, la résidence du Gouverneur général et entreprit une course à travers le parc laissant en plan les journalistes deux fois plus jeunes que lui, haletants, à bout de souffle et sans article.

Apostrophés par sa sortie à Londres ou persuadés qu'il n'y avait pas moyen de défoncer le mur de son intimité, la plupart des journalistes abandonnèrent. Cela a permis à Trudeau de prendre des vacances sans être suivi de près par la presse, et de se balader en toute liberté dans la ville d'Ottawa. Il se montre parfois à des réceptions privées, fait la queue aux monte-pentes de ski et au cinéma et mange dans des restaurants populaires. Des gens lui demandent parfois son autographe qu'il donne poliment et il a la mémoire des visages d'un politicien: il avait discuté un soir avec des Canadiens chinois dans un restaurant chinois et lorsqu'ils se rencontrèrent plusieurs mois plus tard il se rappela de l'un d'eux au cours d'une réception de la fonction publique. Durant les fins de semaine il s'échappe souvent sans que la presse le sache et se rend à Montréal ou à un chalet de famille dans les Laurentides. Il donne également des réceptions à sa résidence d'été officielle sans publier la liste des invités. La preuve de sa vraie vie privée a été d'ailleurs mise en évidence lorsque son propre conseiller et ami, Marc Lalonde, ne fut pas informé de son mariage avant la veille même de la cérémonie. Ce fut là une décision de laquelle la participation était exclue.

En quatre ans de pouvoir, Trudeau a modifié le style du Premier ministre dans le gouvernement du Canada et fait des changements en profondeur dans les mécanismes de la démocratie. Certains de ces changements sont encore en voie de réalisation et il faudra plusieurs années avant de pouvoir porter un jugement dans une perspective raisonnable. Mais il est juste d'examiner les types de politiques qui ont déjà été conçues par le nouveau Premier ministre et sa nouvelle machine de participation pour faire face aux problèmes urgents.

L'économie

Confusion et crise

Lorsque Trudeau prit les commandes du gouvernement, en avril 1968, les indicateurs qui permettent de déceler l'état de l'économie nationale étaient confus et les conseillers officiels hésitants. Le rendement et les salaires continuaient de grimper alors que se poursuivait la plus grande période de pointe économique de l'histoire. Mais les prix montaient et le chômage augmentait de façon inquiétante, ce qui, du reste, ne devait pas être le fait selon la théorie d'une économie bien ordonnée.

La théorie, en termes simples, dit que lorsque la plupart des gens ont un emploi et de l'argent à dépenser et que les usines ne suffisent pas à remplir les commandes, la pression de la demande fait monter les prix. Ces prix plus élevés de la main-d'œuvre et des biens deviennent les coûts de la prochaine étape de la production et font de nouveau grimper les prix. Afin de prévenir que cette spirale de l'inflation échappe au contrôle, le gouvernement devrait faire baisser la pression de la demande dans l'économie. Ceci se fait en augmentant les taxes pour enlever de la circulation de l'argent qui pourrait être dépensé, en resserrant les réserves d'argent et en augmentant les taux d'intérêt pour rendre le crédit moins attrayant. Avec le ralentissement de l'activité économique, le chômage augmente et les profits baissent. Les travailleurs ne revendiquent pas si ardemment des augmentations de salaires et les hommes d'affaires coupent les dépenses.

La théorie veut également que si le chômage augmente trop ou que les profits baissent tellement que les hommes d'affaires ne peuvent plus investir dans l'avenir, le gouvernement devrait stimuler la demande dans l'économie. Il coupe les taxes et augmente les dépenses de façon à mettre plus d'argent à la disposition des gens pour qu'ils dépensent davantage et augmente les réserves d'argent pour rendre le crédit plus accessible.

Mais la théorie n'explique vraiment pas que faire lorsque les prix et le chômage augmentent conjointement comme c'était le cas au printemps de 1968. Trudeau devait-il freiner la hausse de l'économie pour empêcher les prix de grimper davantage en donnant une autre impulsion à la spirale de l'inflation? Ou devait-il stimuler la demande de façon à créer des emplois et stopper l'augmentation du chômage?

La politique convenable ou le mélange de politiques à suivre n'était pas clair. Le gouverneur expérimenté de la Banque du Canada, Louis Rasminsky commença son rapport annuel, en février 1968, en disant: « La situation économique et financière du Canada a été caractérisée par un certain nombre de contre-courants qui ont mis la banque centrale en face de problèmes inhabituellement difficiles à résoudre. »

Le Conseil économique du Canada déclara « utilement », en septembre: « Pour résumer, nous réitérons qu'il n'y a pas de prescriptions de politiques simples pour parvenir à la stabilité du coût et du prix. Des efforts consistants de prospective dans lesquels plusieurs de ceux qui prennent les décisions doivent prendre part sont nécessaires pour en arriver à une très large politique de base. »

Le sous-ministre des Finances était Bob Bryce, un des Mandarins légendaires de la fonction publique. Après une brève carrière de radical enflammé, alors qu'il était étudiant en Grande-Bretagne, dans les années trente, il était devenu un apôtre en Amérique du Nord, de la révolution économique telle qu'inspirée par la pensée de John Maynard Keynes. A Ottawa, il était l'un des quelques fonctionnaires à qui Diefenbaker faisait confiance et qui le nomma d'ailleurs son chef de cabinet. Maintenant au ministère des Finances, on lui prêtait la réputation de transporter tous les secrets d'Etat dans sa tête chauve, d'avoir le texte du prochain budget dans son porte-documents et de calculer les comptes nationaux à l'arrière d'une enveloppe. Mais en 1968, même Bryce était confus.

Il fit remonter le problème à 1965 lorsqu'il traita du sujet au cours d'une communication franche et confidentielle à l'Institut de la recherche économique à l'université Queen's, en 1970: « Nous reconnaissons tous que nous avons mal jugé la situation. » Cette année-là, rappela-t-il, nous avions un budget expansionniste qui incluait une diminution de 10 p. cent dans l'impôt sur le revenu des particuliers. Le budget était confectionné de façon à s'assurer que l'économie croîtrait assez rapidement pour créer des emplois à la moisson d'enfants d'après-guerre qui se préparaient, en nombre spectaculaire, à entrer sur le marché du travail. (Ça devait être également utile aux libéraux qui planifiaient une élection cette année-là.) Mais à mesure que les mois de 1965 passaient, la pression montait dans cette économie à la hausse et en 1966, Bryce recommandait un budget pour freiner le mouvement: « Nous avions reconnu le vice de l'inflation et tentions de freiner le rythme de l'expansion afin de l'éviter. » Durant un certain temps, en 1967, la politique sembla donner les résultats attendus, mais l'inflation recommença alors à gagner du terrain et l'on produisit un budget spécial, à l'automne, afin d'élever les taxes et de couper les dépenses. Même cela ne fonctionna pas et à la fin de l'année, dit Bryce, le gouvernement savait qu'il devrait agir de nouveau. Mais le gouvernement était en train de changer de mains: Pearson avait annoncé son intention de démissionner et l'on devait attendre le choix d'un nouveau Premier ministre pour adopter de nouvelles politiques majeures. Alors, juste comme la course à la succession était en train de s'organiser, en janvier 1968, un cyclone de spéculation frappa le dollar canadien sur le marché monétaire mondial.

Le gouvernement américain prit des mesures drastiques pour renforcer sa propre position dans le monde et les spéculateurs jugèrent que cela pouvait se transformer en difficultés pour la confuse économie canadienne. Le dollar semblait vulnérable et ils prirent le risque qu'en déversant des centaines de millions sur les marchés nerveux et instables, ils pourraient faire baisser le prix fixe et provoquer une panique, à la suite de laquelle quiconque serait en possession de monnaie canadienne tenterait par tous les moyens de la vendre. Incapable de racheter tous les dollars offerts au prix officiel, le gouvernement du Canada serait forcé de le dévaluer. Les spéculateurs les rachèteraient alors avec un profit appréciable. Au 18 janvier, le dollar était tombé à son plus bas prix depuis 1951 et le cabinet, à Ottawa, s'acharnait désespérément à le sauver. Pendant que la Banque du Canada se servait des réserves d'or et de dollars américains pour racheter la monnaie canadienne envahissant les marchés, afin que le prix ne dégringole pas davantage, le ministre des Finances, Mitchell Sharp, travailla à rassembler des crédits et des prêts étrangers. On haussa les taux d'intérêt pour attirer l'argent étranger au Canada et l'on persuada le Secrétaire du Trésor américain de faire une déclaration à l'effet que le Canada avait encore un accès libre aux marchés de capitaux américains.

Le budget qui avait été présenté à l'automne 1967 pour renforcer l'économie en combattant l'inflation était toujours devant les Communes et, en février, l'Opposition conservatrice créa une embuscade et battit les mesures de taxation du gouvernement par quelques votes alors que très peu de députés se trouvaient à proximité de la Chambre. La confusion politique et la crainte que l'inflation ne soit pas matée, après tout, lança une nouvelle vague de spéculation contre le dollar. Le gouvernement se dépêcha de présenter de nouvelles mesures fiscales revisées aux Communes et dut négocier avec les Créditistes, du côté de l'Opposition, pour les faire approuver. Il ne pouvait nullement être question, à ce moment, d'élever encore les taxes malgré ce que le cabinet et Bryce connaissaient des pressions croissantes.

Le dollar canadien finit par se sortir de l'ouragan mais en mars les spéculateurs portèrent leur attaque contre la Livre Sterling et le dollar américain. Pendant que les spéculateurs échangeaient leurs billets contre de l'or, les marchés mondiaux de l'or étaient plongés dans le chaos et durent fermer temporairement. A Toronto le prix des actions dans les mines d'or connut des hausses record. C'était maintenant au tour du Canada d'aider les Etats-Unis et la Grande-Bretagne en gelant le commerce de l'or et en étendant le crédit et, à la mi-mars, la tempête était terminée — du moins pour le moment.

En tant que ministre de la Justice, Trudeau n'avait aucune responsabilité directe quant à la politique économique mais la crise lui fit une profonde impression.

Lorsqu'il devint Premier ministre, en avril, des semaines à peine après le passage de la tempête internationale, il était déterminé à établir solidement l'économie canadienne dans le monde, de sorte que le dollar ne soit plus à l'avenir la cible d'effrayantes attaques spéculatives.

Ce fut probablement le facteur principal qui le porta, dans la situation confuse de 1968, à donner prioritairement son attention à la montée des prix plutôt qu'à l'augmentation du chômage. Il pensa qu'il était essentiel de conserver au Canada une position concurrentielle dans un monde difficile et fit valoir que si les prix échappaient à tout contrôle, les exportations baisseraient et qu'il y aurait de toute manière un taux élevé de chômage.

Mais lorsque Trudeau déclara la guerre à l'inflation et resserra l'économie en 1968 et 1969, ses critiques ne firent que souligner la hausse du chômage et la gestion de l'économie devint la question la plus amèrement controversée parmi les problèmes politiques de l'heure. L'image publique de Trudeau passa de celle d'un progressiste favorable au changement et à la réforme à celle d'un conservateur rigidement orthodoxe privant insensiblement des milliers de Canadiens de leur emploi.

Presque n'importe quel Premier ministre qui aurait pris le pouvoir en 1968 aurait combattu l'inflation. Il y avait un consensus parmi les experts et le public en général, au Canada et aux Etats-Unis que la hausse des prix était un problème sérieux auquel on devait s'attaquer. Les moyens disponibles dont disposait Trudeau étaient peu nombreux. Le Conseil économique avait déjà examiné l'idée d'une politique des revenus et l'avait rejetée et les syndicats ouvriers s'opposaient avec véhémence au contrôle des salaires. Il ne restait que les grands leviers de la politique fiscale et monétaire — et une théorie sur le mode d'emploi qui semblait ne plus vouloir fonctionner.

Les questions de base sont de savoir comment Trudeau a fait face à une situation difficile et de déterminer s'il a su utiliser les grands leviers avec suffisamment d'habileté.

La guerre à l'inflation

Durant les premiers mois, il semblait que le nouveau gouvernement serait capable de maîtriser le problème avec des mots sévères et de petites mesures. Les taux d'intérêt qui avaient été haussés durant la crise du dollar aidèrent à restreindre la demande au Canada durant la première partie de 1968 et pendant que Trudeau et ses ministres étaient à l'extérieur luttant pour leur réélection en juin, les experts du ministère des Finances étudiaient la situation et en venaient à de fausses conclusions spectaculaires.

Ils pensaient que l'économie des Etats-Unis était à la baisse et que cela réduirait la pression au Canada. A la Banque du Canada, Rasminsky était d'accord et on allégea la politique monétaire. La production reprit de plus belle et le chômage commença à diminuer. Le seul vrai nuage à l'horizon était l'inflation. Le Conseil économique avait défini la stabilité des prix comme représentant une augmentation moyenne de 2 p. cent maximum par année dans l'indice du coût de la vie. De 1959 à 1964, l'indice ne s'était élevé que de moins de 2 p. cent par année mais en 1965 il grimpa de 2.5 p. cent; en 1966 de 3.7 p. cent; en 1967, il glissa un peu jusqu'à 3.6 p. cent puis en 1968 il se dirigeait rapidement vers 4.1 p. cent pour l'année.

Le gouvernement avait promis un Livre blanc sur sa politique des prix et des salaires et Trudeau eut des discussions privées avec les représentants des milieux d'affaires et des centrales syndicales en leur demandant de freiner les hausses de part et d'autre. Pendant ce temps, pour donner l'exemple, le cabinet mettait la hache dans certains programmes de dépenses fédérales avec un éclat théâtral: on abolit le programme des travaux d'hiver et on abandonna les plans pour la construction de l'Observatoire Queen Elizabeth de Colombie britannique. Mais le gouvernement trouva qu'il était beaucoup plus difficile de contrôler les dépenses qu'il ne l'avait cru. Il pouvait assez facilement gérer ses propres priorités mais les gouvernements antérieurs s'étaient engagés dans une variété de programmes à frais partagés; ce qui signifiait, de fait, qu'Ottawa devait payer la moitié de tout ce que les provinces voulaient dépenser. Et comme les provinces n'avaient qu'à débourser $0.50 pour chaque dollar dépensé en programmes populaires de sécurité sociale, elles n'étaient pas encouragées à se montrer économes.

Mais même si la hache faisait des siennes à Ottawa, peu de gens réalisèrent combien sérieux était le problème de l'inflation en 1968 et il y avait beaucoup d'intérêt à observer quelle serait la ligne économique qu'adopterait le nouveau ministre des Finances de Trudeau, Edgar Benson, au moment où il prépara son premier budget. On considérait les deux hommes comme des progressistes, Trudeau parce qu'il avait appuyé le parti socialiste au Québec et Benson parce qu'on l'avait identifié avec l'aile gauche du parti libéral. Après la course à la direction du parti libéral, lorsque Trudeau voulut fuir enfin les caméras, il disparut sous un nom d'emprunt et rejoignit Benson et son épouse en Floride. Ils étaient donc des amis aussi bien que des collègues.

Garçon pauvre qui avait gagné ses études tant au collège qu'à l'université en travaillant, Benson devint comptable à Kingston, Ontario, en prenant des cours par correspondance pendant qu'il travaillait pour une firme de comptables durant le jour et comme concierge le soir. Il devint un homme affable, un bonhomme bedonnant sans prétention, possédant une collection de 100 pipes et une cave à vin privée en Hollande, la patrie de son épouse. Il refusa qu'on lui installât le téléphone dans son appartement d'une pièce, à Ottawa, sous prétexte qu'il ne voulait pas être dérangé pour des problèmes mineurs et que si des questions majeures survenaient on saurait bien le rejoindre par d'autres moyens. Sa conception d'une soirée de détente lorsque son épouse venait le rejoindre de Kingston était d'aller danser dans la salle de bal du Château Laurier. Même s'il pouvait être extrêmement partisan à la Chambre des Communes, qu'il considérait du reste comme un spectacle comique, il était au fond un technocrate toujours au travail — un comptable fasciné par les mécanismes de la fiscalité et les techniques d'administration.

Son premier budget, en octobre 1968, s'avéra beaucoup plus un frein qu'une réforme. Tout en promettant de se diriger vers le plein emploi, il déclara: « Le plus urgent besoin maintenant est de surveiller l'augmentation croissante des prix et du coût de la vie. » La stratégie était de balancer le budget de 1969, en restreignant sévèrement les dépenses, en gelant les effectifs de la fonction publique et en augmentant les taxes des compagnies d'assurance et les impôts des particuliers.

C'était un budget aride et sévère mais pas assez pour contenir les pressions sur les coûts et les prix. Parce que loin de ralentir, l'économie américaine accélérait alors que Washington tentait à la fois de gagner la guerre au Viêt-nam et de créer la Grande Société. Le chômage tomba à son plus bas niveau en 15 ans aux Etats-Unis et les prix montèrent rapidement. La demande américaine de biens canadiens s'accentua et poussa la hausse des prix au Canada. Tôt en 1969, il y avait un accord général au gouvernement quant à la nécessité de prendre d'autres mesures si l'on ne voulait pas que l'inflation échappe à tout contrôle. La phrase à la mode était « la psychologie de l'inflation », ce qui signifiait que les gens s'attendaient que les prix montent et qu'il en serait ainsi presque en dépit de la situation économique qui la soustendait. Par exemple, si les chefs syndicaux s'attendaient à une hausse de 10 p. cent du coût de la vie au cours de la durée de leur prochain contrat, ils additionnaient ce montant à leurs demandes d'augmentation salariale, ce qui augmentait les coûts de l'employeur et lui faisait hauser les prix, produisant ainsi la hausse du coût de la vie.

Ou si les investisseurs s'attendaient à une hausse des coûts et à une baisse du dollar, ils demanderaient un taux d'intérêt très élevé sur leur argent, ce qui ferait augmenter les coûts et les prix. Les experts du gouvernement firent connaître l'avis qu'il était impossible de vivre avec l'inflation à un bas niveau parce que chacun tenterait de se protéger contre la montée des coûts et cela causerait irrémédiablement une hausse encore plus rapide de ces coûts. Comme Rasminsky le déclarait dans un discours à Londres, en février 1969: « L'idée qu'un certain taux d'inflation peut être plus ou moins accepté pendant une période de temps indéfinie en tant que le prix que l'on doit payer pour conserver un taux de chômage que l'on s'est fixé comme objectif est basée sur l'hypothèse qu'un très grand nombre de personnes ne savent pas ce qu'il leur arrive lorsque les prix continuent de grimper constamment. Mais les gens ne sont pas aussi naïfs. Ils observent en effet ce qui se passe et si le mouvement se poursuit, ils développent une attente de l'inflation continuelle et ajustent leur comportement en conséquence ... L'objectif immédiat le plus important de la politique économique de plusieurs pays, considéré tant au niveau extérieur que domestique est de briser ces attentes inflationnistes qui existent et de restaurer le respect pour la valeur de l'argent. »

Dans son rapport annuel au cours du même mois, Rasminsky renforça son message: « Il est d'une importance cruciale pour tous les Canadiens que l'on règle avec succès le problème de l'inflation, que nous mettions fin aux augmentations excessives du prix coûtant qui menacent de miner nos perspectives d'une croissance durable à l'avenir ... De façon générale nos principales politiques publiques semblent orientées dans la bonne direction — mais nous allons avoir besoin d'une approche consistante et d'une profonde détermination afin de persévérer jusqu'à ce que nous soyons certains que nous avons su faire efficacement face au problème. Les enjeux sont trop grands pour que nous puissions endosser quoi que ce soit d'autre.

En juin 1969, Benson présenta son second budget et serra la vis de l'économie. Il étendit la surtaxe anti-inflationniste aux revenus personnels, coupa les tarifs afin de réduire le prix des marchandises étrangères entrant au Canada, découragea la construction commerciale dans les villes d'Ontario, d'Alberta et de Colombie britannique où l'on croyait que la pression de la demande était la plus forte et prédit le premier surplus en plusieurs années. Le message doit être fort et clair, déclara-t-il. « Nous sommes vraiment sérieux dans notre lutte contre l'inflation. Nous ne devons pas nous laisser aller à la tentation de laisser les prix monter avec toute l'injustice et la misère que cela causera aux gens qui ont le moins de chances et de possibilités dans notre société. »

Trudeau poursuivit dans la même veine en août, à l'occasion d'une déclaration télédiffusée au cours de laquelle il annonça le gel des dépenses gouvernementales et une importante réduction des effectifs de la fonction publique.

Agissant dans la ligne des politiques de dépenses et de fiscalité, Rasminsky resserra tellement la masse monétaire que le taux d'augmentation qui était de 12 p. cent en moyenne par année baissa à 3.5 p. cent, en 1969. Le taux de la Banque du Canada qui constitue un signal pour les autres banques à charte et les autres prêteurs d'ajuster les intérêts qu'ils chargent aux emprunteurs, s'éleva de 6.5 p. cent à 7 p. cent puis à 7.5 et à 8 p. cent. Les taux que devaient payer les milieux d'affaires et les particuliers pour obtenir du crédit atteignirent des taux prohibitifs et une première hypothèque sur une maison coûtait 10.5 p. cent.

Mais pendant plusieurs années, Rasminsky avait demandé l'établissement d'une politique du revenu pour compléter l'action des grands leviers de la politique monétaire et fiscale. Il faisait valoir qu'une contrainte raisonnable en période de tension pourrait réduire le besoin de resserrer le crédit et de produire du chômage. En 1965 le gouvernement avait demandé au Conseil économique d'examiner cette idée mais le Conseil avait décidé qu'une politique officielle des revenus ne serait pas efficace, à moins d'être appliquée dans des conditions d'urgence. Mais à mesure que l'inflation devenait un problème grandissant, on réexamina ce concept et, en décembre 1968, un Livre blanc du gouvernement annonça l'intention de créer une Commission indépendante des prix et des revenus afin de « ... découvrir les faits, analyser les causes, le processus et les conséquences de l'inflation, et d'informer le public et le gouvernement sur les moyens qui permettraient d'en arriver à une stabilité des prix. » Quelques mois plus tard, le Dr J. H. Young, un économiste et doyen de la Faculté des Arts de l'université de Colombie britannique, accepta de présider la commission. Même si l'économique est connue comme une science plutôt sombre et triste, Young était un homme enjoué, toujours prêt à s'attendre au mieux dans les pires circonstances. Son mandat consistait principalement à se livrer à la recherche mais il décida bientôt de s'attaquer directement au problème. La commission organisa une série de rencontres, en août 1969, avec les chefs syndicaux, les employeurs et les gouvernements fédéral et provinciaux. On demanda aux syndicats de s'en tenir à des hausses de salaire de 5 p. cent avec la garantie que si le coût de la vie augmentait de plus de 2.5 p. cent, les salaires pourraient être ajustés proportionnellement.

215

Il y avait également des dispositions spéciales pour les plus bas salariés, tels que les travailleurs d'hôpitaux, qui devaient faire du rattrappage au niveau des salaires. Mais le CTC et la CSN, au Québec, étaient très méfiants et refusèrent de coopérer. Pendant les premières années de la poussée économique, les profits avaient pris le pas sur les salaires; maintenant le monde du travail était déterminé à reprendre le terrain perdu. Mais la commission, au lieu de faire des recherches comme on le lui avait demandé, sembla vouloir imputer l'inflation aux seules revendications salariales et demanda que l'on freine les demandes. Les syndicats désiraient un contrôle des prix et non des salaires.

A l'automne 1969, il était péniblement clair que le Canada semblait gravement atteint. Le rythme de croissance de l'économie ralentissait. Le chômage augmentait, atteignant presque 5 p. cent de la main-d'œuvre. Mais l'inflation n'était pas enrayée — les prix continuaient de monter, monter, monter. La gestion de l'économie sous Trudeau faisait l'objet de plus en plus de critiques et soudainement le Conseil économique du Canada ajouta sa voix prestigieuse à cette chorale d'insatisfaits.

Il était difficile d'argumenter que l'inflation au Canada était causée par une demande excessive parce qu'il y avait eu un ralentissement de l'économie depuis 1967, déclara le Conseil, dans sa revue annuelle de la situation, jetant un doute poli sur la stratégie du gouvernement consistant à ralentir l'activité économique pour diminuer la pression de la demande. D'autre part, les Etats-Unis étaient de toute évidence affectés par la pression de la demande et: « Jusqu'à ce qu'il y ait une relâche dans l'augmentation des prix et des coûts aux Etats-Unis, les politiques canadiennes destinées à influencer les problèmes intérieurs des coûts et des prix seront handicapées. Une contrainte additionnelle au niveau de la politique fiscale et monétaire pourrait, de façon concevable, augmenter davantage le taux de chômage et le ralentissement de l'économie tout en n'ayant que des effets marginaux sur le taux d'accroissement des coûts et des prix. » De plus, déclara le Conseil, si les Etats-Unis réussissent à contrôler leur économie à la fin de 1969, l'impact au Canada doublé du resserrement sévère déjà en vigueur pourrait bien « pousser l'économie dans une phase d'activité très limitée ».

C'était une vraie musique pour les oreilles de l'Opposition au Parlement et pour tous ceux qui sentaient qu'il devait y avoir une meilleure manière de combattre l'inflation, même s'ils n'étaient pas certains de ce que pouvait être cette meilleure méthode. Le Conseil semblait vouloir dire que le Canada ferait aussi bien de relâcher ses mesures et d'attendre que les Etats-Unis résolvent leur problème. Le message du Conseil fut comme un coup de couteau dans le dos de Trudeau et des experts du ministère des Finances qui tentaient de persuader les Canadiens de la nécessité des contraintes pour combattre l'inflation. Ils réagirent donc avec colère.

Mais lorsqu'on invita le président du Conseil, le Dr Arthur J. R. Smith à venir expliciter ses critiques devant un comité des Communes, il modifia sa position. Le Conseil n'avait pas l'intention de dire que la politique devrait être immédiatement modifiée ou que les contraintes devraient être adoucies et le vrai problème en était un de degré et de choix dans une période de temps. Il expliqua: « Il est clair que l'on doit continuer d'exercer une contrainte d'ordre général modérée en raison du besoin essentiel de freiner la hausse des coûts et des prix. »

A la fin de 1969, Trudeau renouvela ses efforts pour persuader les Canadiens que l'inflation serait matée — et pour briser cette psychologie de l'nnflation. « Nous ne pouvons que nous renforcer et non pas nous affaiblir », déclara-t-il lors d'une conférence avant Noël. « Je crains qu'il y ait un grand nombre de personnes qui pensent que le gouvernement ne pourra continuer à agir durement parce qu'il sera effrayé s'il voit le chômage grimper à 6 p. cent ... Mais si les gens pensent que nous allons perdre notre sang-froid à cause de cela ils devront y penser à deux fois parce que ce n'est pas le cas. » Il répéta son thème familier que l'inflation détruirait la valeur du dollar, les marchés d'exportations et les épargnes de la classe moyenne et dit: « Nous n'avons aucun choix sauf celui de combattre férocement l'inflation. »

Cette référence à un taux de chômage de 6 p. cent devint un point de repère de cette époque. Les critiques s'en emparèrent pour démontrer l'attitude indifférente de Trudeau face au chômage. De fait, son intention était bien différente. Il croyait que la psychologie inflationniste persistait malgré toutes les mesures rigides parce qu'on s'était fait à l'idée que les gouvernements démocratiques sont trop mous pour serrer la vie assez longtemps et assez durement pour empêcher les prix de monter. Les hommes d'affaires et d'autres croyaient que lorsque le taux de chômage atteindrait un niveau trop élevé et que les critiques deviendraient plus fortes, le gouvernement craindrait de perdre de la popularité et s'amollirait, et ils continuèrent donc à s'attendre à de nouvelles hauses de prix et planifièrent leurs activités futures en conséquence. Trudeau pensa qu'il était vital de rétablir la crédibilité du gouvernement. Lorsqu'un journaliste lui suggéra, lors d'un dîner privé au 24 avenue Sussex que sa détermination lui coûterait peut-être

218

sa réélection, il haussa les épaules en disant que c'était peut-être son devoir de mettre de l'ordre dans les affaires du gouvernement et que quelqu'un d'autre prenne la relève. Ses remarques à la conférence de presse ne constituaient pas une menace de laisser le chômage grimper jusqu'à 6 p. cent, mais un avertissement que ce chiffre pourrait augmenter jusque-là et encore plus, à moins que le monde des affaires, du travail et des consommateurs arrêtent de se comporter comme si l'inflation était un mal continuel inévitable.

La campagne de restrictions prit de l'ampleur au début de 1970 avec un véritable barrage de communiqués et de conférences. Benson rencontra les ministres des Finances des provinces, à Québec, afin de leur demander leur coopération pour contrôler les dépenses et pour faire valoir que si les provinces riches prenaient des mesures pour ralentir l'élan de leur économie, Ottawa n'aurait pas à être si sévère dans l'utilisation de ses politiques fiscales et monétaires qui affectent les provinces les plus pauvres où la récession et non pas la lancée économique est le problème primordial.

John Young, à la Commission des prix et revenus, n'était pas découragé par le refus qu'il avait essuyé du monde du travail et travaillait dans l'ombre avec les hommes d'affaires afin de gagner leur appui dans l'établissement d'un programme de limitation des prix. En février, le plan était prêt à être rendu public et 300 hommes d'affaires importants arrivèrent à Ottawa pour manger le dîner de l'austérité (soupe et sandwich) et prendre position en faveur de la lutte contre l'inflation. Quelques-uns avaient bien pris garde d'augmenter les prix juste avant de promettre de ne pas le faire mais les formules auxquelles en étaient arrivés les différents secteurs de l'industrie au cours de longues séances de nuit avec la commission avaient au moins quelques dents. De façon générale, l'industrie accepta d'augmenter les prix à un niveau moindre que la montée des coûts, ce qui signifiait qu'ils absorberaient une partie de l'inflation en réduisant leurs profits et les compagnies acceptèrent que lorsqu'ils augmenteraient leurs prix, ils ouvriraient leurs livres à la commission pour prouver que cette mesure était nécessaire et compatible avec la formule.

Trudeau informa les consommateurs des résultats de la conférence en disant à la télévision: « Sachez choisir lorsque vous vous procurez des biens ou des services. Assurez-vous que vous en avez pour votre argent... Ceci est un test, pour le Canada et les Canadiens, que nous ne devons pas rater et que nous ne raterons pas. »

La semaine suivante Rasminsky tenait une séance d'information pour faire valoir aux Premiers ministres provinciaux les dangers de l'inflation et ces derniers firent remarquer à Trudeau avec une pointe de piquant: « Si la lutte contre l'inflation est une tâche pour tous les Canadiens, c'est une responsabilité spéciale des gouvernements — de Tous les gouvernements. Le fait que les gouvernements provinciaux et municipaux sont responsables de 58 p. cent des dépenses totales des gouvernements signifie évidemment que cette responsabilité va devoir être partagée si nous devons réussir. »

Young demanda aux Premiers ministres d'être prêts à imposer des sanctions aux corporations qui ne respecteraient pas leur accord sur la limitation des prix. Il demanda également que les provinces réduisent leurs propres dépenses et leurs plans d'emprunts, utilisent leur autorité sur les médecins, les avocats et les autres professionnels afin de les décourager d'augmenter leurs honoraires et établissent des conseils pour examiner les hausses de loyers. Les provinces étaient loin d'être enthousiastes. Tout en jouant les haut-parleurs pour la guerre contre l'inflation, ils préféraient la considérer comme un problème principalement fédéral — particulièrement lorsque des mesures impopulaires s'avéraient nécessaires.

L'infatigable Young se tourna alors vers les syndicats et essuya de nouveau une rebuffade. Le chômage augmentait et l'animosité amère activait la raideur de la bataille politique; ce n'était pas une atmosphère pour encourager la coopération et la confiance mutuelle. Même au sein du parti libéral le climat en était un de découragement. Les politiques d'optimisme et de bonheur qui avaient conduit Trudeau au pouvoir se transformaient en cynisme. Au lieu de paver la voie d'une nouvelle ère brillante de gouvernement, Trudeau sembla faire reculer l'horloge vers le plus gris et le plus repoussant des conservatismes. La main de fer sur l'économie prenait le pas sur la Société juste pour les pauvres et les défavorisés, la lutte contre les disparités régionales et la réponse fédérale au mécontentement du Québec. Rasminsky tenta de répondre à la tempête de critiques dans son rapport annuel, en février 1970: « Il n'y a pas, comme on semble parfois le croire, un groupe qui s'occupe des gens et de leur emploi et un autre groupe qui ne s'occupe que de la stabilité des prix. C'est une fausse antithèse. Tout le monde veut en arriver à un rendement accru, à la plus grande augmentation possible de l'emploi et à la meilleure amélioration du niveau de vie. Les différences d'opinion reflètent, dans une large mesure, les différences de perspective dans le temps. Certains concentrent leur attention sur les coûts à court terme des politiques anti-inflationnistes. D'autre part, ceux qui mettent l'accent, comme je le fais, sur l'importance de la stabilité des prix croient que nous aurons une meilleure chance de maintenir un taux de croissance de l'emploi élevé à l'avenir si nous nous attachons à préserver le pouvoir d'achat de l'argent. Je dirai de plus, qu'ils sentent, comme moi, qu'il n'y a aucune justification de risquer de perturber sérieusement notre économie et notre société, ce qui se produirait si les mesures de contrainte étaient insuffisantes et si l'on permettait à l'inflation de se poursuivre. »

Mais en coulisse, la Grande Contrainte tirait à sa fin.

Même s'il n'y avait que quelques signes à l'effet que la pression sur les coûts diminuait, Trudeau, Benson et leurs experts savaient que les dures mesures qu'ils avaient adoptées en 1968 et 1969 avaient affecté l'économie et continueraient d'agir au cours d'une bonne partie de 1970. C'était le temps d'adoucir les mesures mais, pour des raisons psychologiques, ils ne voulaient pas que l'on croie qu'ils abandonnaient la lutte contre l'inflation. Aussi le budget de mars fut-il un peu décevant. « Nous devons résolument continuer de limiter la demande », déclara Benson et il annonça son intention d'imposer des contrôles sur le crédit au consommateur afin de rendre plus difficiles les achats à tempérament. Mais en même temps il adoucit la contrainte fiscale en prévoyant un surplus moins important dans le budget et fit savoir discrètement à Rasminsky qu'il pouvait donner plus de jeu à la masse monétaire.

Il semblait que c'était un autre budget aride mais ça ne fonctionna pas de cette façon. Même avant qu'il n'informe les Communes de son plan d'introduire des contrôles de crédit dans quelques semaines, Benson était assez certain qu'ils ne seraient pas utilisés et on abandonna l'idée. A peine trois mois après avoir prédit un surplus pour l'année, il commença à distribuer des fonds et à reviser des prévisions. En juin, il laissa partir $150 millions pour les provinces; en octobre il annonça $60 millions de dépenses; et en décembre, d'autres mesures comprenant un fonds de prêt de $150 millions. Le surplus projeté était devenu un déficit de plus de $300 millions et la politique était: « . . . de donner un élan aussi fort que possible à l'économie sans régénérer la spirale de la hausse des prix. » La masse monétaire augmenta de 11 p. cent au cours de l'année et le taux de la Banque du Canada passa de 8 à 6 p. cent.

L'année de transition

La politique expansionniste succéda donc aux mesures restrictives au cours de 1970 mais il fallait un certain temps avant qu'elle ne se reflète dans l'économie. Pendant ce temps la contrainte avait atteint son stade le plus pénible. Le chômage qui avait atteint une moyenne de 382,000, en 1968, et 383,000, en 1969, fit un bond jusqu'à 495,000. Le taux était presque de 6 p. cent de la main-d'œuvre. Les dépenses nationales brutes, mesurant la valeur du rendement après les réserves faites pour combattre l'inflation, ne s'élevèrent que de 3.3 p. cent, les profits diminuèrent de même que le revenu personnel. Mais la pression sur les prix diminuait également au cours de l'année — même si le coût de la vie augmenta de 3.3 p. cent — et c'était l'objectif de tout ce difficile exercice. Il y eut d'autres changements significatifs au cours de 1970. Bryce voulait se retirer de son poste très exigeant de sous-ministre des Finances et on lui permit finalement de le faire. Son successeur, Simon Resiman, un Mandarin d'un style très différent (plus jeune, plus suffisant, agressif et même insolent à l'endroit de ceux qui ne partageaient pas son avis — incluant les ministres du cabinet et des hauts-fonctionnaires provinciaux. Il avait une tactique, selon certains de ses détracteurs, de dire « **Bullshit** » au beau milieu d'une réunion et de s'en aller laissant à leur sort les « survivants » insultés qui s'interrogeaient à savoir ce que ce cerveau supérieur avait bien pu dénicher d'anormal dans leurs arguments soigneusement préparés. Mais, de toute évidence, sa réputation était bâtie sur des réalisations plus tangibles: Il avait, par exemple, organisé le ministère de l'Industrie lorsqu'il fut créé par le gouvernement Pearson et joua un rôle important dans la négociation du pacte automobile avec les Etats-Unis. Tandis que Bryce avait dirigé presque seul le ministère des Finances, Reisman commença à déléguer son autorité et à se bâtir un personnel.

La Commission des prix et revenus livra sa dernière bataille pour limiter les prix et les revenus au cours de 1970. Elle étudia en premier lieu la possibilité d'imposer une taxe spéciale afin de maintenir les revenus à un niveau fixe et déterminé mais rejeta cette idée comme n'étant pas pratique. Le président Young se tourna une fois de plus vers la persuasion et demanda aux gouvernements fédéral et provinciaux, en juin, d'utiliser leur force morale et leur puissance économique pour limiter les augmentations de salaires à 6 p. cent. Encore là, le gouvernement fit des déclarations mais n'agit pas. Lorsqu'il devint clair à l'automne que les provinces n'allaient pas tenter de limiter les honoraires des professionnels ou de freiner la hausse des logements, il ne restait que peu d'espoir de gagner la collaboration du monde du travail. Young fit une tentative mais échoua. De façon compréhensible les hommes d'affaires refusèrent de renouveler leur accord solitaire avec la commission et toute la campagne destinée à mettre un frein par des moyens autres que légaux s'estompa en rendant son dernier souffle. Elle avait eu une certaine valeur. La commission indiqua qu'à sa connaissance une centaine de compagnies avaient modifié ou retardé leurs augmentations de prix durant la campagne.

Mais Young et la commission avaient toujours été affectés par un manque de crédibilité. Ils étaient constitués en agence indépendante et ne pouvaient parler avec la pleine autorité du gouvernement. Et pendant que Trudeau fournissait un appui illimité à la commission, la situation aurait dû être l'inverse: c'est le Premier ministre qui aurait dû être en tête de la campagne recevant l'appui de la commission. Dans cette situation le prestige et le pouvoir du Premier ministre ne furent jamais pleinement engagés dans le programme de restrictions volontaires.

Egalement au cours de l'année 1970, les exportations se multiplièrent, accumulant un important profit en monnaies étrangères sur la balance commerciale et les taux d'intérêt élevés attiraient le capital étranger au Canada. Il y avait une demande croissante pour échanger la monnaie étrangère contre des dollars canadiens et les spéculateurs qui avaient pensé, en 1968, pouvoir faire baisser le cours de la monnaie canadienne, pensaient maintenant que la valeur augmenterait et ajoutaient à la demande. La Banque du Canada paya plus d'un milliard de dollars canadiens de ses coffres, au taux de change officiel, en prenant des dollars américains en retour qui s'entassaient dans les réserves. Finalement, le gouvernement ne put tenir sa ligne plus longtemps. On accueillit Trudeau qui revenait, en mai, d'un voyage dans l'Est asiatique et on le transporta en vitesse aux petites heures du matin à son bureau où allait se dérouler une réunion d'urgence du cabinet. On décida d'enlever la valeur officielle fixe du dollar et de le laisser flotter de façon à ce que son cours s'établisse sur les marchés monétaires mondiaux. Le ministre des Communications, Eric Kierans, un économiste distingué et ancien président de la Bourse de Montréal, avait proposé cette mesure depuis déjà quelque temps mais l'accord ne pouvait se faire parmi ses collègues. A la séance du cabinet, il demanda à Trudeau:

« Vous rappelez-vous la dernière fois que nous avons discuté de ce sujet à votre bureau? »

Trudeau répondit:

« Oui, il y a environ six mois ».

Kierans répliqua:

« Non, c'était il y a maintenant $1.2 milliards passés » — soit la somme d'argent immobilisée en monnaies étrangères alors que le gouvernement livra la bataille et la perdit pour conserver la valeur au plus bas niveau possible.

Expansion et confusion — encore

On accéléra la politique expansionniste en 1971. On coupa les taxes dans le budget de juin et les prévisions indiquèrent un important déficit afin d'encourager la confiance des hommes d'affaires et des consommateurs. Mais un autre choc international survînt en août lorsque le président Richard Nixon décida de renverser sa stratégie économique en imposant le contrôle des prix et des salaires en plus d'appliquer une surtaxe de 10 p. cent sur les importations. Le gouvernement annonça nerveusement que si la surtaxe demeurait longtemps en vigueur, elle pourrait causer des dommages sérieux au commerce canadien, et même si cela s'avéra une perception assez pessimiste, elle n'en perturba pas moins les hommes d'affaires essayant de planifier leurs opérations. De plus, les mesures américaines avaient provoqué la pagaille sur les marchés monétaires internationaux et il était clair que de nouveaux arrangements — éventuellement la dévaluation du dollar américain — seraient nécessaires pour rétablir la stabilité. L'effet que cela produirait sur le Canada n'était cependant pas clair.

Plus tard au cours de l'année, pendant des négociations ardues en Europe et à Washington, il s'avéra que les Etats-Unis voulaient que le Canada paie le gros prix; le dollar canadien devrait être réévalué pour représenter $1.05 en monnaie américaine et cela en tant que partie d'un accord international pour fixer un nouveau cours des valeurs. Cette mesure aurait augmenté le prix des exportations canadiennes et réduit le prix des marchandises américaines, donnant aux Etats-Unis une marge importante de compétition. Mais Benson refusa cette proposition et il y eut des heures difficiles à la réunion de Washington lorsque l'entêtement canadien faillit conduire à l'échec d'un accord international. Alarmé, Rasminsky qui faisait partie de la délégation canadienne voulait téléphoner à Trudeau pour demander de nouvelles instructions, mais Benson était tenace et les Etats-Unis finalement plièrent. Le dollar canadien continua de flotter sur le marché et lorsque les Etats-Unis tentèrent d'obtenir des concessions commerciales en négociations directes, sur le pacte automobile, par exemple, ce fut également le cul-de-sac et les relations économiques devinrent dangereusement tendues.

Plus inquiétant encore, le taux de chômage continua

d'augmenter en 1971 au lieu de diminuer comme le gouvernement l'avait prédit avec confiance. En octobre, à l'approche d'un autre hiver déprimant, on annonça les chiffres de septembre: le chômage désaisonnalisé, pour indiquer les tendances sous-jacentes atteignant un révoltant 6.9 p. cent. Ce fut une question d'heures pour que le cabinet rassemble une panoplie de mesures avec la force du désespoir: les impôts des corporations et des particuliers étaient réduits et il fut décidé de mettre sur pied un programme de travaux d'hiver et de stimulants au coût de $1 milliard.

Comme il y avait déjà des signes d'une nouvelle pression des prix sur l'économie, il y avait, de toute évidence, un danger que le Canada se retrouve de nouveau sur la pente de l'inflation. Trudeau avait, de fait, abandonné sa lutte pour persuader le pays que la psychologie inflationniste serait détruite à tout prix.

Mais il n'était pas repentant. Lorsque Tom Gould, de CTV, lui demanda, à la fin de 1971, des comptes sur son bilan et lui lança le défi: « Le feriez-vous encore en sachant quel en fut le coût social sur l'économie? », Trudeau répondit: « Je pense que j'adopterais la même ligne de conduite. Je pense plutôt que d'autres éléments dans l'économie réaliseraient les conséquences de ne pas coopérer avec le gouvernement dans sa lutte contre l'inflation et se diraient: "Nous sommes mieux d'être d'accord et de faire preuve de retenue"; sans quoi aucun gouvernement ne peut réussir à maîtriser complètement l'inflation . . . n'ayant pas de prix à payer pour le chômage. Alors c'est un choix. »

En toute justice, le dossier semblait beaucoup plus reluisant vu de l'étranger où plusieurs pays faisaient face à des problèmes, que vu d'ici. Le 10 janvier 1972, la chronique Lombard dans le **Financial Times,** de Londres, indiquait de façon tout à fait naturelle les noms des récipiendaires de félicitations pour la meilleure gestion économique au cours de l'année 1971: « Pour la meilleure performance à tous les égards: le Canada remporte la palme, 'l'Oscar' du groupe opulent pour avoir réussi à produire une croissance rapide avec un niveau inhabituellement bas d'inflation en faisant simultanément face au contrecoup de la crise du dollar américain d'une façon exceptionnellement compétente. Les autres concurrents les plus sérieux étaient l'Autriche et la France. »

Sur cette note encourageante, et sans aucun doute avec un certain soulagement, Benson quitta le ministère des Finances, en janvier, afin de prendre un repos en tant que ministre de la Défense. Trudeau demanda à John Turner de le remplacer aux Finances et établit clairement que même s'il ne pensait pas que les Canadiens voulaient une économie contrôlée, il avait un plan prêt à être appliqué si l'inflation devenait plus menaçante. La difficulté était que les indicateurs économiques étaient de nouveau confus.

Le dossier

Dans son premier budget, en 1968, Benson accepta au nom du gouvernement Trudeau les cinq grands objectifs sociaux et économiques établis par la précédente administration:

Un fort taux de croissance économique.

Une stabilité raisonnable des prix.

Une balance viable des paiements internationaux.

Le plein emploi.

Une distribution équitable de l'augmentation des revenus.

Le Conseil économique du Canada avait examiné dans son premier rapport annuel, en 1964, la signification de ces objectifs en détail et les avait exprimés, lorsque possible, en termes d'objectifs. Il a depuis ce temps répété à maintes reprises que les objectifs doivent être considérés comme des buts à atteindre dans l'avenir plutôt que des probabilités pour demain. Il est également évident que le progrès au Canada dépend, dans une grande mesure, des conditions dans les autres pays avec lesquels nous faisons affaires et particulièrement les Etats-Unis. Quoi qu'il en soit, les buts et les objectifs peuvent nous être utiles pour examiner le bilan économique du gouvernement Trudeau.

Croissance

Malgré la guerre à l'inflation et le taux élevé de chômage il est faux de parler, comme le font plusieurs critiques, comme s'il y avait une période de récession sous la gestion de Trudeau. La croissance annuelle de l'économie a atteint un taux qui s'approche de la moyenne de croissance à long terme.

Comme quelqu'un l'a déjà dit, il y a des mensonges, des maudits mensonges et des statistiques qui peuvent prouver n'importe quoi. Mais il n'y a pas moyen d'éviter les statistiques pour mesurer l'économie. Sans tenir compte des augmentations fausses des données causées par l'inflation, le Produit National Brut (la valeur de toutes les marchandises et de tous les services produits) a augmenté de 5.8 p. cent en 1968; 5.2 p. cent, en 1969; 2.5 p. cent, en 1970 et 5.5 p. cent en 1971. Même s'il y avait, comme nous l'avons vu, une politique délibérée pour freiner l'économie afin de faire diminuer la demande, la croissance moyenne a été de 4.75 p. cent, à peine au-dessous de la moyenne d'environ 5 p. cent dans les vingt années de 1948 à 1967.

Toutefois, en 1971, le Conseil économique estimait que l'économie produisait environ $3 milliards de moins que son potentiel. Avec la reprise des affaires et l'expansion en 1972, le taux de croissance s'est élevé beaucoup au-dessus du potentiel et quelques-uns des milliards perdus étaient en voie d'être recouvrés.

Même si le Canada avait des problèmes domestiques de croissance, il faisait mieux que plusieurs de ses concurrents d'outre-mer. L'Organisation pour la coopération économique et le développement comprend le Canada, les Etats-Unis, les principaux pays industriels de l'Europe de l'Ouest, et le Japon, et compare régulièrement leurs performances.

L'Organisation estime que le taux de croissance réelle fut en moyenne de 4.4 p. cent au cours des trois années 1969-71. Le taux de croissance aux Etats-Unis fut de 1.8 p. cent et de 1.6 p. cent en Grande-Bretagne. Pour tous les autres pays membres la moyenne était de 3.7 p. cent. Dans le Marché commun européen le taux de croissance fut de 5.6 p. cent mais en 1971 le Canada avait repris le terrain perdu et sa croissance était plus rapide que celle des pays européens.

Les prix

Même si Trudeau se vanta déjà d'avoir vaincu l'inflation, sa bataille contre la hausse des prix fut loin d'être une victoire complète. Pendant que le taux d'augmentation du coût de la vie diminuait en 1971, les pressions sur les coûts demeuraient fortes et certains observateurs s'attendaient à ce qu'ils éclatent dans une nouvelle vague inflationniste.

L'indice des prix à la consommation augmenta d'une moyenne de 3 p. cent par année durant 20 ans, de 1948 à 1967. En 1968, il grimpa de 4.1 p. cent; en 1969, de 4.5 p. cent; en 1970, de 3.3 p. cent et en 1971, de 2.9 p. cent. Mais cette montée puis la chute alors que Trudeau resserra l'économie était exagérée par les statistiques. Les prix de l'alimentation peuvent être influencés par des facteurs comme le hasard de la récolte et les guerres de prix que se livrent les super-marchés et les économistes retirent souvent ce facteur de l'indice général afin d'avoir une meilleure vue d'ensemble des vraies tendances de base. Lorsque ceci fut fait, les prix de détail pour tous les autres biens s'établissaient comme suit: augmentation de 4.4 p. cent en 1968; 4.6 p. cent, en 1969; 3.8 p. cent, en 1970 et 3.5 p. cent en 1971 — un changement dans la bonne direction mais non un changement dramatique.

Quelle que soit la façon de les mesurer, les augmentations de prix furent beaucoup plus élevées que l'objectif d'environ 2 p. cent par année que s'était fixé le Conseil économique. Mais le Conseil avait donné l'avertissement que l'objectif serait difficile à atteindre dans une période où la demande était forte dans l'économie et Trudeau hérita certainement de ce problème.

Selon l'OCED, le Canada réussit moins bien que la majorité de ses concurrents à maintenir les prix à la baisse au cours de la période 1965-68. L'indice des prix de détail s'éleva d'une moyenne de 3.8 p. cent par année, en comparaison avec une hausse de 3.7 p. cent en Grande-Bretagne, 3.3 p. cent aux Etats-Unis et en France et 2.3 p. cent en Allemagne et en Italie. Les proportions furent inversées en 1969-71 lorsque l'on appliqua les restrictions. L'indice des prix de détail s'éleva de 3.3 p. cent par année au Canada; 3.7 p. cent en Allemagne; 4.1 p. cent en Italie; 5.3 p. cent aux Etats-Unis; 5.7 p. cent, en France et 7.1 p. cent en Grande-Bretagne.

En 1971, de fait, et à la fierté de Trudeau, le taux d'augmentation des prix au Canada fut le plus bas des 17 pays membres de l'Organisation pour la coopération économique et le développement.

Balance des paiements

Le Canada fait affaires avec les autres pays de plusieurs façons. C'est un partenaire commercial majeur dans le monde, vendant ses produits et important des marchandises de l'étranger. Des touristes viennent au pays et les Canadiens voyagent outre-mer. Nous avons emprunté beaucoup de capital étranger pour développer le pays et nous devons le remettre en intérêts. Les corporations étrangères établies au Canada envoient leurs profits chez elles et les investissements canadiens à l'étranger nous rapportent ici des profits et ainsi de suite.

Lorsque nos gains nationaux à l'étranger sont égaux aux comptes que nous avons à payer, nous avons un équilibre dans nos paiements de compte courant. Lorsque nous faisons plus que ce que nous avons à payer, nous avons (en termes de profanes) un profit que nous pouvons garder en réserve ou investir dans l'avenir. Mais lorsque nous dépensons plus que ce que nous gagnons, nous avons à payer la différence avec l'argent étranger qui entre au Canada comme capital. Cet argent peut nous être disponible sous forme de prêts ou encore être investi ici par l'étranger pour acheter de l'industrie ou des ressources.

Le Conseil économique a toujours considéré qu'en tant que pays qui se développe et nécessite l'emploi d'une main-d'œuvre augmentant rapidement, nous aurons besoin de capital étranger pendant plusieurs années à venir. Et les investissements étrangers peuvent apporter des avantages comme la nouvelle technologie, l'accès aux marchés étrangers et une meilleure gestion. Mais dans la mesure où nous réussissons à acquitter nos paiements de compte courant nous sommes moins dépendants de l'impression de capital étranger.

Chaque année, de 1953 à 1969, le Canada a eu un déficit dans son compte courant et l'a comblé avec du capital étranger. En 1970, lorsque les restrictions ont ralenti l'économie, la demande pour des biens étrangers a tombé mais les exportations étaient à la hausse. Le résultat fut une importante balance commerciale qui nous servit à payer tous nos comptes et nous laissa un surplus de $1 milliard. Lorsque l'on adoucit les restrictions et que l'économie reprit son momentum, en 1971, les importations augmentèrent plus rapidement que les exportations. Mais le surplus commercial était encore au-dessus de $2 milliards — assez pour payer les comptes et nous laisser un surplus net de $227 millions — seulement le deuxième surplus en 20 ans.

Comme résultat de cette amélioration dramatique dans notre compte courant, les Canadiens furent en mesure d'aller chercher plus de capital ici même plutôt que d'en emprunter à l'étranger. Ainsi l'influx de capital à long terme diminua de $2.1 milliards qu'il était en 1969 à

$750 millions en 1970 puis $478 millions en 1971, le niveau le plus bas depuis 1955.

Mais la prospérité apporte également ses propres problèmes. La force de la balance canadienne des paiements produisit une pression internationale sur le dollar, comme nous l'avons vu, et le Canada fut dans l'obligation de le laisser flotter. Ceci augmenta le prix des exportations et réduisit le prix des importations, rendant beaucoup plus difficile la possibilité d'obtenir un gros surplus commercial. C'est évidemment de cette manière qu'un cours flottant d'échange est supposé fonctionner afin d'équilibrer les paiements internationaux sur un certain nombre d'années.

Pendant que le Canada renforçait sa balance des paiements, les Etats-Unis s'enfonçaient de plus en plus profondément dans les difficultés et tout à coup, en août 1971, Nixon annonça sa nouvelle Politique économique. Un des objectifs spécifiques était d'améliorer la balance commerciale des Etats-Unis avec le Canada — parce que ce qui est un profit pour nous devient pour eux une perte. Washington demanda différentes concessions commerciales et le Canada répondit en produisant sa propre liste de griefs. Les pourparlers s'enfermèrent dans un cul-de-sac jusqu'à la visite de Nixon à Ottawa, en 1972, et il s'entendit avec Trudeau pour reviser les négociations de façon à tenter de découvrir un terrain d'entente.

Chômage

La plus grande brèche dans le dossier économique de Trudeau est le chômage. Au cours de sa première année de pouvoir, en 1968, le nombre de Canadiens sans emploi était en moyenne de 382,000, soit 4.8 p. cent de la main-d'œuvre active. En 1971, le chiffre lugubre avait atteint 552,000, soit 6.4 p. cent. Et encore que la reprise économique semblât s'amorcer en 1971 et prendre de l'ampleur en 1972, le nombre des sans-emploi demeurait élevé de façon alarmante.

Il n'y a pas de doute que la grande partie de l'augmentation du chômage est imputable aux restrictions volontaires destinées à ralentir l'économie même si Trudeau et ses conseillers prétendent que s'ils n'avaient pas choisi de combattre l'inflation le résultat final aurait pu se solder par un chômage encore plus étendu — proposition hypothétique qui ne peut jamais être réglée avec satisfaction. Mais en plus de la contrainte, il y avait d'autres facteurs en jeu, certains évidents, d'autres à peine décelés, ce qui rend l'analyse des chiffres difficile.

Le Conseil économique s'était d'abord fixé un objectif de 3 p. cent de chômage mais le réajusta plus tard à un but medium plus pratique de 3.8 p. cent — le chiffre habituellement utilisé aux Etats-Unis.

Le Conseil fit également remarquer qu'un faible taux de chômage national dépendait de plusieurs facteurs dont le problème majeur de redresser les disparités régionales. La mise en garde était appropriée: le Canada n'a pas en fait bénéficié d'un taux de chômage plus bas que 3 p. cent depuis près de 20 ans. Lorsque le comité du Sénat sur les Finances nationales conduisirent une enquête sur les problèmes devant être résolus pour en arriver à la « Croissance, Emploi et Stabilité des prix », et recueillit les témoignages d'économistes reconnus de plusieurs pays, il conclut dans son rapport, en 1971, qu'un objectif de 4 à 4.5 p. cent serait un objectif réaliste dans l'avenir prévisible.

Au cours des cinq années 1955-59, le taux moyen fut

de 5.1 p. cent. En 1960-64 il s'éleva à 6 p. cent. En 1965-67, il diminua à 3.8 p. cent. Sous Trudeau, en 1968-71, la moyenne fut de 5.4 p. cent. Donc il est clair que le problème du chômage est normal plutôt qu'anormal et malgré la contrainte sur l'économie imposée par Trudeau, le pourcentage de la main-d'œuvre active sans emploi ne s'éloignait pas de l'expérience canadienne.

Le chômage survient lorsque le nombre d'emplois disponibles s'accroît moins rapidement que le nombre de personnes qui entrent sur le marché du travail. Le gouvernement peut influencer le rythme de croissance de l'économie qui produit des emplois. En étudiant les données démographiques il peut prévoir et se préparer à des augmentations normales de la main-d'œuvre. Mais il n'a que peu de contrôle sur les pressions sociales ou sur les modes qui font que les femmes cherchent du travail au lieu de s'occuper de la maison ou qui persuadent les jeunes d'abandonner l'école et de tenter de trouver un emploi. Tous ces facteurs influencèrent les statistiques du chômage durant l'administration Trudeau.

Dans les cinq années 1961-65, le nombre des emplois s'accrût de 2.8 p. cent par année et la main-d'œuvre active de 2.1 p. cent. Résultat: la baisse du chômage. Au cours des cinq années suivantes, 1966-70, qui comprennent les mesures déflationnistes, le nombre des emplois augmenta encore de 2.8 p. cent par année mais la main-d'œuvre s'accrût de 3.2 p. cent. Résultat: hausse du chômage. En 1971, le nombre d'emplois augmenta de 2.5 p. cent et les travailleurs de 3.1 p. cent. Résultat: encore plus de chômage.

Au fur et à mesure que plus de jeunes gens et de femmes entraient sur le marché du travail, la qualité du chômage, en tant que problème social se modifia. Lorsqu'une personne de 20 ans qui demeure chez ses parents est sans travail, la situation peut être difficile mais elle n'est pas aussi sérieuse que lorsque le soutien de famille est en chômage. De la même façon, une femme mariée qui cherche un emploi à l'extérieur de son domicile peut être frustrée si elle n'en trouve pas mais elle est sans doute en meilleure position que la célibataire qui doit subvenir à ses propres besoins.

Le nombre des sans-emploi a augmenté de 170,000 entre 1969 et 1971 mais plus de 50 p. cent étaient âgés de 17 à 24 ans et 17 p. cent étaient des femmes mariées. Seulement 50,000 du total étaient des hommes mariés.

Donc alors que le chômage demeurait un problème social urgent et une question politique aiguë, un débat national était en train de naître à propos de la signification réelle des statistiques et de ce que l'on pouvait en faire.

Le gouvernement et ses détracteurs apportèrent la même réponse au problème du chômage: Stimuler la croissance de l'économie et créer plus d'emplois pour la main-d'œuvre qui augmentait rapidement. C'était une réponse conventionnelle mais plusieurs des personnes qui adoptaient cette position un jour pouvaient être entendues le lendemain lançant des avertissements contre la pollution, le gaspillage des ressources et le cancer de la croissance pour la croissance. Un expert se chargea de mettre les points sur les « i » en disant que si la création d'emplois était le seul objectif, il n'y avait qu'à changer le modèle des automobiles deux fois par année ce qui les rendrait désuètes deux fois plus rapidement.

Certains observateurs émirent l'avis que l'augmentation dans le nombre des femmes au travail reflétait le manque à gagner des foyers où l'homme était sans emploi; d'autres suggérèrent que c'était une manifestation de la Libération de la femme. Certains affirmèrent que le nombre de jeunes gens quittant les universités sans avoir terminé leurs études et vivant aux crochets du bien-être social tout en étant inscrits dans les statistiques du chômage représentait un déclin dans l'éthique du travail, tandis que d'autres prétendirent que les jeunes voulaient réellement travailler au lieu de perdre leur temps dans des études académiques qui ne leur garantissaient plus, désormais, d'emploi.

Mais l'inquiétude quant au nombre de personnes incapables de trouver du travail dans les usines était dépassée en quelque sorte par celle de l'aliénation de plusieurs travailleurs éduqués et condamnés au travail manuel sur les lignes de production. Alors que l'objectif du travail avait été la production de la richesse, il semblait maintenant que le but de la production était de créer du travail.

Il y avait également le vieux problème des diparités régionales caché dans les statistiques nationales de l'emploi et du chômage. La stimulation de l'économie bénéficierait principalement aux centres industriels de l'Ontario où le chômage n'était pas un vrai problème. Elle aurait un impact moins important dans l'est du Québec et dans les provinces atlantiques où le taux de chômage était bien au-dessus de 8 p. cent.

En 1971-72 on tenta une nouvelle approche expérimentale au problème du chômage dans la société industrialisée et de plus en plus automatisée. Au lieu d'essayer de placer les sans-emploi dans les quelques fonctions disponibles, on invita les chômeurs à créer leur propre travail utile à la société. L'idée de base était de redéfinir la nature du travail et de payer pour des services communautaires qui, auparavant, auraient été accomplis sur une base volontaire ou pas du tout. Le programme

Perspectives-Jeunesse, à l'été 1971, fut suivi à l'hiver par le programme d'Initiatives locales et le gouvernement promit et mit en vigueur, en 1972 un programme similaire pour les personnes âgées, Horizons nouveaux. Le Conseil national du bien-être réclamant du travail communautaire pour tous les chômeurs qui le voulaient, allégua dans un rapport, en 1972: « Nous n'avons pas encore ajusté notre pensée à la notion qu'un emploi n'a pas besoin d'être désagréable et n'a pas besoin d'impliquer la production d'un produit commercial. Nous nous rattachons encore à l'idée que les activités telles que combattre les effets de la pollution, fournir des services aux citoyens âgés et améliorer la qualité de la vie de notre quartier sont de quelque manière non productives tandis que placer les bouchons sur les tubes de déodorisants au lieu de le laisser faire par des machines représente une contribution à la croissance de l'économie de la nation. »

A mesure que le chômage s'étendait dans les années soixante-dix, malgré l'expansion rapide de l'économie, il semblait plausible que de plus en plus de gens en viennent à partager ces vues.

Ce concept peut être une partie de la réponse qui permettra de réaliser le cinquième objectif, la distribution équitable de l'augmentation des revenus, ce dont nous parlerons dans le prochain chapitre.

Un jugement

C'était une mauvaise fortune pour Trudeau que de prendre la responsabilité de l'économie lorsque c'était la confusion et le choc et que les pressions inflationnistes étaient déjà fortes. Il répliqua par des politiques qui

240

n'étaient pas cruelles, effrayantes ou choquantes mais simplement conventionnelles — bien identifiées à la tradition du dernier quart de siècle.

Ne rien faire ne fut jamais une option réaliste. Encore que le Canada importât des hausses de prix d'économies surchauffées à l'étranger et ne pût faire que peu de choses, il engendra également une bonne partie de son propre problème. En fait, la première et probablement la plus sérieuse erreur de la période Trudeau fut d'avoir été trop complaisante plutôt que trop inquiète dans la deuxième partie de 1968 lorsqu'on adoucit prématurément la politique monétaire. A partir de là, on s'attendait fortement dans tous les secteurs à des hausses de prix continuelles et si Ottawa n'avait pas réagi par des mesures fermes, ces hausses auraient pu tourner à l'escalade devenant un problème beaucoup plus sérieux.

Confronté avec le problème familier de l'inflation, Trudeau le combattit avec les armes familières des restrictions fiscales et monétaires. L'un des désavantages inéluctables de ces armes était qu'ils frappent le plus fort sur les impuissants et les innocents en marge de l'économie — les travailleurs non syndiqués, les petits hommes d'affaires et les régions défavorisées. Mais il était plus facile de rejeter les contraintes économiques en criant au grand outrage moral qu'à proposer des alternatives convaincantes.

Il n'y avait pas de consensus national en faveur d'un contrôle des prix et des salaires en 1968, 1969 ou 1970 lorsque la compression de l'économie était à son maximum, Trudeau aurait peut-être dû s'efforcer d'utiliser son leadership pour bâtir ce consensus mais il n'est que juste de souligner qu'il recevait des avis partagés. Le Conseil économique et le comité du Sénat sur la croissance, l'emploi et la stabilité des prix n'appréciait pas beaucoup l'idée d'une politique de contrôle des revenus; le gouverneur de la Banque du Canada et la Commission des prix et revenus pensaient qu'il serait utile d'appuyer des mesures fiscales et monétaires plutôt que de les remplacer.

Lorsque Trudeau délaissa les politiques d'austérité pour se tourner vers l'expansion en 1970-71, la reprise économique se fit attendre et le taux de chômage demeura élevé. Jusqu'à un certain point, cela a peut-être reflété le manque de confiance des milieux d'affaires comme résultat des propres mesures du gouvernement: la longue période d'incertitude quant à la réforme fiscale, la Loi de la concurrence conçue pour rendre la loi contre les coalitions plus efficace et le retard à produire un état des investissements étrangers. Mais ça indiquait également que le monde des affaires et celui du travail étaient plus sceptiques et moins réceptifs aux signaux d'Ottawa qu'ils ne l'avaient été en des périodes moins sophistiquées; et que de nouvelles formes de chômage commençaient à voir le jour dans une main-d'œuvre moins socialement disciplinée.

En bref, il n'y avait pas de solutions évidentes ou faciles aux problèmes de l'inflation et du chômage et la performance de Trudeau fut ce à quoi l'on aurait pu s'attendre de tout Premier ministre conventionnel. Ce qui est piteux c'est qu'il ne fut pas capable de s'élever au-dessus de ce caractère conventionnel pour en arriver à une solution originale et peu orthodoxe.

Mais pendant que le gouvernement et ses détracteurs concentraient leur attention sur les problèmes à court terme, des difficultés potentiellement plus sérieuses et enracinées profondément dans la structure de l'économie commencèrent à émerger alors que le Canada passait des années soixante aux années soixante-dix. Le Conseil des sciences, le comité spécial du Sénat sur la politique scientifique et d'autres analystes attirèrent l'attention sur la faiblesse du secteur manufacturier de l'industrie. Sa croissance n'était pas suffisante au moment même où une expansion était la plus nécessaire afin d'employer une main-d'œuvre plus nombreuse et plus spécialisée. Le problème semblait prendre sa source dans l'état arriéré de façon alarmante de la recherche et du développement dans une économie mondiale de plus en plus dominée par la science et la technologie. Il y avait des divergences d'opinions quant aux causes et aux solutions mais l'accord était assez général à l'effet que le Canada gagnait trop sa vie en vendant ses matières premières à des économies plus avancées.

La crainte que le Canada puisse sombrer dans un rôle d'esclavage, de scieur de bois et de porteur d'eau — ou plutôt de mineur de fer et de pompeur d'huile — fut dramatiquement portée à l'attention du public lorsque le ministre des Communications, Eric Kierans décida soudainement de démissionner du cabinet, en avril 1971. Economiste remarquable et ancien président de la Bourse de Montréal, il dit à Trudeau dans sa lettre de démission: « Si le Canada veut être une puissance industrielle dans les années quatre-vingts, nous devons être prêts maintenant à protéger nos ressources et à choisir les secteurs dans lesquels nous pourrons être compétitifs au niveau international et gérer et investir dans ces ressources, physiques et humaines qui nous donneront une position de force. » A l'extérieur du cabinet, Kierans était libre de défier la sagesse conventionnelle des politiques fiscales et du développement industriel, ce qu'il fit dans une série de brillants discours. Comme minis-

tre, il ne remporta pas de succès populaire, loin de là:
sous son administration, les Postes livraient moins et
chargeaient plus. Mais en tant que critique et détrac-
teur piquant, il était brillant et respecté de tous les partis
de la Chambre.

Quoique les faits qu'il utilise puissent être mis en question et que ses idées soient parfois contradictoires, il sti-
mula la pensée politique quant aux problèmes fondamentaux de l'économie et aida à éperonner le gouvernement
pour qu'il commence à travailler sur une stratégie à long
terme de développement industriel.

La société juste

La rencontre de la pauvreté

Les Etats-Unis et le Canada redécouvrirent la pauvreté dans les années soixante. Les deux plus riches pays au monde apprirent à leur grand désarroi que malgré la croissance économique, l'opulence privée et les dépenses énormes pour la sécurité sociale, il y avait encore des millions de personnes vivant au milieu de la malpropreté et du désespoir. Le président Lyndon Johnson déclara une guerre totale et inconditionnelle contre la pauvreté, en 1964, et demanda au Congrès d'approuver un nouveau programme massif destiné à donner des chances économiques égales aux défavorisés. Le gouvernement Pearson déclara la guerre canadienne, l'année suivante, en 1965, mais le plan de combat était moins impressionnant: un secrétariat spécial de planification pour coordonner les programmes anti-pauvreté et, inévitablement, une conférence fédérale-provinciale pour discuter du problème.

La vérité était que le gouvernement était déjà sur-engagé dans des programmes de sécurité sociale et ses dépenses projetées dépassaient déjà la mesure. Le Fonds de pension du Canada, le Plan d'assistance du Canada, le Fonds de ressources pour la santé et le programme d'assurance-maladie étaient tous en préparation en même temps et les coûts dépasseraient rapidement le milliard par année. Les contribuables devenaient inquiets et le cabinet luttait pour maîtriser les dépenses. Politiquement c'était un temps pour se retrancher et réexaminer la situation plutôt qu'une période de nouveaux départs radicaux. Même si Trudeau fit campagne en 1968 pour la Société juste, on fit son éloge pour ne pas avoir fait de promesses coûteuses et on l'applaudit lorsqu'il s'écria qu'il n'y aurait plus de « choses gratuites » — soit des programmes de bien-être qui impliquaient des bénéfices sans coûts. Il dit aux provinces que le Fédéral ne produirait plus de plans tels que celui de l'assurance-maladie sans leur consentement et sa priorité en prenant le pouvoir était de contrôler le budget de façon à combattre l'inflation et restaurer la confiance dans la valeur du dollar. Dans cet effort économique on démantela discrètement le Secrétariat spécial.

Comme un bel esprit le dit si bien: le Canada avait déclaré la guerre à la pauvreté mais l'ennemi n'était pas le bon. Le manque de ressources fiscales et l'attitude du public ne pouvaient toutefois pas enterrer les faits brutaux. A l'automne de 1968, le Conseil économique indiqua: « La pauvreté au Canada est réelle. Les pauvres ne se comptent pas par milliers mais par millions. Il y en a plus que notre société peut se permettre de tolérer, plus que notre économie peut soutenir et beaucoup plus que ne peuvent réussir à soulager les mesures et les efforts existants. Sa persistance à une époque où la masse des Canadiens jouissent de l'un des plus élevés niveaux de vie au monde est une disgrâce. » Le Conseil estima qu'un Canadien sur cinq était affecté par la pauvreté.

Après trois ans d'études le comité spécial du Sénat sur la pauvreté modifia cette proportion en estimant qu'en 1971, un Canadien sur quatre était touché par la pauvreté. « A moins que nous n'agissions maintenant, cinq millions de Canadiens vont continuer à trouver que la vie est une lutte froide, amère et interminable pour la survie », concluait le rapport.

Les sénateurs étaient d'accord avec d'autres études à l'effet que la pauvreté ne pouvait plus être définie dans une société moderne simplement comme un standard de vie au-dessous du niveau de la subsistance la plus élémentaire. Comme le déclara le Conseil: « Sentir la pauvreté est, parmi d'autres choses, se sentir soi-même comme un étranger de mauvaise volonté — un véritable non-participant dans la société dans laquelle on vit. Le problème de la pauvreté dans les sociétés industrielles développées est de plus en plus considéré non pas comme un simple manque du strict nécessaire pour survivre mais comme un accès insuffisant à certains biens, services et conditions de vie qui sont disponibles à tous les autres et que l'on accepte comme constituant la base d'un niveau de vie minimum décent.

En bref, la pauvreté est relative. A mesure que le niveau général de vie s'élève, le niveau de la pauvreté s'élève également. Ceci signifie que les gouvernements ne peuvent pas éliminer la pauvreté en encourageant l'expansion de l'économie nationale dans l'espoir qu'une partie de la richesse ira aux pauvres. Ils doivent redistribuer la richesse des opulents aux pauvres s'ils veulent rétrécir le fossé.

Ils doivent s'assurer qu'en même temps que la richesse totale s'accroît, une plus grande proportion va aux pauvres qu'aux riches si la pauvreté relative doit graduellement être éliminée.

Les programmes massifs d'assurance sociale et de bienêtre et les grands concepts tels que le revenu minimum garanti pour tous ne représentent qu'une voie par laquelle les gouvernements peuvent redistribuer les revenus. Le système de taxation peut assurer que les riches paient proportionnellement plus pour les services disponibles pour tous. Des paiements de péréquation peuvent transférer les ressources d'une province où la plupart des gens sont à l'aise vers d'autres provinces où les gens ont plus de difficultés. On peut fournir directement une aide spéciale aux groupes pauvres de la population. Les programmes d'expansion régionale peuvent subventionner l'industrie pour créer des emplois dans des régions sous-développées où le taux de chômage est élevé. On peut fournir des logements dont une partie du coût est absorbée par les fonds publics aux personnes à faibles revenus.

Pour avoir une vue d'ensemble du bilan du gouvernement Trudeau dans sa lutte pour la Société juste, il est donc nécessaire de revoir plusieurs programmes. Nous avons déjà vu que la lutte menée contre les disparités régionales était une politique prioritaire majeure et qu'Ottawa a transféré des sommes de plus en plus importantes aux provinces de façon à leur permettre d'améliorer leurs services. Examinons maintenant quelques-uns des autres programmes.

La doctrine Munro

Peu après être devenu Premier ministre, Trudeau demanda au sous-ministre de la Santé nationale et du Bien-Etre, le Dr Joe Willard, de réexaminer les programmes fédéraux existants de sécurité sociale: les allocations familiales et l'aide à la jeunesse, les pensions de vieillesse, le Plan d'assistance canadien dont les subventions sont destinées à soutenir les programmes provinciaux de bien-être et d'autres. Dans quel but avaient-ils été créés à l'origine? Quelle était maintenant leur efficacité? Y avait-il des lacunes dans le système? Que recevait exactement le Canada pour ses dépenses de plus de $3 milliards par année? Il fallut un an pour rédiger le rapport Willard en trois volumes.

La nouvelle avait été largement répandue à l'époque à l'effet que le rapport recommandait l'établissement d'un plan de revenu minimum garanti, mais en fait ce n'était pas le cas. L'étude était une analyse de la situation, plutôt qu'un plan d'action. On le remit au ministre de la Santé et du Bien-Etre, John Munro, que Trudeau avait été chercher parmi les députés d'arrière-banc à l'âge de 37 ans pour en faire le dirigeant du plus grand ministère du gouvernement. En tant que député de Hamilton, la ville de l'acier, Munro avait observé les riches travailleurs de l'acier quitter la ville et s'installer dans les banlieues tandis qu'une nouvelle classe de gens venaient habiter les maisons construites autour des installations des compagnies. Parmi les nouvelles figures qui se présentaient à son bureau de comté, Munro remarqua que c'étaient principalement des défavorisés, des gens de peu d'instruction, non spécialisés, des gens âgés, aliénés, sans chance, sans possibilités, sans sécurité se ressentant de l'amertume à l'endroit de la bureaucratie du bien-être.

Il réalisa les dimensions du nouveau problème et put faire un éloquent discours à ce sujet: « Il y a un certain nombre d'années, John Donne a écrit, "Aucun homme n'est une île complète en soi; chaque homme est une partie d'un continent, une partie du grand tout". Plusieurs années plus tard, Arthur Koestler livra sa triste réplique: "Tout homme est une île qui cherche à s'attaquer au continent".

« L'aliénation à laquelle Koestler se référait, le sens de la solitude, de l'impuissance, de l'impotence même, était devenue, vers la fin des années cinquante, le côté malheureux de cette brillante pièce que constituait la société industrielle moderne de production de masse. Des milliers d'affiches scintillantes criaient "Souriez" et l'homme embarrassé se forçait courageusement à sourire voyant tous les autres sourire et de crainte de passer pour suspect s'il était le seul à ne pas sourire dans cette foule. William Lederer écrivit **A Nation of Sheep** (une nation de moutons) et David Reisman écrivit **The Lonely Crowd** (la foule solitaire) mais les affiches de néon continuaient de réclamer le "Souriez"... Mais tout à coup des milliers de voix se mirent à dire que ce que nous avions construit n'était pas le meilleur de tous les mondes possibles. Les affiches continuaient à donner leur message mais au lieu d'obéir servilement, les gens — et surtout les jeunes gens — répondaient "je hais les affiches de néon"... J'espère que nous serons assez ouverts, assez flexibles pour admettre que nous n'avons pas construit un monde parfait et qu'avec leur aide — les jeunes, les pauvres, les minorités ethniques, tous ceux qui n'ont pas "l'affaire dans le sac" — nous voulons travailler pour en bâtir un meilleur. »

Mais quel monde meilleur, et comment? Homme plissé, ridé, inquiet, trop corpulent et fumeur de cigarettes à la chaîne malgré des efforts désespérés pour arrêter, Munro travaillait durant un nombre d'heures incroyable à son bureau sur la rive de la rivière Outaouais, mais il était entouré de problèmes et de frustrations. Les provinces combattaient le nouveau programme d'assurance-santé et Québec demandait le contrôle complet de la politique sociale. Le budget montait en flèche au moment même où Trudeau désirait l'austérité pour l'équilibrer parce qu'entre autres les comptes du nouveau plan prodigue de santé et de bien-être adopté sous Pearson inondaient le gouvernement à un rythme alarmant. Au comité du cabinet sur la Politique sociale, le ministre du Travail, Bryce Mackasey, poussait son plan de nouveau programme d'assurance-chômage. Lorsque des rumeurs se répandirent, tard en 1969, que Mackasey pourrait démissionner à moins qu'on ne lui donne la priorité dans les dépenses, Munro et précipita au bureau de Mackasey et ce fut une querelle enflammée dont Mackasey sortit vainqueur. Munro considéra brièvement de quitter son poste et de se lancer en politique ontarienne.

L'opinion politique générale du cabinet était que les contribuables, en proie à un certain ressentiment, n'étaient pas prêts à accepter de grands programmes nouveaux de sécurité sociale. Munro fut d'accord à moitié parce que les partis de l'Opposition ne forçaient pas dans ce sens; et lorsqu'il invita quelques journalistes reconnus à dîner à l'hôtel Skyline, en 1970, afin de sonder le terrain et laisser entendre qu'il appuierait une attitude plus progressive, il découvrit que la plupart d'entre eux partageaient l'avis que les taxes étaient déjà trop élevées.

Lorsqu'il présenta son Livre blanc sur la Sécurité du

revenu pour les Canadiens, en novembre 1970, il s'avéra que c'était un document prudent, proposant principalement, la redistribution des dépenses existantes et une addition d'environ $200 millions seulement en nouveaux fonds. La stratégie était de convertir le plan universel qui versait des bénéfices à tout le monde, en plans sélectifs qui n'apporteraient de l'aide qu'aux personnes dans le besoin. Ainsi les allocations familiales devaient être coupées pour les familles dont les revenus atteignaient $10,000 et plus mais doublaient pour les familles à très faibles revenus. On prévoyait geler les pensions de vieillesse à leur niveau en ajoutant toutefois un supplément de revenu garanti pour ceux qui n'avaient aucun autre revenu.

Munro estima qu'un programme complet de revenu garanti coûterait entre $800 millions et $2.5 milliards, dépendant du niveau auquel on établirait la ligne de pauvreté, et cela en plus des $4.5 milliards déjà dépensés pour des plans de sécurité du revenu par les gouvernements fédéral et provinciaux, ce qui semblerait hors de portée tant au niveau politique qu'économique. Mais son propre plan fut assez mal reçu par la presse et l'opinion publique ainsi que les provinces. En juin 1971, il présentait une nouvelle version améliorée qui ajoutait $150 millions au plan initial. Mais il fut alors mis en veilleuse en raison des négociations constitutionnelles avec le Québec et Munro ne réussit pas à présenter sa nouvelle législation aux Communes avant le printemps de 1972 — quatre années complètes après que Trudeau ait commandé le rapport Willard et au moins 12 mois avant qu'elle ne soit mise en vigueur.

Son plan de sécurité du revenu familial, dans sa forme finale, proposait d'augmenter les allocations à $15 par mois par enfant de moins de 12 ans et à $20 par mois pour les jeunes de 12 à 17 ans. Au fur et à mesure que le revenu familial s'améliorerait les allocations diminueraient. Pour une famille avec un revenu de $5,500 par année et trois enfants âgés de 7, 9, et 14 ans, cela impliquerait des allocations mensuelles augmentées de $20 à $50 par mois. Munro estima qu'environ 1,250,000 familles pourraient bénéficier complètement du nouveau programme: 620,000 verraient leur situation améliorée et 580,000 ne seraient pas touchées; et plus d'un million de familles dans les échelles de revenus plus élevées perdraient des bénéfices. Le résultat global serait la redistribution de plusieurs centaines de millions de dollars parmi les familles à plus faible revenu.

C'était une réforme utile mais très éloignée d'une révolution. Les critiques soulignèrent que l'augmentation du coût de la vie avait déjà grugé une partie des nouveaux bénéfices.

Trudeau admit qu'il y avait un danger d'utiliser des plans sélectifs plutôt qu'universels, parce que cela pourrait créer des distinctions de classes. Et les épouses de la classe moyenne se plaignaient, faisant valoir qu'en perdant les chèques d'allocations familiales qui leur étaient adressées, elles perdaient la seule petite source de revenu qui ne leur venait pas de la poche de leur mari.

Le Livre blanc de Munro avait également proposé une amélioration des pensions de vieillesse et le gouvernement passa deux fois à l'action pour se concilier les faveurs de ce groupe politique en puissance, de deux millions d'électeurs. On augmenta la pension de vieillesse de base de $75 à $80 et on l'ajusta plus tard pour qu'elle corresponde à l'augmentation du coût de la vie, de sorte qu'elle avait atteint environ $83 par mois en 1972. Mais le supplément du revenu garanti passa de $35 à $55 et à $70 pour les personnes sans revenu privé — reflétant encore l'approche sélective destinée à concentrer l'aide aux personnes dans le besoin. Le résultat fut de garantir $150 par mois à une personne seule et $285 par mois à un couple. Il y avait également des exemptions d'impôt pour les personnes âgées, et dans la plupart des provinces, des programmes fédéral-provincial leur fournissait gratuitement l'assurance-santé et les médicaments. Munro promit, en 1972, la création du programme Horizons nouveaux, mis sur pied pour fournir les ressources monétaires de base aux pensionnés qui désiraient lancer des projets communautaires ou d'affaires — un concept de Perspectives pour les personnes âgées.

L'immense ministère de Munro aida également à financer les principaux services de santé offerts par les provinces, et les coûts des programmes d'assurance-hospitalisation et d'assurance-santé croissaient à un rythme alarmant de 10 à 15 p. cent par année. Sa priorité fut de mettre au point avec les provinces une formule qui permettrait de contrôler les coûts et il proposa une réforme de grande envergure dont les objets étaient: (1) Annuler la législation fédérale qui établit des normes rigides pour les plans, afin de permettre aux provinces d'utiliser plus de marge de manœuvre dans l'organisation de leurs propres systèmes de santé; (2) Poursuivre les contributions fédérales aux plans de santé à un rythme basé sur l'accroissement du Produit national brut; (3) Fournir un fonds spécial de $640 millions sur une base de cinq ans afin d'encourager les expériences dans les nouvelles méthodes telles que les cliniques communautaires et le personnel paramédical. Munro laissa entendre que lorsque les coûts et les budgets seraient sous contrôle, il serait prêt à parler d'assurance pour les soins dentaires et les médicaments.

A la rescousse des chômeurs

Comme l'attention était principalement tournée vers Trudeau au cours des premières années de son administration il était difficile pour les ministres de sortir de l'ombre et de se faire valoir, de bon droit comme des personnalités publiques et politiques.

Un qui réussit à le faire fut Bryce Mackasey, le ministre du Travail puis de la Main-d'œuvre et de l'Immigration. Pendant que ses collègues engageaient des officiers de relations publiques pour les conseiller sur l'aspect public de leur personnalité, Mackasey mit son haut-de-forme et conduisit la parade de la Saint-Patrice à travers les rues de Montréal en portant un gourdin et il annonça qu'il venait de régler une grève dans ce communiqué mémorable: « Eh bien, le vieux patron a encore fait le coup.» Loquace de nature, il était l'une des seules sources de commérage politique à l'époque où Trudeau avait ordonné à ses ministres de garder la bouche fermée, et même si ses indiscrétions causaient parfois de l'embarras et des difficultés, il faisait plus que se reprendre par la couleur, l'éclat et la chaleur qu'il apportait dans un cabinet de technocrates. Trudeau, de toute évidence, l'évaluait plus par ses forces politiques que par ses faiblesses et le traitait avec affection, le visitant à l'hôpital lorsque Mackasey était obligé de s'y rendre de temps à autre en raison de son cœur qui supportait difficilement les grandes tensions. Derrière cette façade de politicien irlandais de la vieille garde, l'homme du peuple rempli de flagorneries à propos de ses années passées dans les cours de chemins de fer de Montréal et dans l'arène de boxe — Mackasey était un homme intensément ambitieux. Il réussit à se faire admettre au cabinet en persuadant Pearson qu'il devrait avoir un représentant de la classe ouvrière des anglophones du Québec puis s'agrippa fermement à Trudeau. Récompensé par le ministère du Travail, il laissa un dossier impressionnant comme juge perspicace du choix du moment propice à une intervention personnelle dans le règlement d'une grève et il fit passer au cabinet en pleine austérité une des principales pièces de législation sociale du gouvernement.

L'ancien plan d'assurance-chômage ne protégeait que les travailleurs qui gagnaient jusqu'à $7,800 par année, incluant ainsi tous les cas les plus risqués et excluant tous les groupes de la classe moyenne qui étaient les plus en mesure de payer les primes et les moins susceptibles d'en retirer les bénéfices, ce qui signifiait que les nouveaux arrivants sur le marché du travail et ceux qui souffraient régulièrement du chômage n'avaient droit qu'aux bénéfices les moins élevés. Mackasey fit disparaître cela et présenta un nouveau programme doté de plusieurs éléments progressifs. Il étendait la couverture à tous les employés, ajoutant ainsi 1,200,000 personnes au plan et permettant par voie de conséquence de réduire les primes. On augmenta les bénéfices jusqu'à concurrence des deux tiers du revenu habituel, avec un maximum de $100 par semaine.

La période de temps pendant laquelle les bénéfices étaient payés n'était plus rattachée aux contributions mais au niveau du chômage: lorsque le chômage était élevé et que les chances de dénicher un emploi étaient faibles, on étendait la période des bénéfices. Le nouveau plan prévoyait également des bénéfices lorsqu'une personne était temporairement sans emploi à cause de la maladie ou de la maternité. Selon ce plan, les primes étaient payées par les employés et les employeurs tant que le chômage demeurait peu élevé mais aussitôt qu'il franchissait le cap du 4 p. cent, le gouvernement commençait à contribuer au rythme d'environ $100 millions pour chaque 1 p. cent d'augmentation du chômage. Mackasey voyait cela non seulement comme un moyen de faire fonctionner le plan dans les périodes difficiles mais aussi comme un mécanisme permettant au gouvernement d'injecter de l'argent dans l'économie lorsqu'elle fonctionnait au ralenti et couper cette manne temporaire sans difficulté lorsque l'emploi et les affaires reprenaient leur cours normal. Statistiques Canada indiqua que les paiements d'assurance-chômage furent plus élevés de $74 millions, en avril 1972, que l'année précédente, « en raison principalement de la hausse dans le taux d'ajustement basé sur la nouvelle loi ».

La bataille fiscale

Dans le feu des élections, en 1962, le Premier ministre Diefenbaker tenta d'obtenir l'appui des milieux d'affaires en annonçant soudainement qu'il instituerait une Commission royale d'enquête sur la réforme fiscale. Ça ne lui fit pas grand bien politiquement mais ça précipita le pays dans une mésaventure de 10 ans de réforme sociale.

Kenneth L. Carter, un distingué comptable agréé de Toronto fut nommé à la tête de la commission et il engagea un personnel de recherche de 150 avocats, comptables et économistes. Lorsque la commission termina son travail, en 1967, elle produisit un rapport de 2,600 pages en six volumes qui ne proposait pas seulement une réforme fiscale mais une révolution fiscale. Le principe central devait être l'équité. Au lieu d'avoir différents taux d'impôt sur différents types de revenus, un dollar devait être un dollar, taxé au même taux, qu'il soit gagné, hérité, obtenu de loyers ou de profits ou même reçu en cadeau.

C'était d'une simplicité attrayante et juste en théorie mais les implications pratiques indisposèrent les hommes d'affaires, les avocats spécialisés en fiscalité et les politiciens. Mitchell Sharp, qui était alors ministre des Finances, annonça, en novembre 1967, qu'après avoir reçu les mémoires et les commentaires des parties intéressées, le gouvernement présenterait un Livre blanc contenant ses propositions à la suite du rapport Carter. Il reculait déjà cependant devant les propositions parce qu'il souligna quatre réserves.

Il était difficile de prévoir tous les effets d'un renversement aussi complet que celui préconisé par les propositions de la commission. Le nouveau système serait très différent de celui des Etats-Unis avec lequel le Canada partageait un marché capital. Le plan ne permettrait peut-être pas d'épargne suffisante pour promouvoir le développement. Il y avait également des inquiétudes que le plan affecte les industries régionales et particulièrement le domaine des mines et du pétrole. On envoya des centaines de mémoires. Le lobby des avocats en fiscalité et de l'industrie tournoyait autour du ministère des Finances avec anxiété.

Lorsque Trudeau prit les commandes de l'Administration, Edgar Benson fut nommé aux Finances et hérita du travail de la réforme fiscale. En tant que comptable à Kingston il avait beaucoup appris des lacunes de la loi et était enthousiaste à l'idée de les combler et de transférer une partie du poids des impôts porté par les groupes à faible revenu, poids disproportionné d'ailleurs, aux riches.

Le soir où il présenta son Livre blanc, sous une couverture gaie rouge et blanche, aux Communes — le 7 novembre 1969 — il installa un bar dans son bureau et fit la distribution des canapés pour célébrer l'événement. Je lui ai parlé dans une petite pièce adjacente meublée d'un divan où il pouvait se reposer en paix lorsque la pression devenait trop forte. Mais ce soir-là Benson était détendu, un verre de whisky dans une main et l'inévitable pipe dans l'autre. Il se vanta de son Livre blanc en disant: « C'est un document très libéral. Tout là-dedans est fait pour le petit homme ... Je vais me faire donner le diable par les corporations, les grosses et les petites. Vous voyez, je m'attends à cela et je ne suis pas inquiet. » L'objectif était de ne plus faire payer d'impôt à 750,000 Canadiens, de réduire les taxes de 3,000,000 d'autres et de compenser cette perte de revenus en haussant les impôts des groupes moyens et supérieurs de revenus — incluant, pour la première fois, une taxe sérieuse sur les gains de capitaux. Même si Benson avait abandonné plusieurs des propositions de Carter, il se faisait le défenseur de plusieurs changements majeurs dans les méthodes de taxation des milieux d'affaires.

Benson présenta son Livre blanc comme un document de discussion plutôt que comme une politique établie et on commença bientôt à l'engueuler de tous les côtés. En plus des associations régulières d'hommes d'affaires et des professionnels de la coulisse, on forma des comités spéciaux à Toronto, London, Vancouver et ailleurs afin de s'opposer aux propositions de la réforme fiscale en la qualifiant de socialiste et en la considérant comme une menace à la petite entreprise et à la classe moyenne. Les provinces ne tardèrent pas à se joindre à cet ensemble de critiques et l'Ontario, en particulier, fit valoir que lorsqu'elle fit analyser les plans par ses ordinateurs les chiffres faisaient croire que Benson tentait d'augmenter les revenus du Fédéral sous le déguisement d'une réforme.

Le courrier qui apportait régulièrement des lettres dans une proportion de 20 pour une en faveur du Livre blanc changea complètement de tendance lorsque la campagne de l'opposition prit de plus en plus de force et des histoires montées de toute pièce pour affoler les gens commencèrent à se répandre à l'effet que des fonctionnaires pénétreraient bientôt dans tous les foyers pour évaluer les biens aux fins de l'impôt sur le capital. Lorsqu'un comité des Communes entreprit des audiences publiques, les députés libéraux furent assaillis de protestations et plusieurs se rangèrent bientôt du côté des conservateurs afin de demander des changements. Le comité du Sénat qui tenait des audiences parallèles était composé en majorité d'hommes plus âgés qui avaient très bien réussi dans le système: entre eux ils accaparaient 150 directorats de compagnies et des millions de dollars en actifs. Tout en ayant été injuste de croire à la corruption, il aurait été aussi naïf d'attendre beaucoup de zèle de leur part à la défense d'une réforme radicale.

La cause de Benson ne fut pas aidée par le fait qu'il y avait des lacunes sérieuses dans ses propositions qui affaiblissaient la crédibilité du plan au complet. Et lorsque l'on fit disparaître toutes les « décorations » le résultat fut que l'on ne faisait en fin de compte qu'une réduction de $150 millions du fardeau fiscal des groupes à faible revenu. C'était une partie de réforme utile mais on aurait pu y arriver par le procédé régulier du budget sans semer la pagaille dans tout le système fiscal.

Lorsque Benson présenta finalement sa réforme fiscale en juin 1971, il avait accepté plusieurs des critiques et modifié substantiellement ses propositions originales — s'éloignant encore plus des concepts de Carter. Il fit toutefois valoir, malgré tout, que le nouveau système permettrait à un million de Canadiens de ne pas payer d'impôt tout en réduisant celui de 4.7 millions d'autres. Selon un calcul, l'effet général serait de réduire l'impôt des particuliers d'environ $300 millions sur les revenus atteignant jusqu'à $15,000 par année.

Le Parlement approuva finalement la loi à la fin de 1971, 10 ans après la promesse d'une réforme fiscale livrée par Diefenbaker. Avec la mise en vigueur du nouveau système, en 1972, les experts en taxation se plaignaient que certaines parties de la loi étaient tellement complexes que personne ne pouvait être certain de leur fonctionnement et Benson promit d'apporter plusieurs autres amendements pour clarifier les détails.

Il déclara que toute la procédure avait été un exercice de démocratie de participation et d'une certaine façon c'en fût un. Une des leçons fut cependant que le processus politique est pipé en faveur des riches et de ceux qui savent manipuler les leviers du pouvoir. Le Parlement ne représentait pas vraiment le pauvre et le sans-voix.

La deuxième leçon est que la Commission Carter et le gouvernement tentèrent d'en faire trop à la fois. Ils auraient pu faire plus de progrès plus facilement, étape par étape.

Le pouvoir rouge

Un an après avoir gagné les élections avec le slogan de la Société juste, le gouvernement présentait la première de ses grandes politiques: un livre aux couleurs voyantes, vert et orange, proposait une approche radicalement différente des problèmes du quart de millions d'Indiens du Canada. Ce n'était pas un accident que l'on accorde la priorité à cette question particulière. Trudeau avait voyagé dans le Nord et avait pu observer les conditions aberrantes dans lesquelles vivaient la majorité des Indiens et on l'avait mis en garde durant la campagne électorale que de nouveaux leaders émergeaient de cette minorité déprimée — des hommes en colère qui lancèrent l'avertissement que le Pouvoir Rouge pourrait éclater avec la violence du Pouvoir Noir aux Etats-Unis. On l'avisa également que la condition des Indiens commençait à causer un embarras pour la diplomatie canadienne: les gouvernements étrangers disaient vertement au Canada de s'occuper de ses propres minorités avant, présumément, de donner son avis, par exemple, sur le traitement du peuple Ibo au Nigeria.

Trudeau nomma deux jeunes ministres pour s'attaquer au problème indien: Jean Chrétien pour diriger le ministère existant des Affaires indiennes et Robert Andras pour l'aider à développer une politique complètement nouvelle. C'était un arrangement boîteux et les deux hommes ambitieux en arrivèrent bientôt à des intentions divergentes. Chrétien avait à supporter la responsabilité finale et le fardeau des retranchements bureaucratiques, la loi comme elle était et la vieille méthode de faire les choses tandis qu'Andras buvait de la bière avec les Indiens dans des chambres d'hôtel minables gagnant leur sympathie et devenant de plus en plus radical en cours de route. Lorsque le conflit entre les deux ministres commença à se manifester en public, Andras fut muté. Mais le propre personnel du Premier ministre joua un grand rôle dans l'établissement de la politique indienne et Trudeau lui-même consacra plus de temps à ce sujet qu'à tout autre au cours de sa première année de pouvoir.

La déclaration de politique — délicatement, on ne l'avait pas appelée un Livre blanc — lorsqu'elle fut publiée, comprenait une admission candide que les 100 années d'administration fédérale des affaires indiennes avaient été un désastre et contenait aussi une description de l'état de dépendance dans lequel avait été plongés les Indiens.

« Etre un Indien c'est ne pas avoir de pouvoir — le pouvoir de dépenser son argent et, trop souvent, le pouvoir de modifier sa condition. Pas toujours, mais trop souvent, être un Indien c'est être dépourvu — dépourvu d'emploi, d'une bonne maison, de l'eau courante; sans instruction, entraînement ou métier et, par-dessus tout, sans ces sentiments de dignité et de confiance en soi qu'un homme doit posséder s'il veut marcher la tête haute . . . »

La déclaration de politique suggérait d'abolir le système selon lequel les Indiens dépendaient d'Ottawa, gouvernés par des lois spéciales et séparés des autres Canadiens par des services scolaires et hospitaliers différents. La politique préconisait le rejet de la Loi des affaires indiennes, la fermeture du ministère dans quelques années et la remise des pouvoirs aux bandes indiennes, pouvoirs qu'avaient exercé les ministres à leur place. En tant que citoyens de plein droit, les Indiens obtiendraient leurs services des gouvernements provinciaux, comme tout le monde, mais pourraient bénéficier d'une aide spéciale du gouvernement fédéral pour développer leurs ressources économiques. Eventuellement, chaque Indien serait en mesure de faire un choix pratique entre l'assimilation à la société blanche et la réserve où vivrait une minorité ethnique distincte mais intégrée à la mosaïque canadienne.

Cette politique était admirable sous tous ses aspects sauf un et ce dernier fut fatal: elle avait été conçue et écrite par un gouvernement blanc. Malgré une tentative élaborée de consultation du peuple indien, les fonctionnaires et les politiciens ne faisaient que commencer à comprendre comment il était difficile de communiquer à travers une barrière culturelle. Le document ne pouvait représenter les aspirations indiennes ne serait-ce que du simple fait que les Indiens ne venaient que de commencer à identifier leurs griefs et à formuler leurs objectifs. On attaqua bientôt férocement la politique Trudeau-Chrétien. Le critique le plus articulé était Harold Cardinal, un chef indien de 24 ans, de l'Alberta, qui avait appris l'art des tactiques politiques dans l'Union canadienne des étudiants. Avec l'aide d'un journaliste du magazine **Time,** il rédigea un livre sous le titre de « **La Société injuste** » (M. G. Hurtig Ltd.) dans lequel il disait: « Des générations d'Indiens ont grandi derrière le rideau de peau de daim de l'indifférence, l'ignorance et, trop souvent la bigoterie planifiée. Maintenant, au moment où nos concitoyens canadiens considèrent la promesse de la Société juste, une fois de plus les Indiens du Canada sont trahis par un programme qui n'offre rien de mieux que le génocide culturel. » Derrière les phrases brûlantes du livre, il y avait un modèle d'argument révélateur. Cardinal n'était pas fondamentalement en désaccord avec les propositions de la politique gouvernementale:

264

il ne faisait simplement pas confiance à l'homme blanc d'appliquer ces propositions en toute bonne foi.

Le même thème de méfiance s'étalait tout au long du Document Rouge que les Indiens d'Alberta, appuyés par la Fraternité nationale des Indiens, présentèrent à Trudeau et à Chrétien dans la salle historique du Comité des chemins de fer, sur la colline parlementaire, en juin 1970. Si Cardinal et ses collègues s'attendaient à rencontrer un arrogant Premier ministre blanc, ils durent être surpris. Après avoir écouté leurs attaques, Trudeau répondit: « . . . Nous avons fait de notre mieux pour tenter de solutionner ce problème, avec les moyens, les esprits, les instruments et l'assistance dont nous disposions. Eh bien maintenant, la prochaine étape est arrivée, celle où le peuple indien a regardé ce que nous avons fait et a dit "Ce n'est pas bon". Et je suis certain que nous avons été très naïfs dans certaines des déclarations que nous avons faites dans ce document. Nous avions peut-être les préjugés de petits libéraux, et d'hommes blancs de surcroît, qui pensaient que l'égalité signifiait la même loi pour tout le monde et c'est pourquoi en voyant le résultat, nous avons dit: Bien, abolissons la Loi indienne et faisons des Indiens des citoyens comme tous les autres. Et laissons les Indiens disposer de leurs terres comme tous les autres citoyens. Et assurons-nous que les Indiens peuvent obtenir leurs droits à l'éducation, à la santé et ainsi de suite, des gouvernements, comme tous les autres Canadiens. Mais nous avons appris en cours de route que nous étions peut-être un peu trop théoriques, un peu trop abstraits, nous n'avons peut-être pas été, comme l'a laissé entendre M. Cardinal, assez pragmatiques et assez compréhensifs . . . Nous nous rencontrerons de nouveau et poursuivrons le dialogue et laissez-moi vous dire que nous ne sommes pas pressés, si vous ne l'êtes pas. Vous savez, 100 ans c'est long et si vous ne voulez pas une réponse dans un an, nous en prendrons deux, trois, cinq, 10 ou 20 — le temps que vous vous décidiez à vous attaquer à ce problème. Et nous ne vous imposerons pas une solution parce que nous ne cherchons pas de solution particulière. » Trudeau abandonna la politique indienne et l'on interpréta cela comme une défaite à cette époque. Mais ça prouva réellement que les Indiens n'étaient plus impuissants, sans aucun pouvoir et dépendants. Ils pouvaient venir à Ottawa, confronter le Premier ministre et gagner.

Pendant que les fraternités provinciales travaillaient à préparer leurs propres propositions — et certaines n'étaient pas encore complétées en 1972 — Chrétien développa de nouvelles politiques conçues pour les aider à acquérir de la confiance et de l'expérience. Il déclara aux Communes, en novembre 1971, que les dépenses pour les programmes indiens avaient doublé passant de $122 millions en 1967-68 à $256 millions en 1971-72.

Les contributions fédérales à des organisations indiennes pour couvrir les frais de bureau, de personnel et d'autres dépenses totalisaient $2.7 millions, en 1971. Les bandes indiennes et d'autres groupes locaux se chargèrent à la place d'Ottawa de la gestion de programmes de développement communautaire de $30 millions par année. Le nombre d'Indiens employés par le ministère des Affaires indiennes passa de 770 à 1,700.

Cardinal avait souligné à Ottawa l'importance primordiale que les Indiens attachaient à leurs droits en vertu des Traités. Cependant que le gouvernement avait tendance à les considérer comme désuets et comme des arrangements plutôt obscurs qui ne pouvaient être de beaucoup d'utilité pour solutionner les vrais problèmes dans les circonstances modifiées par le temps, les Indiens semblaient s'y accrocher comme au dernier haillon de leur dignité — la preuve qu'un peuple confiant avait été trompé et à qui l'homme blanc avait enlevé ses droits de naissance. Rien ne pouvait finalement se régler avant de se conformer aux droits inclus dans les traités. Un problème majeur était que plusieurs Indiens avaient été déplacés de leurs terres sans recevoir un traité en échange. Ils n'avaient que des droits aborigènes, ce qui ne voulait pas dire grand-chose ou bien qu'ils étaient encore propriétaires de tout ce qui se trouvait sur leurs terres historiques, dépendant des interprétations légales et morales. Le gouvernement nomma un commissaire aux titres afin d'aider les Indiens à rechercher leurs droits de traité et formuler des requêtes et donna $500,000 à la Fraternité nationale des Indiens pour qu'il fasse ses propres recherches mais Trudeau ne voulait rien entendre de droits aborigènes non écrits. Il expliqua en réponse à une question à Toronto, en 1971: « Nous avons dit qu'en ce qui concerne les droits aborigènes, nous ne pouvons refaire le passé et nous ne pouvons pas souhaiter que nos ancêtres n'aient pas massacré les Indiens et dans certains cas aient été massacrés par eux; nous ne pouvons pas souhaiter non plus qu'ils ne vous aient pas chassés de vos terres sans signer la sorte de traité nécessaire, et ainsi de suite. Nous sommes tristes que ça soit arrivé, mais certains d'entre nous sont également inquiets des Plaines d'Abraham et nous ne demandons pas de compensations pour cela — et je ne dis pas cela à la rigolade. Vous savez, si n'importe quel gouvernement tentait de refaire le passé, nous n'aurions plus de nation, nous n'aurions plus de

267

pays. » Il ajouta qu'un cas-type était devant les tribunaux et commenta: « Il est possible qu'une cour quelconque décide que le droit aborigène a une certaine valeur légale et si c'est exact ça va nous coûter un sacré paquet d'argent pour racheter le pays des Indiens au prix que ça coûte aujourd'hui — et c'est un bon signe. »

La brèche dans l'argumentation sembla que tout en admettant que le concept des droits aborigènes puisse miner le concept de la nation ou du pays, les Indiens n'avaient jamais été encouragés à se sentir membres de la nation canadienne et partenaires du pays. Et cependant qu'il en coûterait des sommes très importantes pour rencontrer les exigences des Indiens, l'argent devrait sans doute être dépensé de toutes façons pour réparer les négligences du passé et permettre aux Indiens d'atteindre une quelconque parité avec les autres Canadiens. Le Comité du Sénat sur la pauvreté indiqua, en 1971, que les Indiens ont une espérance de vie de 36 ans comparativement à 62 ans pour les Canadiens en général, et déclara: « Les conditions dans lesquelles ils vivent — habitation minable, hygiène, services scolaires et de santé — sont pires que même les pires de toute grande société ... leur condition est une tache sur le dossier canadien et une source de honte pour tous les Canadiens. »

Présentant son programme 1972-73 au comité des Communes sur les Affaires indiennes, Chrétien déclara: « Au cours des quatre dernières années ce gouvernement a mis en marche le développement de programmes et de politiques qui permettent au peuple indien d'espérer en un meilleur style de vie. Ce n'est qu'un commencement. Ce que nous avons fait c'est de faire démarrer le processus par lequel on pourra découvrir ce style de vie ... Seules les solutions qui impliquent les Indiens dans les décisions fondamentales ont quelque chance d'être acceptées et de remporter un succès à long terme. »

C'était une déclaration modeste pour un ministre qui avait survécu à quatre dures années dans un ministère qui avait été successivement dirigé par huit ministres au cours des huit années précédentes. Et plus Chrétien remportait de succès en aidant les Indiens à s'organiser et à être plus articulés dans leur perception des problèmes, plus il recevait d'insultes. Il était capable de le supporter en partie parce qu'il savait ce que l'on peut ressentir en faisant partie d'une minorité. Lorsqu'il fut élu au parlement, en 1963, il ne parlait pas un mot d'anglais et faillit démissionner en désespoir de cause. Aujourd'hui, il aime encore s'appeler le « **maudit pea soup** ».

L'habitation et la crise urbaine

Même si les Canadiens sont devenus habitués à se plaindre de la « crise du logement », la vérité est que la majorité ont de meilleures maisons qu'ils n'en ont jamais eues et la nation, de façon générale, est peut-être la mieux logée au monde. Une monographie préparée pour le ministre fédéral de l'Habitation comme partie d'une étude plus générale sur les problèmes urbains et publiée en 1971 établissait un tableau de la situation:

La nation disposait de plus d'unités de logement que jamais auparavant et l'industrie de la construction relevait le défi d'atteindre l'objectif fixé par le Conseil économique.

Les revenus correspondaient ou étaient plus élevés que les prix du logement et environ 4 p. cent seulement des familles partageaient le même logis.

Mais: « Dans la mesure où il y a vraisemblablement un

groupe de familles à faibles revenus demeurant ou qui demeuraient précédemment dans des habitations devant être démolies et qui ne pourront pas ou ne seront pas capables de trouver un logement satisfaisant comme compensation, il y a un problème du logement — ou plus précisément un problème de revenu et de pauvreté;

« Dans la mesure où nos transports, nos services, nos zonages, notre taxation et notre construction continueront d'exister selon nos politiques actuelles, obscures ou inexistantes, nous aurons très certainement à faire face dans l'avenir à une crise du logement. Nous ne sommes pas encore dans cette période de crise, toutefois, et une politique rationnelle et concertée peut la prévenir. »

Le problème du logement, en bref, en était un partiellement de pauvreté et partiellement un élément de la crise urbaine plus vaste et plus complexe.

Le Conseil économique mesura le problème de la pauvreté dans son rapport de 1967 lorsqu'il déclara qu'environ un million de Canadiens vivaient dans des logements qui ne répondaient pas aux normes courantes. Le rapport du Sénat sur la pauvreté décrivit les faits amers derrière les froides statistiques en publiant une lettre d'une femme de Toronto qui disait:

« Nous avons déménagé six fois en deux ans, devant constamment échapper à la vermine et à la cupidité des propriétaires Si je me plaignais, on me donnait l'avis de partir. Personne ne voulait de quatre filles . . . Nous étions presque gelés dans un appartement que nous avons dû quitter en décembre. J'ai choisi cet endroit parce qu'il y avait un thermostat. Nous sommes au chaud maintenant. Nous sommes encore au troisième étage. Le plâtre tombe des plafonds et des murs. Il y a un besoin urgent de peinturer. La toilette ne fonctionne pas comme il faut. Il n'y a qu'une prise électrique dans la chambre centrale et nous devons nous servir d'un raccord de 200 pieds pour desservir toutes les pièces et nous butons constamment contre ces fils. La lumière dans la salle de bains ne fonctionne pas et nous devons utiliser un raccord en passant à travers deux fenêtres pour l'éclairer. L'endroit est infesté de coquerelles. Le propriétaire a promis de redécorer avant Noël, mais il n'a rien fait si ce n'est poser un évier. »

La crise urbaine était beaucoup plus difficile à décrire et à mesurer dans les années soixante.

Tout le monde savait que les villes — Toronto, Montréal et Vancouver — prenaient une expansion foudroyante mais était-ce bon ou mauvais? Cela promettait des emplois, de la richesse et un côté sophistiqué — soit le fait d'être au nombre des grandes métropoles du monde avec New York, Londres et Tokyo. Mais ça voulait également dire l'agrandissement des banlieues et la pagaille pour s'y rendre, la congestion de la circulation, le conformisme, le déplacement, les autoroutes, la pollution, la vie dans les édifices en hauteur, la destruction brutale du passé pour faire place au redéveloppement. Même les experts ne comprenaient pas les dynamiques de l'exposition urbaine et ce n'est pas avant la fin de la décade que le public commença à s'interroger réellement sur la qualité de la vie urbaine et à rechercher quelque moyen pour en limiter la croissance.

L'homme qui se prépara à s'attaquer au double problème du logement et des affaires urbaines pour le gouvernement Trudeau était Paul Hellyer. Il s'était fait élire aux Communes en 1949 alors qu'il n'avait que 25 ans et était ministre au cabinet à l'âge de 32 ans. Ayant perdu le pouvoir pendant quelques années il fit fortune dans la construction domiciliaire de banlieue à Toronto, faisant preuve de plus d'imagination et d'intégrité que la plupart des entrepreneurs, puis revint en poste avec le gouvernement Pearson, en 1963. Nommé au ministère de la Défense, il décida qu'une force militaire unifiée aurait plus de sens tant au niveau de la logistique que de la gestion et passa par-dessus l'énorme influence de la tradition pour mettre son plan de rationalisation en vigueur.

Le secret des succès de Hellyer réside dans le fait qu'il apporta à la chose publique le zèle d'une conviction religieuse privée. Il pouvait voir un problème dans un angle étroit et s'y attaquer avec une énergie et un sens du devoir qui ne laissaient que peu de place au doute et à l'hésitation. Un fervent partisan de l'entreprise privée à ses propres yeux, il sembla néanmoins offensé par le chaos extérieur du système capitaliste et développa certaines idées simplistes sur la façon dont l'Etat devrait rétablir l'ordre et la compétition en contrôlant les principaux prix et salaires. Préoccupé par le bien-être de l'homme de la rue, il était personnellement anxieux d'organiser une campagne massive de construction de logements. Afin d'obtenir le pouvoir nécessaire pour mettre ses plans à exécution, il se prépara à devenir Premier ministre et était prêt à déclencher sa campagne aussitôt que Pearson annonça sa retraite. La machine de la campagne fonctionnait avec force et précision lorsque tout à coup, en semant la fureur, Trudeau entra dans la course.

Devant les yeux incrédules de Hellyer, ce récent converti s'empara du parti libéral — le fit littéralement sauter des mains de Hellyer et des autres héritiers légitimes. Hellyer aurait pu démissionner immédiatement après la convention à la direction du parti, comme Robert Winters qu'il appuya finalement dans la lutte contre Trudeau. Il était à moitié enclin à retourner à sa vie privée, pour consacrer plus de temps à sa femme Ellen, qui détestait être en évidence, et à ses enfants, pour étudier, écrire et jouir de certains plaisirs, du théâtre et des restaurants que son éducation puritaine ne lui avait pas permis d'apprécier. Mais Trudeau agit rapidement pour conserver cet homme compétent et puissant dans son cabinet et peut-être que Hellyer ne voulait pas avoir l'air d'un mauvais perdant en démissionnant au moment même de la défaite. Il accepta de devenir le sous-Premier ministre de Trudeau et de diriger un groupe de travail sur l'habitation et les affaires urbaines.

A l'automne 1968, il dirigea son groupe de travail d'un bout à l'autre du Canada avec enthousiasme et son énergie habituelle, faisant des tournées dans les zones grises, parlant avec les défavorisés, interrogeant les entrepreneurs et les investisseurs. A la fin de l'année, le rapport était prêt à être présenté au cabinet.

« Tout Canadien devrait avoir droit à un abri propre et chaud et ceci est une question de droit humain fondamental », disait le rapport avec une élégante simplicité. On y lisait également que les projets publics d'habitations à loyers modiques dégénéraient souvent en ghettos. On y déplorait la façon dont les entrepreneurs démolissaient plus de maisons qu'ils n'en construisaient et on proposait d'encourager la rénovation, promettait des banques de terrain afin de maintenir les prix à la baisse et prévoyait la création de nouvelles villes reliées par des moyens de transport à haute vitesse aux centres métropolitains existants.

Ce Noël-là, en 1969, Hellyer était au lit à la maison, soignant une vilaine grippe. Il n'avait rien à lire, fouilla dans la chambre de sa fille et y trouva **Le Fédéralisme et les Canadiens français,** par Pierre Trudeau. Tout en lisant, Hellyer se mit à réaliser qu'il avait peu de choses en commun avec le Premier ministre. Il était un ingénieur, les deux pieds sur terre, anxieux de faire les choses qui devaient être faites et convaincu que les vrais problèmes du Québec étaient de nature économique et sociale; Trudeau était un universitaire, un théoricien, probablement socialiste, préoccupé des problèmes constitutionnels et de la répartition des pouvoirs entre le Fédéral et les provinces.

Hellyer n'était pas préoccupé par le fait que les provinces avaient la juridiction constitutionnelle complète sur les municipalités et, par voie de conséquence, la principale responsabilité des affaires urbaines. Il voulait que le gouvernement fédéral exerce son leadership pour régler ce qu'il considérait comme un problème national. Mais Trudeau avait une autre priorité. Il était à la veille de reprendre les négociations constitutionnelles avec les provinces et il avait promis que si elles demeuraient à l'extérieur des champs fédéraux de juridiction, les affaires extérieures, par exemple, il serait scrupuleux dans le respect de leurs propres droits. L'unité nationale était en jeu et il voulait agir prudemment.

Dans les discussions du cabinet il y eut d'autres objections aux propositions de Hellyer sur l'habitation. Jean Marchand, l'ancien chef syndical, pour un, s'opposa à l'attaque contre les plans de logements publics et craignait que la plupart des réformes proposées par Hellyer soient plus utiles à la classe moyenne qu'aux pauvres. Les dirigeants de l'agence fédérale du logement, la Centrale d'hypothèque et de logement avait du ressentiment contre la façon dont Hellyer avait fait irruption dans son domaine et ne ménagea pas ses critiques à l'endroit de ses propositions.

En avril 1969, Hellyer était embarrassé et frustré. Il s'était joint au cabinet Trudeau pour s'attaquer aux problèmes du logement et des affaires urbaines et il s'était engagé publiquement en faveur des propositions du groupe de travail — une position très inhabituelle pour un ministre qui doit être prêt à appuyer la décision collective du cabinet. Maintenant il était retenu par le cabinet et il semblait que certaines de ses idées ne seraient pas acceptées et qu'il devrait faire marche arrière. L'alternative était le retour à la vie privée et ça lui semblait de plus en plus attirant. Il se rendit donc voir Trudeau un matin et démissionna. Pas d'ultimatums, pas de négociations. Il déclina l'offre du Premier ministre de reconsidérer sa décision et partit.

Ça fonctionna bien pour Hellyer pendant quelques années. Il était un homme heureux lorsqu'on le rencontrait, détendu, appréciant de nouvelles expériences sociales et écrivant un livre sur ses idées économiques. Puis, il semble qu'il commença à couver certaines idées relativement à Trudeau et les autres qui s'étaient emparés du parti libéral. Il s'inquiéta de la possibilité que des Communistes se soient infiltrés dans l'Administration et parla à des amis des ressemblances entre les écrits de Pierre Trudeau et ceux de Mao Tse tung. L'augmentation du chômage réveilla chez lui la conviction qu'il avait les idées et l'habileté pour prendre l'économie en main et la faire mieux fonctionner. La fièvre politique montait de nouveau et il forma Action-Canada dans l'espoir d'organiser un grand mouvement de masse qui lui permettrait de reprendre le pouvoir.

Tout en étant sans aucun doute bien intentionné, ce fut une organisation troublante sous certains aspects, une alliance des mécontents ayant peu de choses en commun sauf leur admiration pour Hellyer et ses idées. Mais le mouvement ne réussit jamais, à tout événement, à prendre son envol.

Pendant ce temps, Trudeau se retrouvait sans ministre de l'habitation et sans politique. Il donna le portefeuille à Andras qui venait de quitter Chrétien après leur différend au sujet de la politique indienne. Un concessionnaire automobile de Lakehead, Andras, avait fait son entrée aux Communes en 1965 avec les convictions typiques d'un homme d'affaires d'une petite ville. Il s'était chargé de la direction de la campagne de Hellyer à la tête du parti libéral, mais la politique lui montrait déjà que la vie n'était pas comme il l'avait imaginée chez lui au cours des dîners de la Chambre de Commerce. Lorsque Trudeau le nomma au cabinet il choisit Dan Coates comme son principal adjoint, un érudit, ancien directeur de la recherche du parti libéral qui semblait avoir hérité de son père les qualités du fonctionnaire britannique: une loyauté féroce aux intérêts et ambitions de son ministre derrière un écran de discrétion sans faille. Avec Coates à ses côtés, Andras était allé rencontrer les Indiens partout où ils étaient prêts à discuter et l'expérience l'avait radicalisé.

Andras assuma la responsabilité de l'habitation et des affaires urbaines en tant que ministre sans-portefeuille. Il y avait la Centrale d'hypothèque et de logement, une corporation de la Couronne mais pas de ministère régulier. Il n'y avait également que peu d'argent disponible parce que les restrictions sur les dépenses étaient en vigueur. Et Trudeau venait de démontrer dans son affrontement avec Hellyer qu'il considérait les affaires urbaines comme étant primordialement de juridiction provinciale. Ce n'était pas une vue d'ensemble encourageante et lorsque Andras et Coates commencèrent à poser des questions sur la nature de la crise urbaine, ils furent choqués de découvrir qu'il n'y avait presque pas de réponses. Ils découvrirent pourtant un livre intitulé **Etudes urbaines: une perspective canadienne,** publié par deux jeunes économistes de l'université de Carleton, Harvey Lithwick et Gilles Paquet. Mais Lithwick écrivait dans ce livre: « Une discussion de la politique urbaine présentement en vigueur au Canada nécessite peu d'espace. En fait, ça n'existe pas. » Puis au mois de juillet, Andras avait convaincu le cabinet d'autoriser un nouveau programme de recherche sur les affaires urbaines mais lorsqu'il tenta de prendre contact avec Lithwick pour lui offrir le poste, il découvrit qu'il venait de déménager en Israël pour une année sabbatique. Coates s'envola pour Israël et réussit à convaincre Lithwick et sa famille de faire demi-tour et de revenir au pays.

Lithwick commanda une série d'études sur l'habitation, la population, le transport, la pauvreté et d'autres aspects de la croissance des villes et les rassembla dans un rapport intitulé: **Le Canada urbain: ses problèmes et ses espoirs.**

Le rapport constituait la première tentative au Canada de décrire le processus de l'urbanisation dans son ensemble plutôt que par une série de parties non reliées les unes aux autres, malgré que Lithwick reconnût hardiment que l'on ne connaissait que peu de choses et qu'il y avait beaucoup d'incompréhension quant aux problèmes impliqués. Le langage technique pratiquement inaccessible du rapport augmentait du reste la complexité des questions.

La véritable importance du rapport Lithwick, probablement, fut qu'il réussit à convaincre le cabinet que le gouvernement fédéral ne pouvait demeurer inactif face à l'explosion urbaine et abandonner toutes les politiques aux provinces. Même si le gouvernement central n'avait pas de responsabilité constitutionnelle, 27 ministères fédéraux et agences dirigeaient des programmes qui influençaient directement la qualité de la vie urbaine; la Centrale d'hypothèque était une agence majeure de planification urbaine et de prêts hypothécaires; Ottawa contrôlait le transport par rail, par voie d'eau ou par air et était un important propriétaire et agent de développement immobilier dans les villes.

Ces activités fédérales dans les villes étaient tellement étendues, en fait, qu'aucun nouveau ministère des Affaires urbaines n'aurait pu les prendre toutes en charge, ou même exercer ou coordonner l'autorité. Alors Andras suggéra un nouveau type expérimental de ministère — un ministère d'Etat des Affaires urbaines — devant fonctionner comme une agence de planification afin de fournir le leadership et l'orientation aux différents ministères dans leurs activités urbaines.

Malgré que Trudeau annonçât, en octobre 1970, son intention de créer un tel ministère, son action fut retardée par une lutte volontairement prolongée et sans issue de l'Opposition contre d'autres aspects du projet de loi de la réorganisation gouvernementale, et ce n'est pas avant juin 1971 que l'on établit légalement le nouveau ministère. On confia un haut poste à Lithwick mais il décida rapidement que le gouvernement n'agissait pas assez vite sur une grande échelle pour résoudre la crise urbaine et démissionna.

La Colombie britannique et le Québec en particulier au

nombre des provinces voyaient ce nouveau ministère d'un mauvais œil avec un certain soupçon qu'il pourrait s'immiscer dans leurs pouvoirs. Malgré qu'Andras travaillait déjà depuis juin 1970 à organiser une conférence urbaine nationale réunissant les gouvernements fédéral, provinciaux et municipaux, ce n'est qu'en 1972 qu'on en arriva à un accord. Le ministère des Affaires urbaines, pendant ce temps avait encore à faire ses preuves; la machine était impressionnante mais elle n'était pas encore en production.

Andras avait un succès plus voyant en travaillant avec la Centrale pour accélérer les programmes d'habitation et concentrer les fonds fédéraux là où ils étaient le plus nécessaires. Les mises en chantier de logements atteignirent le record de 233,000 en 1971, bien au-dessus de l'objectif fixé par le Conseil économique, et continuaient d'augmenter, en 1972. Cependant que les changements à la loi produisirent un apport plus important de fonds privés sur le marché des hypothèques, la Centrale consacra 80 p. cent de ses fonds à la construction de logements à loyer modique pour les groupes à faible revenu et l'on construisit 140,000 unités en quatre ans — soit deux fois plus qu'au cours des 20 années précédentes.

On introduisit une nouvelle législation aux Communes, en 1972, afin d'encourager des programmes d'amélioration de quartier au lieu de projets massifs de redéveloppement; afin de fournir une aide pour la rénovation des vieilles maisons; de subventionner les familles à faible revenu dans le but qu'ils acquièrent leur propre maison et enfin pour apporter plusieurs autres changements à la Loi nationale de l'habitation. Plusieurs des propositions semblaient mettre en vigueur les recommandations qu'avait formulées le groupe de travail de Hellyer, trois ans plus tôt. Le comité de logement du Conseil canadien de développement social, un organisme indépendant, commenta que les changements proposés représentaient la législation sur l'habitation la plus significative depuis 1954 mais lança l'avertissement que ce serait une déception à moins que l'on n'injecte des fonds suffisants pour appliquer les nouveaux programmes de façon adéquate. Il fit également remarquer qu'il ne devrait pas y avoir de ralentissement dans la campagne de construction de logement à prix modique.

Bilan

On devait faire face à plusieurs obstacles, en 1972, pour dresser un bilan analytique du dossier du gouvernement Trudeau sur la sécurité sociale. Le premier était que les restrictions économiques avaient affecté toutes les initiatives contre la pauvreté. Le chômage augmenta précisément là où les revenus étaient les moins élevés: A 8.6 p. cent dans les provinces atlantiques et 8.2 p. cent, au Québec, en 1971. Les familles auxquelles on aurait pu venir en aide pour leur faire franchir le cap de la pauvreté se retrouvèrent sans travail et sans revenu. Comme le déclara le Conseil économique en proposant une stratégie contre la guerre à la pauvreté: « Il est crucial de maintenir un haut niveau d'emploi et une croissance économique stable. »

Deuxièmement, la démocratie de participation accaparait beaucoup de temps. Les Livres blancs conduisirent à des débats au Parlement puis dans la population, suivis d'une législation et de nouveaux débats. Certains des programmes sociaux majeurs ne furent rédigés dans leur forme définitive qu'en 1971 et 1972, et deux d'entre eux — le plan d'assurance du revenu familial et la législation sur l'habitation — demeurèrent sur les tablettes à l'ajournement de la session, en juillet 1972.

Troisièmement, il y a peu de statistiques à jour qui permettraient de mesurer le fossé de la pauvreté au cours des années de l'administration Trudeau. Au fur et à mesure que les données du recensement de 1971 deviendront disponibles, il sera plus facile de constater si la pauvreté relative a augmenté ou diminué.

Mais il y a une mesure des priorités d'un gouvernement et c'est sa façon de dépenser son argent. Et la **Canadian Tax Foundation,** un organisme indépendant, analyse les programmes de dépenses du gouvernement fédéral, chaque année. Son rapport démontre qu'en 1962, le gouvernement fédéral a dépensé 25.5 cents de chaque dollar pour la santé et le bien-être et ce chiffre s'est élevé à 29.4 cents en 1969. Au cours des trois années suivantes, 1970-72, la part de la santé et du bien-être a augmenté jusqu'à 35.3 cents. Ainsi il est donc clair que les dépenses sociales ont augmenté rapidement malgré la période d'austérité.

Finalement, la vitesse à laquelle progresse un gouvernement est contrôlée jusqu'à un certain point par le comportement de la population. Pour la plupart des Canadiens, la période a été prospère et le revenu disponible après impôt a continué d'augmenter de façon marquée — de $2,238 par tête, en 1968, à $2,715, en 1971. Malgré cela, les politiciens ont dû faire face à des plaintes contre les impôts, plaintes qui sont devenues plus menaçantes. Lorsque l'entreprise de sondage Gallup demanda aux Canadiens, en 1962, ce qu'ils pensaient du niveau des impôts, seulement 47 p. cent déclarèrent

qu'il était trop élevé; en 1970 ce chiffre atteignait 75 p.
cent. On parla d'une contre-réaction de la classe
moyenne.

La politique étrangère

Les internationalistes

Le Canada émergea de la Seconde Grande Guerre mondiale avec le prestige militaire et une économie moderne pendant que des pays potentiellement plus puissants étaient défaits ou épuisés et sérieusement ravagés. C'était une occasion excitante pour un pays doté de l'enthousiasme et de l'idéalisme de la jeunesse et les diplomates canadiens se mirent au travail avec beaucoup d'habileté pour construire un ordre nouveau et meilleur dans le monde.

Le Canada joua un rôle de premier plan dans la mise en place de l'Organisation du Traité de l'Atlantique Nord afin de pourvoir non seulement à la sécurité mutuelle au cours de la guerre froide mais pour fournir la structure d'une Communauté atlantique joignant l'Amérique du Nord et l'Europe de l'Ouest. Aux Nations-Unies, le Canada s'occupa, au-delà des débats de l'Assemblée générale et des grandes puissances conduisant le monde à travers le Conseil de sécurité, à développer une vision d'une autorité supra-nationale authentique dotée de ressources nécessaires pour conserver l'ordre dans le monde. A chaque occasion où le besoin se faisait sentir, le Canada était fier d'engager ses forces armées à servir comme gardiens de la paix des Nations-Unies. On orienta toujours la poussée vers l'internationalisme et ce furent 20 années d'accomplissement. Mais au milieu des années soixante, cette période achevait de s'essouffler et les fondements de la politique étrangère canadienne croulaient. La guerre froide s'estompait, réduisant l'importance militaire de l'OTAN, et les pays renaissants de l'Europe de l'Ouest étaient plus préoccupés du Marché Commun que du règne d'une communauté atlantique. Aux Nations-Unies, l'opposition de l'Union Soviétique et d'autres puissances éloignaient la possibilité d'autres missions de paix des casques bleus et l'opinion publique canadienne subit un choc traumatisant lorsque le président Nasser ordonna abruptement le retrait de la force d'urgence des Nations-Unies de la région de Gaza, en 1967, afin de nettoyer le paysage pour une nouvelle guerre avec Israël et le contingent canadien revint au pays. Quel était donc ce type de protection de la paix?

En plus de ces développements outre-mer, certaines forces travaillaient au pays à convaincre les Canadiens de commencer à réexaminer leur façon de voir le monde et leur place dans ce monde.

Comme le lien avec la Grande-Bretagne s'était affaibli et que pas même Diefenbaker au sommet de sa popularité ne réussit à le renouer solidement, le Canada en était venu à accepter le leadership des Etats-Unis et ses valeurs.

L'économie américaine, sa société et sa culture populaire étaient devenues des modèles pour plusieurs Canadiens. La sécurité des Etats-Unis était la sécurité du Canada et les guerres des Etats-Unis étaient nos guerres. Mais lorsque les Américains commencèrent sérieusement à remettre leurs valeurs en question dans les années soixante, les Canadiens eurent à y regarder de plus près. Ils commencèrent à voir, surtout à travers les yeux des critiques américains, une économie de gaspillage, une société violente et une guerre d'agression au Viêt-nam. Le modèle américain devenait de plus en plus insatisfaisant mais il n'y avait pas d'alternative disponible. Les Canadiens auraient enfin à établir leurs propres standards et objectifs et à définir leurs relations avec le monde.

Le temps se prêtait au nationalisme et il émergea sous différentes formes et à divers degrés: la découverte de la confiance nationale au cours de l'année du Centenaire; Walter Gordon et le rapport Watkins sur la propriété étrangère; la rhétorique anti-américaine de la gauche radicale; et même l'apparition de Trudeau comme personnage unique, avec l'espoir d'un type supérieur de politicien.

Ainsi l'écroulement de la vieille politique étrangère et la naissance d'un nouveau nationalisme coïncidèrent dans les années soixante pour produire un débat vivant à propos de la vraie place que le Canada devrait occuper dans le monde. Ce n'était pas une question très populaire — la politique étrangère l'est rarement — mais les politiciens, les diplomates, les universitaires et les médias étaient profondément impliqués. Les articles et les livres sur ces problèmes et les alternatives possibles abondaient. On organisa des conférences savantes. Pour la première fois en une génération, la politique étrangère devint un sujet controversé à des assemblées de partis politiques.

Ironiquement, il y avait moins de discussions à l'intérieur du gouvernement qu'à l'extérieur. L'engagement personnel du ministre des Affaires extérieures, Paul Martin, envers la sécurité collective remontait aux années trente durant l'existence de la Ligue des Nations. Il avait été secrétaire parlementaire au cours de l'administration en temps de guerre, cette administration qui établit l'alliance avec les Etats-Unis, et membre des cabinets d'après-guerre qui étaient fiers du dossier canadien aux Nations-Unies et à l'OTAN. Maintenant, dans les années soixante, il était trop occupé à tenter de refouler ces politiques pour vouloir entreprendre une révision radicale.

Martin découragea la discussion sur les affaires étrangères au cabinet et résista avec force aux suggestions urgentes du Premier ministre Lester Pearson qu'il était temps de procéder à une révision indépendante de la politique extérieure. Il argumenta qu'il ne pouvait permettre l'accès à des gens de l'extérieur aux dossiers confidentiels de son ministère qui contenaient des informations secrètes de gouvernements étrangers. Lorsque Pearson insista, ils firent un compromis. Norman Robertson, qui avait été le numéro un du ministère avant de devenir directeur de l'Institut des affaires internationales de l'université de Carleton, travailla avec deux hauts fonctionnaires très indépendants d'esprit, à réexaminer les racines de la politique. Ils conclurent apparemment qu'il n'y avait pas nécessité de faire des changements fondamentaux, du moins pour le moment. Ceci renforça l'opinion de Martin que les anciennes politiques étaient les meilleures et que c'était de l'irresponsabilité que de les attaquer publiquement. Il craignait que si le Canada affaiblissait ses engagements envers l'OTAN, d'autres pays pourraient en faire autant, provoquant l'effondrement de l'alliance de l'Ouest et il fit valoir que le Canada devait demeurer un ami et allié des Etats-Unis s'il voulait conserver quelque chance de travailler en coulisse en vue d'un règlement au Viêt-nam.

Toutefois des critiques aux antécédents fort substantiels, poursuivaient leurs attaques contre les anciennes politiques. Le président du parti conservateur, Dalton Camp, proposa à une conférence des penseurs politiques, en 1967, que le Canada coupe son programme de défense et consacre les ressources à l'aide étrangère, et s'aligne avec les pays en voie de développement du Tiers-Monde plutôt qu'avec l'OTAN. Escott Reid qui avait été un des principaux artisans des anciennes politiques alors qu'il était un diplomate senior et conseiller de Pearson, dans les années quarante, déclarait maintenant: « C'est le temps d'établir de nouvelles priorités. C'est le temps pour le Canada d'exercer son leadership et de se lancer en croisade. » Il argumenta que le Canada ne pouvait pas faire beaucoup pour sauvegarder la paix en dépensant $1.8 milliard pour la défense à l'âge des super-puissances et des systèmes d'armements extrêmement coûteux, mais que le même montant d'argent consacré au développement international pourrait avoir un impact important sur la pauvreté dans le monde.

Le débat était en train de s'enflammer lorsque Trudeau émergea soudainement comme candidat à la direction du parti, en 1968. De quel côté se rangerait-il? On ne connaissait pas beaucoup de choses sur ses conceptions du monde sauf qu'il avait beaucoup voyagé avec un havre-sac sur le dos avant que ça ne soit à la mode, et il avait visité l'Union Soviétique et la Chine lorsqu'en ce faisant on risquait de se faire passer pour un communiste. Il y avait également de la confusion quant à ses idées sur le nationalisme. Chez lui, au Québec, il était un adversaire puissant du nationalisme canadien-français et on en déduisait donc qu'il était un anti-nationaliste dans le contexte plus large du Canada. Mais c'était mal comprendre sa théorie. Il critiquait sans ménagements le nationalisme basé sur la loyauté raciale et l'émotivité parce que cela donnait cours à la haine, aux guerres et aux atrocités. Mais il était un admirateur de l'Etat national, particulièrement l'Etat fédéral, basé sur la raison et servant également les intérêts des citoyens de différents groupes ethniques d'origines diverses.

Trudeau eut peu de choses à dire de la politique étrangère au cours de sa campagne à la direction mais aussitôt qu'il devint Premier ministre, en avril, il commença énergiquement à établir un nouvel ordre de priorités. La première étape était de déloger Martin de son poste de ministre des Affaires extérieures et il nomma Sharp pour le remplacer. Sharp était un exécutif de grande expérience au gouvernement; c'était un garçon pauvre de Winnipeg qui avec ses cheveux roux et son esprit vif attint rapidement le succès et gravit les échelons de la fonction publique au cours de la guerre pour devenir sous-ministre. Entrant en politique, il fut nommé ministre de l'Industrie et du Commerce puis des Finances, dans le cabinet Pearson et on lui prêtait de bonnes chances de remporter la course à la direction. Mais lorsque la crise du dollar vint interrompre sa campagne et qu'il calcula à la veille de la convention qu'il ne pouvait devenir Chef, Sharp prit la décision froide et typique d'accepter le second choix et de devenir un faiseur de Chef. Il se retira soudainement de la course, transféra ses appuis à Trudeau et revendiqua souvent par la suite, probablement avec raison, que Trudeau n'aurait pu gagner la course serrée sans lui. Sharp fut toujours un gestionnaire plutôt qu'un innovateur et n'eut jamais de poids politique très lourd au cabinet mais Trudeau admirait sa compétence générale et la constance de ses avis même lorsqu'ils n'étaient pas d'accord.

A peine quelques semaines après avoir pris la succession, Trudeau avait dans son sac un nombre important de décisions de politique étrangère: des négociations pour établir des relations avec la Chine; des étapes pour élargir les contacts avec les pays d'Amérique latine et ceux des côtes du Pacifique; un meilleur et plus vaste programme d'aide étrangère; des efforts accrus pour projeter l'image du Canada à l'étranger comme un pays bilingue ce qui supposait en pratique des relations plus intimes avec les anciennes colonies françaises en Afrique; et un regard sévère sur l'engagement militaire envers l'OTAN, à la lumière des conditions changeantes en Europe.

Il devait, en fait, y avoir une revue complète et rationnelle de toute la politique étrangère et le grand débat à travers le pays devenait maintenant un débat à l'intérieur du gouvernement ou du moins c'est ce qui semblait être le cas.

Mais le monde n'attend pas les revisions de politiques et Trudeau n'avait pas aussitôt remporté les élections qu'il se retrouvait en proie à de graves difficultés.

« Où est le Biafra? »

Comme il sortait d'une séance du cabinet sur la colline parlementaire en un chaud midi du mois d'août, Trudeau fut apostrophé par une meute de reporters à l'affût de tout commentaire qui pourrait être matière à nouvelle. Ron Collister, de CBC, posa une question sur la guerre du Nigeria où le peuple Ibo luttait pour la séparation afin d'établir l'Etat indépendant du Biafra. Pris par surprise, Trudeau répliqua par la première de ses réponses à demi désinvoltes qui allaient le plonger dans les difficultés sur plusieurs sujets: « Où est le Biafra? »

Une vague de consternation courut dans cet attroupement de libéraux humanistes dont les cœurs battaient facilement pour toutes les causes et qui avaient maintenant le premier motif de douter que Trudeau était un des leurs. Malgré que la guerre du Nigeria avait débuté plus d'un an auparavant, elle ne faisait que commencer à attirer l'attention populaire au Canada. Il y avait des photographies de cauchemar représentant les enfants Ibo affamés, à la télévision, et les journaux publiaient des rumeurs de massacres hideux et de menaces de génocide. Le Biafra devenait une question émotive et Trudeau se comportait comme s'il n'en avait jamais entendu parler et comme s'il s'en foutait royalement. A la reprise des travaux parlementaires, en septembre, la première question à Trudeau avait trait au Biafra et cet intérêt se transforma bientôt en tempête politique qui fit rage pendant près de 18 mois. Il y avait des pressions incessantes sur le gouvernement, du Parlement, de la presse et des curés pour venir en aide à **Canairelief,** un consortium de groupes d'Eglises du Canada faisant partie de l'effort international pour envoyer des secours par avion à travers le blocus nigérien pour nourrir les rebelles Ibo affamés. Mais Trudeau sentit qu'il devait être extrêmement prudent avant d'intervenir dans une

290

guerre civile déchirant un autre pays du Commonwealth. Il insista pour dire que les principes humanitaires ne pouvaient être détachés des motifs politiques et que le gouvernement ne pouvait participer à l'effort de secours qu'en vertu des moyens approuvés par le gouvernement reconnu du Nigeria. D'autres pays, dont les Etats-Unis, furent moins prudents en envoyant des secours et plus entreprenants en réussissant à faire passer les marchandises au Biafra.

Des critiques soupçonnèrent Trudeau de considérer la tentative du Biafra de se séparer du Nigeria à la lumière de ce qui pourrait se produire si le Québec décidait de se séparer du reste du Canada, et reconnurent jusqu'à quel point le gouvernement fédéral s'offenserait de toute intervention étrangère.

Mais il fut probablement plus influencé par son aversion pour les Etats basés sur la race, puisque le Biafra était supposément un Etat Ibo, et son désir d'appuyer le principe fédéral au Nigeria. Il devait également garder à l'esprit et en considération l'avenir des relations du Canada en Afrique et le Commonwealth. Le Nigeria sembla toujours en position de gagner la guerre et de demeurer un important pays du Commonwealth et les autres Etats africains firent savoir clairement qu'ils ne voulaient pas que le Canada ou tout autre pays blanc intervienne au Nigeria.

Rien de cela ne persuada les humanitaires du Canada. Des députés de l'Opposition et des journalistes firent des voyages aventureux au Biafra à bord des avions qui franchissaient le blocus pour apporter des secours, et revenaient rapidement au pays en livrant des comptes rendus horrifiants de la famine des masses et d'avertissements dramatiques que les Ibos craignaient d'être dé-

291

truits jusqu'au dernier enfant par les troupes nigériennes qui avançaient. Des protestataires campèrent sur la colline parlementaire, occupèrent le bureau de Sharp et coururent après Trudeau avec des affiches de colère le provoquant et le poussant ainsi à invoquer des arguments insensés et à faire des déclarations farfelues qui le plongèrent plus profondément dans le pétrin tant aux Communes qu'au Nigeria. Une personnalité de la télévision, Stanley Burke, devint un propagandiste passionné pour les organisations de secours au Canada. Pendant ce temps **Canairelief** poursuivait ses opérations en transportant des fournitures d'urgence américaines au Biafra.

Le gouvernement tenta à plusieurs reprises et presque désespérément d'en arriver à un arrangement avec le gouvernement du Nigeria pour fournir des provisions à ceux qui étaient dans le besoin des deux côtés du champ de bataille. L'adjoint de Trudeau, Ivan Head fit trois voyages à Lagos pour renforcer l'effort diplomatique régulier. L'aviation canadienne mit au point un système pour laisser tomber les marchandises en vrac par parachutes et des avions-cargos « Hercule » et des appareils légers « Caribou » furent envoyés aux bases de secours établies autour du Nigeria. Mais le projet de transbordement semblait toujours avorter à la dernière minute — principalement parce que le gouvernement nigérien ne voulait pas qu'il réussisse. S'il ne s'était pas agi d'une tragédie, cela aurait certainement constitué une comédie d'erreurs, d'incompréhensions et d'entortillements bureaucratiques.

Au début de 1970, **Canairelief** était près de la faillite incapable de payer ses comptes à moins que le gouvernement ne lui donne une subvention de dernière instance. La pression politique était presque irrésistible et le cabinet donna finalement son accord pour fournir $1 million. Seulement deux jours plus tard, le Biafra rendit les armes et la guerre prit fin.

Dans son récent livre, **La guerre civile au Nigeria,** le journaliste britannique John de St-Jorre démontre que la famine a été une arme utilisée sans merci par les deux côtés au cours de la guerre: par le Nigeria pour forcer le Biafra à crouler sur ses genoux et par le Biafra pour susciter la sympathie mondiale. Les organisations de secours furent manipulées pour des fins politiques et St-Jorre semble suggérer que leurs efforts humanitaires ont de fait étendu la guerre en encourageant le Biafra à tenir. D'autre part, l'attention que l'on donna au Biafra a peut-être assuré la bonne conduite des troupes du Nigeria lorsqu'elles ont finalement pris le contrôle..

Mais si l'on doit donner le bénéfice du doute aux humanitaires, on devrait faire de même pour Trudeau. Il ne fut jamais confronté avec un choix facile et simple entre ce qui était bon et mauvais mais par des questions de jugement à propos de maux plus grands ou moins grands. Il décida que la sauvegarde du Nigeria comme un Etat viable serait plus importante à long terme que le soulagement des souffrances à court terme du Biafra. Les historiens pourront peut-être décider un jour qu'il avait raison, mais en attendant il est probablement juste de dire que l'influence du Canada en Afrique est plus forte en raison de sa position qu'il conserva pratiquement jusqu'à la fin malgré une énorme pression.

Le débat de l'OTAN

Une deuxième question urgente qui ne pouvait pas attendre la revision générale de la politique étrangère était la question de savoir quelles seraient les forces armées que le Canada continuerait de maintenir en Europe comme partie des défenses de l'OTAN. Les planificateurs de l'OTAN avaient besoin d'une réponse rapide et le cabinet Trudeau qui luttait pour contrôler l'ensemble des dépenses fédérales avait à prendre une décision sur le budget de la défense pour 1969. Mais avant de pouvoir décider des sommes d'argent qui seraient nécessaires pour les hommes et l'équipement, le gouvernement se devait d'avoir une politique envers l'OTAN.

Ceci ouvrit le débat sur les principales questions de la politique étrangère. Est-ce que le Canada devrait se retirer complètement de l'OTAN et s'aligner avec le Tiers-Monde? Devrait-il rapatrier toutes ses troupes d'Europe mais tenter de demeurer dans l'OTAN, et contribuer aux discussions politiques entre l'Alliance de l'Ouest et le monde communiste? Est-ce que la contribution militaire était le prix à payer pour avoir de l'influence en Europe où devraient peut-être avoir à se prendre les décisions de paix ou de guerre?

Afin de découvrir les réponses à ces questions, Trudeau mit en marche sa nouvelle machine de démocratie de participation. Il permit aux ministres, pour cette période, d'oublier la solidarité ministérielle et d'exprimer leurs opinions personnelles afin de stimuler le débat public.

Pendant que Sharp et le ministre de la Défense, Léo Cadieux, parlèrent en faveur de la sagesse conventionnelle de leurs ministères en faisant valoir que la politique existante était bonne et qu'elle devrait être maintenue, le ministre des Communications s'attaqua aux « engagements militaires stériles » et demanda une plus grande concentration sur l'aide à l'étranger. Lorsque Trudeau rencontrait des étudiants dans des sessions de questions et réponses, il semblait passer d'un point de vue à l'autre. Il dut expliquer aux journalistes abasourdis qu'il faisait simplement de la provocation et non de la politique officielle. Des journalistes invités à dîner au 24 avenue Sussex découvrirent qu'au lieu d'en apprendre sur les intentions de Trudeau, on les incitait plutôt à faire valoir leurs propres idées sur la défense, et Trudeau reçut ainsi un certain nombre d'universitaires critiquant la politique de la défense.

D'autres ministres organisèrent leurs propres séances avec des critiques connaissant bien le sujet et des hauts fonctionnaires de ministères concernés par l'examen de la politique face à l'OTAN. Ils participèrent également à des seminars à huis-clos pour explorer leurs différences d'opinions avec des universitaires. Le Comité des Communes sur les affaires extérieures et la défense recueillit les témoignages d'une variété d'experts avant d'aller consulter les autorités européennes et préparer des recommandations.

A l'intérieur du gouvernement, un groupe de travail de 30 fonctionnaires élabora une révision massive des relations du Canada avec l'Europe. Mais la section sur l'OTAN ne constituait pas un regard suffisamment nouveau sur la question aux yeux du cabinet et les ministres de la Défense et des Affaires extérieures promirent une étude plus spécialisée. Cette nouvelle étude s'avéra également plus une justification du passé plutôt qu'une approche neuve, ce qui était compréhensible puisque les fonctionnaires chargés de l'effectuer étaient pour la plupart ceux-là mêmes qui avaient participé à l'élaboration des anciennes politiques. Le Comité des Communes, lorsqu'il produisit son rapport à la hâte pour rencontrer le délai de la décision gouvernementale adopta également, plus ou moins une position de statu quo. Il proposa que les engagements militaires existants soient maintenus en attendant une autre révision et des changements dans les années soixante-dix. Ce n'était pas du tout l'avis dont Trudeau avait besoin. Comme nouveau Premier ministre promettant le changement et la réforme et employant tous les brillants mécanismes de la démocratie de participation, il était réticent à simplement endosser une politique existante. Et, plus important encore, il devait plafonner les dépenses de la Défense à $1.8 milliard s'il voulait pouvoir maintenir ses autres priorités et les experts militaires l'avisèrent que si l'on poursuivait tous les programmes existants de la Défense, le coût atteindrait éventuellement environ $2.5 milliards par année.

Mais on avait encore besoin d'une étude et cette fois on la confia à une source à laquelle le Premier ministre pouvait se fier: son adjoint personnel, Ivan Head. En secret, Head forma un groupe — connu en plaisanterie sous le nom de Non-Groupe — de plusieurs critiques reconnus des politiques existantes, sélectionnés dans les ministères fédéraux. Ils apportèrent de nouveaux regards et cette justification pour le changement que Trudeau et ses appuis au cabinet recherchaient. Ce n'était pas le réalignement radical proposé par Camp, Kierans et la plupart des universitaires mais ça exposait les défauts des positions courantes avec l'OTAN.

Les arguments étaient loin d'être originaux. On les avait employés couramment pendant des années dans les bureaux de la Défense nationale et des Affaires extérieures mais on ne les avait jamais soutenus et reconnus

296

officiellement. Ainsi le « Non-Groupe » souligna que la force canadienne des bombardiers nucléaires CF-104 en Europe était essentiellement offensive plutôt que défensive et qu'avec la domination des champs d'aviation par des missiles soviétiques, les appareils seraient détruits au cours des premières minutes d'une guerre avant d'avoir même le temps de décoller — à moins qu'ils n'attaquent les premiers. L'Union Soviétique pouvait donc considérer l'OTAN comme un couteau sur sa gorge plutôt que comme un bouclier pour l'Ouest, et la menace des CF-104 devrait être abandonnée en temps que geste significatif de bonnes intentions. Un deuxième argument important fut que le nombre des soldats canadiens en Europe n'était pas particulièrement significatif: un homme, de préférence avec sa femme et ses enfants, établi dans les quartiers de gens mariés constituerait une garantie suffisante que le Canada enverrait des troupes supplémentaires en temps de guerre face à une poussée soviétique. Pendant ce temps, les troupes pourraient s'établir dans des bases canadiennes et remplir d'autres fonctions.

Le Non-Groupe accepta toutefois la proposition que le Canada devrait demeurer au sein de l'OTAN afin de faire entendre sa voix dans l'Alliance de l'Ouest au moment où l'on tentait d'établir de nouvelles relations avec le bloc communiste. Cela semblait exiger que l'on maintienne certaines troupes canadiennes en Europe.

Le rapport du Non-Groupe fit l'effet d'un choc pour Sharp et Cadieux qui avaient pu bénéficier précédemment de l'appui de toutes les opinions d'experts. Mais ils avaient à faire face, à tout événement, à la nécessité de réduire les prévisions budgétaires de la Défense pour des raisons financières. Après plusieurs jours d'un débat vigoureux et parfois confus au cabinet, il ne s'agissait plus maintenant de décider s'il fallait réduire les troupes en Europe mais plutôt de savoir quand et de combien.

La nouvelle politique que l'on annonça le 3 avril rejetait le neutralisme et réaffirmait l'intention du Canada de demeurer dans l'OTAN et de participer à la réalisation d'une entente politique en Europe. Mais on annonçait également qu'il y aurait une réduction progressive et planifiée des forces canadiennes en Europe. Il restait maintenant à négocier les détails avec l'OTAN.

Le rapport du Non-Groupe proposa apparemment de réduire les effectifs en Europe de 10,000 à 3,000 hommes et le cabinet accepta cet objectif. Mais la Grande-Bretagne et d'autres alliés se plaignirent que le Canada cherchait à éviter de payer sa part de la défense, et après plusieurs mauvais mois de marchandage, on décida finalement de réduire les effectifs à 5,000 hommes. On convertit les CF-104 d'armes nucléaires en appareils non-nucléaires et le contingent de l'armée abandonna ses missiles nucléaires **Honest John** et ses lourds chars d'assaut « Centurion » pour se rééquiper en tant que force tactique très mobile de reconnaissance. Les forces de terre et de l'air demeurèrent engagées envers l'OTAN en cas d'urgence (celles qui étaient installées au pays) et le Canada continua d'apporter sa contribution aux forces navales de l'OTAN, dans l'Atlantique.

Lorsqu'il rendit la nouvelle décision de politique de l'OTAN publique, en avril 1969, Trudeau annonça également un nouvel ordre de priorités dans la défense: (1) La surveillance du territoire canadien et des côtes pour protéger la souveraineté; (2) Défense de l'Amérique du Nord en coopération avec les Etats-Unis; (3) Les

298

engagements envers l'OTAN; (4) Garder la paix internationale. C'est probablement cette approche de la défense et de la politique extérieure plutôt que la décision concernant l'OTAN qui inquiéta le plus les critiques. La réduction des effectifs en Europe aurait pu être acceptée comme une économie raisonnable, particulièrement au moment où les économies européennes jouissaient d'une rapide croissance économique et pouvaient subvenir dans une plus grande mesure à leurs propres besoins de défense. Mais les nouvelles priorités semblaient suggérer que la réduction des troupes ne représentait qu'une première étape de la retraite dans un isolationnisme national, au mieux, un continentalisme. La diminution des engagements envers l'OTAN et les Nations-Unies, qui avaient été les deux piliers de la politique d'après-guerre, semblèrent marquer la fin de l'idéalisme et de l'internationalisme canadiens.

Les nouvelles priorités

Il y avait d'autres raisons de craindre que Trudeau poussât le Canada à se retourner sur lui-même. Lorsqu'il participa à sa première conférence des Premiers ministres du Commonwealth, tôt en 1969, il sembla plus intéressé à accompagner, au théâtre et à dîner, des femmes éblouissantes, qu'à travailler, et un journal britannique le décrivit comme un « pédant à la mode ». Trudeau pensait de son côté qu'un nouveau venu et un Canadien français qui ne savait pas beaucoup de choses du Commonwealth devrait plutôt écouter et apprendre plutôt que d'apporter une contribution majeure. Il revint d'ailleurs au pays fort impressionné par les possibilités de coopération multi-raciales qu'offrait le Commonwealth, et intrigué par certains des dirigeants qu'il avait rencontrés.

Le Premier ministre de Singapour, Lee Kwan Yew, fut le premier à stimuler son intérêt lorsqu'il quitta une réunion frustrante sur le problème de la Rhodésie en faisant remarquer que si l'indépendance était si importante pour les Africains ils n'avaient qu'à se battre pour l'obtenir et que, quant à lui, il avait des choses plus importantes à faire à Londres et il s'en fut chez son tailleur. Mais lorsque Trudeau livra un rapport remarquablement enthousiaste aux Communes sur la conférence de Commonwealth, ce fut généralement considéré comme une platitude officielle qui n'attira pas l'attention des critiques préoccupés par les problèmes de son isolationnisme.

A peu près à la même époque, Trudeau fit à la télévision, des remarques désobligeantes concernant la diplomatie en disant qu'il pouvait apprendre tout ce dont il avait besoin dans un bon journal sans l'aide d'un service à l'étranger. Plus tard, lorsque le gouvernement gela les dépenses, l'ordre toucha, avec une sévérité particulière, le ministère des Affaires extérieures qui dépense la plus grande partie de ses crédits pour son personnel et qui ne pouvait économiser qu'en effectuant des mises à pied. On ferma sept missions et on réduisit le personnel d'environ 7 p. cent.

Le rejet par le cabinet de l'avis du ministère quant à l'OTAN fut bientôt suivi par le rejet du rapport préliminaire sur la révision générale de la politique étrangère. Trudeau et d'autres ministres considéraient les analyses qui leur furent livrées par le ministère des Affaires extérieures comme étant superficielles. Ils demandèrent un examen complet des principes et des objectifs qui devraient présider aux politiques courantes.

Le ministère, à ce point, était complètement démoralisé.

Les diplomates qui, pendant si longtemps, et avec de bonnes raisons, s'étaient considérés comme une élite à Ottawa et à l'étranger, étaient tout à coup repoussés, réprimandés et traités comme des fonctionnaires de seconde classe. Bruce Thordarson décrit dans sa brillante étude **Trudeau and Foreign Policy** (Trudeau et la politique étrangère) ce qui se passa par la suite.

Un officier senior, Geoffrey S. Murray, fut rappelé de Londres, en août 1969, et on lui confia la responsabilité de coordonner la revision, et: « Il commença par lire tout ce que Trudeau avait pu écrire ou déclaré publiquement sur la politique étrangère dont certains de ses articles dans **Cité Libre** et au moins une centaine de discours que le Premier ministre avait prononcés entre avril 1968 et le milieu de 1969. Sa prochaine étape fut de résumer les idées de Trudeau, document qu'il inclut dans un dossier qu'il fit circuler parmi les dirigeants de départements au ministère des Affaires extérieures afin de solliciter leurs avis et leurs opinions.

« Ils ne réagirent pas tous bien à ce que certains considéraient comme une approche trop servile du Premier ministre. Un chef de département aurait d'ailleurs proposé sarcastiquement qu'ils devraient demander à l'ambassadeur Arthur Andrew, qui négociait alors avec les Chinois pour la reconnaissance du pays, de découvrir comment ces Chinois avaient réussi à extraire une politique étrangère des maximes de **leur** président. Néanmoins, la plupart des hauts fonctionnaires étaient d'avis que le devoir du ministère était de développer le genre de structure de politique que le Premier ministre recherchait. »

Il ne fut pas étonnant, dans les circonstances que lorsqu'on publia le Livre blanc sur la revision intitulé **Une**

politique extérieure pour les Canadiens, en juin 1970, le document reflétait de très près les attitudes et les priorités de Trudeau. Mais comme il avait annoncé, deux ans auparavant, les décisions qui valaient des nouvelles, la reconnaissance de la Chine, l'élargissement des relations avec l'Amérique latine et les pays du Pacifique, et l'expansion de l'aide à l'étranger, et comme l'épisode de l'OTAN avait réglé l'orientation générale, il ne restait plus beaucoup à dire de très spécifique. Le document avait donc quelque chose d'un anti-choc, plus intéressant au premier coup d'œil par sa présentation en six brochures de couleur rangées dans un contenant de carton, que par son contenu. Les critiques concentrèrent leur attention sur trois déclarations du document parce qu'elles avaient tendance à confirmer la crainte d'un transfert de l'accent sur l'internationalisme à l'isolationnisme.

Premièrement, disait le document, le Canada ne devrait pas baser sa politique sur ses réactions aux événements mondiaux en se précipitant pour tenter d'être celui qui « arrange les choses ». Ceci sonnait à l'oreille soupçonneuse comme un rejet méprisant des 20 ans d'interventions actives et souvent couronnées de succès à l'occasion de crises internationales.

Deuxièmement, la politique étrangère est « l'extension à l'étranger des politiques nationales ». Cela semblait vouloir dire que le seul intérêt du pays devrait remplacer le style d'idéalisme qui avait si fortement animé le Canada dans ses relations avec le monde.

Troisièmement, dans le mélange de thèmes politiques et d'objectifs, les plus grandes priorités seraient la croissance économique, la justice sociale et la qualité de la vie. La protection de la souveraineté et de l'indépen-

302

dance, le travail en faveur de la sécurité et de la paix ainsi que la nécessité de s'assurer un environnement naturel harmonieux venaient en seconde place. L'accent, ici, semblait très matérialiste en plus de négliger le fait que la paix vient avant la prospérité dans les recettes traditionnelles pour un avenir heureux.

Le document concédait franchement qu'il y aurait quelquefois un conflit entre les priorités de la politique et l'un des plus frappants se produisit au cours des discussions des attitudes canadiennes à l'endroit de l'Afrique: « La réaction des Canadiens est identifiée par deux caractéristiques principales. L'une est une grande révulsion contre la discrimination raciale en Afrique du Sud et l'avis partagé de façon générale que l'on ne peut nier le principe du droit à l'autodétermination pour les Africains. Cette réaction a été explicitée par les églises canadiennes, d'autres organisations ainsi que des citoyens. L'autre est une réaction d'homme d'affaires qui se rend compte de possibilités beaucoup supérieures à la moyenne dans le domaine du commerce et des investissements dans l'économie croissante de la République d'Afrique du Sud, ou de celui qui est conscient des limites pratiques de l'efficacité de l'influence extérieure sur le développement en Afrique du Sud ... L'attitude du gouvernement canadien peut être vue comme le reflet de deux thèmes politiques qui sont divergents dans ce contexte: (1) La justice sociale; (2) la croissance économique. Les déclarations des positions canadiennes ont été axées sur le premier thème ainsi que ses actions contre le régime illégal de Rhodésie aussi bien que l'embargo sur l'envoi de matériel militaire important à l'Afrique du Sud et au Portugal. Le deuxième thème reflète l'approche canadienne fondamentale qui est de faire le commerce de marchandises ordinaires avec tous les pays et territoires indépendamment des considérations politiques.

Le document examinait rapidement quelques possibilités mais concluait que la meilleure politique pour le Canada serait de continuer à « équilibrer » les deux grands thèmes de ses politiques, soit de continuer à promouvoir la justice sociale au niveau officiel tout en permettant la croissance économique privée. Le gouvernement décida par exemple que la corporation de la Couronne, Polymer, devrait se débarrasser de sa filiale en Afrique du Sud mais refusa d'intervenir dans des investissements et des transactions beaucoup plus importantes.

Là encore, l'avantage matériel semblait avoir la préséance sur l'idéalisme et le Comité pour une politique canadienne juste envers l'Afrique, publia son propre Livre Noir dans lequel il affirmait: « Le Canada a une chance unique et en fait l'obligation de relever le défi proposé par le président Nyerere de Tanzanie lorsqu'il déclara à un auditoire de Toronto, l'an dernier: "Nous croyons que ce pays (le Canada) a la possibilité et la volonté de tenter de construire un pont au-dessus de l'abîme de la couleur". Le Canada a cette possibilité à une époque où plusieurs des nations indépendantes nous considèrent au nombre de leurs quelques amis dignes de confiance dans le monde blanc occidental. Mais a-t-il cette volonté? Le Livre blanc du gouvernement démontre une diminution de l'intérêt quant au rôle du Canada dans la prévention de cette polarisation destructrice. »

Pendant que les critiques s'inquiétaient des objectifs et des motifs de la politique extérieure, le gouvernement justifiait ses choix de priorités dans un extrait peut-être le plus révélateur de tout le Livre blanc. Il soulignait que l'accent que l'on devrait mettre sur la protection de la souveraineté et l'indépendance, la paix et la sécurité, échappaient au contrôle canadien parce qu'il dépendrait d'événements externes: « D'autre part, la survie du Canada en tant que nation est mise au défi à l'intérieur du pays par des forces de division. Ceci ajoute à l'évidence du besoin d'un accent nouveau sur les politiques, domestiques et intérieures, qui peuvent promouvoir la croissance économique, la justice sociale et rehausser la qualité de la vie pour tous les Canadiens. »

En d'autres mots, le Canada était menacé de façon plus immédiate par la désunion au pays que par la pression de l'étranger. Ainsi le renforcement des relations internes constituait une plus grande priorité que les relations extérieures. En termes de politique extérieure, cela signifiait qu'il fallait accentuer les relations commerciales de façon à promouvoir la croissance économique au Canada et encourager les contacts culturels qui enrichiraient la société canadienne bilingue et multiculturelle.

Une décision-clé

Plusieurs Canadiens n'acceptaient pas cette nouvelle priorité de la politique extérieure. A part ceux qui tenaient ferme à la vieille croyance dans l'internationalisme, il y avait les nouveaux nationalistes qui insistaient que la plus grande menace pour le Canada n'était pas intérieure mais extérieure, celle d'être englobé par les Etats-Unis.

Pendant les années quarante, les Canadiens étaient généralement heureux de recevoir tout le capital et le savoir-faire américains possibles. Au cours des années soixante, ils devinrent de plus en plus conscients du fait que ce flot d'investissements avait pris dans une large mesure le contrôle de leurs industries et de leurs ressources: environ 60 p. cent de tout le secteur manufacturier, 65 p. cent des mines et des fonderies, 75 p. cent du pétrole et du gaz naturel.

En 1970, il y avait une inquiétude assez généralisée que la propriété étrangère sur une telle échelle impliquait un contrôle étranger sur les décisions vitales affectant l'économie, une influence étrangère sur la politique, financée par les corporations d'affaires, une pression étrangère sur le gouvernement et l'importation d'un mode de vie étranger.

Le ministre de l'Energie, des Mines et des Ressources, Joe Greene, exprima ce changement d'attitude des Canadiens lorsqu'il prît la parole devant des magnats du pétrole américains fort surpris, à Denver, Colorado, en 1970: « Ces Canadiens qui sont candides admettront que nous étions, jusqu'à récemment, assez satisfaits de n'être qu'un petit microcosme de l'Amérique. Notre seule plainte était de ne pas l'être davantage. Vous aviez plus d'argent — de meilleurs salaires et revenus — que nous. C'était le seul problème et notre principal but était de trouver un remède à cette situation. Mais maintenant les choses ont clairement changé. Les Canadiens sont déterminés à construire quelque chose qui leur appartiendra en propre et à ne pas être le pâle reflet et la petite réplique d'une grande et puissante civilisation de notre côté sud. » Greene avoua qu'il n'avait été que récemment converti à l'idée qu'un degré accru de propriété canadienne de l'industrie et des ressources était essentiel à l'indépendance et il ajouta l'insulte à l'injure en disant à son auditoire américain: « La montée du nouveau nationalisme canadien et la détermination de bâtir quelque chose d'unique a été causée en partie par le malaise qui existe dans votre pays — ce qui apparaît à plusieurs comme la disparition soudaine et tragique du rêve américain qui, de quelque manière, s'est transformé en cauchemar. »

Ces propos reflétaient avec précision les sentiments de plusieurs Canadiens dans tous les partis politiques majeurs et du Comité pour un Canada indépendant, formé pour mettre de la pression sur Trudeau et son gouvernement afin de l'amener à adopter une action énergique dans le but de limiter le contrôle étranger de l'économie. Mais il y avait également de fortes pressions dans l'autre direction — vers de plus grandes entreprises fonctionnant dans des marchés plus vastes pour répondre aux impératifs économiques mais sans préoccupations pour les frontières nationales. Le Conseil économique défia implicitement les nationalistes dans son rapport de 1970 en soulignant que le Canada était à peu près le seul pays industriel développé n'ayant pas un marché de consommation de 100 millions ou plus, et commenta: « Il y a la question plus fondamentale de savoir comment le Canada va réagir à la "nouvelle génération" des grands marchés industriels, des grandes entreprises internationales et à l'accélération du changement technologique. L'accès à un vaste marché pour les produits industriels deviendra sans aucun doute encore plus important à l'avenir que ça ne l'a été dans le passé. »

Le Conseil n'était pas optimiste quant aux chances du Canada de trouver des marchés plus vastes à travers un progrès mondial renouvelé se dirigeant vers un commerce ouvert, et il lança l'avertissement que si les Etats-Unis devenaient protectionnistes, le Canada serait probablement forcé de rechercher un type d'arrangement continental spécial. Il prédit également que les corporations multinationales pourraient compter autant que

50 p. cent du rendement total du monde libre en 1990 et laissa entendre que si le Canada tentait de les contrôler de façon trop rigide — comme le proposaient les nationalistes — « ... leurs expansions futures et même leurs présentes activités pourraient être transférées ailleurs ».

La tendance protectionniste dont le Conseil économique avait crainte ne tarda pas à se manifester et prit une forme dramatique, en août 1971, lorsque le président Nixon annonça soudainement sa nouvelle politique économique, destinée à améliorer la balance commerciale et des paiements américains. La mauvaise nouvelle atteignit Ottawa par un appel téléphonique, tard le soir, en provenance de Washington, éveillant le Premier ministre suppléant, Mitchell Sharp, à sa résidence. « Je pensais que c'était un rêve », déclara-t-il. « Cauchemar » aurait été plus approprié.

Le gouvernement calcula rapidement que les mesures américaines pour réduire les importations en provenance du Canada feraient perdre leur emploi à 90,000 Canadiens par année. Au dégoût des nationalistes, mais comme le Conseil économique l'avait prédit, les ministres se précipitèrent à Ottawa pour demander une exemption spéciale. Les ministres firent valoir que même si le Canada bénéficiait d'un important surplus commercial avec les Etats-Unis, l'argent était en grande partie retourné sous d'autres formes de paiements. Cela n'impressionna pas Washington. « Je ne pense pas qu'ils connaissent beaucoup le Canada ou s'en soucient beaucoup », déclara Trudeau au cours d'une entrevue de CBC. « Je ne pense pas qu'ils réalisent ce qu'ils font. Je ne pense pas que les Etats-Unis tentent délibérément de réduire ses voisins à la mendicité et de faire de cela une politique permanente. Mais si c'est le cas, nous allons devoir faire

un nouveau bilan fondamental de toute notre économie. »

Trudeau comprit de façon plus profonde et plus pessimiste que la plupart des Canadiens, incluant les nationalistes, les implications des actions américaines et les
expliqua dans une entrevue à Charles Lynch. Pour la
première fois dans l'histoire, le Canada produisait un
surplus pour payer de l'intérêt et des dividendes aux investissements américains en sol canadien. Mais maintenant Nixon disait que les Etats-Unis ne pouvaient se permettre de laisser le Canada accumuler un tel surplus et
adoptait des mesures drastiques pour rétablir l'équilibre.
Si cela se produisait et si le Canada n'avait plus de surplus commercial il devrait recourir à sa vieille habitude
de vendre plus d'industrie et de ressources pour gagner
des dollars américains avec lesquels il paierait ses comptes pour les investissements passés. Le résultat des politiques de Nixon serait donc la poursuite des investissements américains au Canada. Trudeau dit qu'il voulait
demander à Nixon: « Est-ce que vous dites que votre
système économique vous conduit à essayer d'acheter la
plus grande partie possible du monde? », et il commenta
à Lynch: « Je ne pense pas qu'ils aient cela à l'esprit.
Vous savez, ceci est la vraie théorie marxiste, que l'im-
périalisme est la dernière phase du capitalisme. »

Trudeau eut sa chance de questionner Nixon lorsqu'il le
visita à Washington, en décembre 1971, et il reçut l'assurance « fantastique » que la politique américaine ne
visait pas à avaler le Canada. En pratique, les Etats-
Unis mirent fin à certaines, mais pas toutes, de leurs mesures protectionnistes, un peu plus tard au cours du
mois, en échange d'un réalignement des cours des monnaies mondiales. Comme nous l'avons vu dans le cha-

pitre sur la politique économique, le Canada réussit à résister aux pressions américaines de réévaluer son dollar à la hausse dans le but de donner un avantage commercial aux Etats-Unis.

Lorsque Nixon remit la visite de Trudeau en venant à Ottawa, en avril 1972, il rendit son assurance formelle dans un discours qu'il prononça devant les deux Chambres: « Aucune nation qui se respecte ne peut ou ne devrait accepter la proposition qu'elle devrait toujours être dépendante économiquement d'une autre nation. Reconnaissons une fois pour toutes que le seul fondement d'une relation saine et solide entre nos deux peuples est de trouver un modèle d'interaction économique qui sera bénéfique aux deux pays — et qui respectera le droit du Canada d'orienter son propre cheminement économique. »

Un nationaliste canadien aurait pu difficilement écrire une déclaration plus satisfaisante que celle livrée par le Président. C'était une porte ouverte à Trudeau de décider d'une politique face à la propriété étrangère sans crainte d'être accusé d'anti-américanisme. Mais s'il était libéré des susceptibilités américaines il était encore sujet à de fortes pressions à l'intérieur du Canada.

Le cabinet avait nommé un de ses membres, Herb Gray, au printemps de 1970, pour étudier toute la question de la propriété étrangère et faire des recommandations. Lorsqu'il y eut une fuite de son brouillon préliminaire, à l'automne 1971, révélant qu'il proposait la création d'une agence de tamisage habilitée à décider quel type d'investissement étranger pourrait être accepté ou refusé, plusieurs Premiers ministres provinciaux et d'importants hommes d'affaires réagirent avec colère. Cependant que certaines parties du Canada pouvaient posséder tout le capital américain dont elles avaient besoin et plus encore, les régions à faible croissance où le chômage et la pauvreté demeuraient les problèmes les plus sérieux, étaient anxieuses d'attirer tous les investissements possibles sans égard pour la nationalité.

Lorsqu'on publia officiellement le rapport Gray de 523 pages, tôt en mai 1972, il confirma toutes les statistiques de la progression de la propriété étrangère et certains des soupçons que les filiales canadiennes de corporations étrangères avaient tendance à être des garnitures dans les opérations internationales — des compagnies tronquées qui prenaient leurs ordres et leur technologie outre-mer et ne fournissaient pas la possibilité de carrière complète au Canada. L'étude lançait également l'avertissement que « . . . le développement de la nation canadienne avec une culture indigène distinctive va dépendre principalement de l'encouragement des talents domestiques et des capacités de création. . . . ces capacités canadiennes peuvent être étouffées si le Canada est inondé par les influences d'autres pays plus grands et plus développés que le Canada. L'important volume des investissements directs des Etats-Unis au Canada constitue une bonne partie de l'influence américaine massive sur notre société, malgré que ce ne soit certainement pas la portion la plus importante. »

Toutefois, l'étude concluait que le capital étranger apportait d'importants bénéfices en même temps que des désavantages au Canada et le rapport recommanda de créer un mécanisme pour vérifier et examiner chaque proposition d'investissement pour s'assurer que les conditions soient aussi favorables que possible — ou pour empêcher un projet s'il semblait opposé aux intérêts du Canada. Le cabinet accepta le principe de cette idée mais décida de ne l'appliquer que dans un champ restreint. Les investissements étrangers destinés à s'emparer de compagnies canadiennes existantes seraient passées au peigne fin. Mais le flot beaucoup plus important d'investissements destinés à créer une nouvelle compagnie étrangère ou à étendre les opérations d'une filiale étrangère déjà existante ne ferait pas l'objet d'un contrôle.

Cela signifiait que le gouvernement Trudeau continuerait à accueillir favorablement le capital étranger sur une haute échelle et que les dynamiques corporations multinationales continueraient probablement à s'accaparer une plus grande part des affaires au Canada.

Trudeau déclara à Jack Cahill, du **Toronto Star**, qu'il y avait trois raisons justifiant la politique prudente du cabinet: (1) Les Canadiens étaient plus préoccupés par l'achat de compagnies canadiennes par des étrangers et c'est le problème auquel le gouvernement choisit de s'attaquer; (2) Les achats de compagnies existantes n'étaient souvent qu'une question de remplacer le capital canadien par du capital étranger et n'apportaient ni nouvelle technologie ni nouveaux emplois; (3) Les provinces « ne veulent pas que le gouvernement fédéral empêche le capital d'entrer ... pour créer des emplois et stimuler le progrès économique. »

Ainsi Trudeau mettait en pratique la théorie énoncée plus tôt dans le document « **Une politique extérieure pour les Canadiens** », à l'effet que le Canada était plus menacé par la division à l'intérieur et l'insatisfaction que par des forces extérieures. Il disait effectivement que le gouvernement accordait une plus grande priorité aux demandes des provinces centrées sur la croissance

économique et les emplois qu'à la résistance aux empiétements du capital étranger sur la souveraineté nationale.

Ce fut probablement la plus importante décision de politique étrangère prise par le cabinet Trudeau. Elle
rejetait le nationalisme et acceptait implicitement que
l'avenir du Canada reposait dans une étroite association
avec les Etats-Unis.

La Doctrine Trudeau

Pendant que les nationalistes étaient angoissés de l'aban-
don graduel de la souveraineté, Trudeau souligna que
si le Canada agissait avec prévoyance et détermination,
il pourrait tirer le meilleur des deux options: L'intégration économique et l'indépendance politique. Comme
le document sur la politique extérieure le présente:
« De plus en plus, la relation économique Canada-Etats-
Unis, sera affectée par des accords entre gouvernements
et des arrangements avec les corporations multinationales et les unions ouvrières. Tout en étant bénéfiques
pour la croissance économique du Canada, ces développements pourraient mettre en danger la souveraineté,
l'indépendance et l'identité culturelle et celà va requérir
un effort conscient du gouvernement canadien pour conserver le contrôle de la situation dans son entier. »

Les tactiques de Trudeau étaient de (1) résister aux défis
directs à la souveraineté canadienne et à l'identité, chaque fois qu'ils pouvaient se présenter et (2) faire contre-
poids à l'influence des Etats-Unis au Canada en exposant
le pays à d'autres cultures et contacts étrangers.

Lorsque le brise-glace et pétrolier géant « Manhattan »
fit un voyage expérimental à travers l'Arctique, en 1969,
menaçant de transformer la mer gelée en voie d'eau

navigable au lieu d'un territoire canadien, le gouvernement réaffirma la souveraineté en revendiquant une zone
de 100 milles de distance pour le contrôle de la pollution
dans l'Arctique. Même si le geste était douteux en Droit
international et qu'il déclencha les protestations du gouvernement américain, la mesure eut un effet pratique
en motivant les compagnies d'assurances à insister pour
que tout navire pénétrant dans l'Arctique se soumette
aux règlements canadiens. La nouvelle politique de
défense du gouvernement canadien mit également l'accent sur la surveillance dans le Grand Nord afin d'établir
la juridiction canadienne.

Afin de faire face à l'invasion culturelle de la diffusion
américaine, le Conseil canadien de la radio-télévision
(CRTC) adopta des règles sévères de contenu canadien
limitant ainsi le temps d'antenne de la programmation
américaine au Canada. Malgré que le domaine de l'édi-
tion était principalement de juridiction provinciale, le
Secrétaire d'Etat conçut un programme modeste pour
venir en aide aux compagnies canadiennes qui, autrement, auraient été dans l'obligation de vendre aux
Américains.

Toutefois le gouvernement n'entreprit aucune action
contre deux importantes sources d'influences au Canada,
le magazine **Time** et le **Reader's Digest**, qui continuèrent
à profiter d'une situation privilégiée pour des publica-
tions étrangères.

C'était typique de la prudence de Trudeau dans sa gouverne des relations avec les Etats-Unis. Tout en parant
les nouveaux empiétements sur l'indépendance, il évitait
de rouvrir de vieilles plaies ou de provoquer le puissant
voisin.

Il évita également de s'engager publiquement dans des

questions internationales telles que le Viêt-nam, ce qui aurait pu provoquer une collision avec Washington, et sa rhétorique de défense mettait l'accent sur la sécurité continentale et le cimmandement nord-américain de la défense de l'air (NORAD) — même lorsqu'il renvoya aux Etats-Unis les missiles anti-bombardiers Bomarc, et exposa clairement que le Canada ne participerait pas à une défense contre des missiles balistiques.

Trudeau rencontra Nixon à quatre reprises en quatre ans et accordait de la valeur à leur relation personnelle. Il traita toujours le président avec déférence en insistant que Nixon était un authentique ami du Canada lorsqu'il n'était pas préoccupé par de plus grandes puissances et des questions plus importantes.

Ainsi, par ses attitudes envers les Etats-Unis, Trudeau démontra la sagesse diplomatique conventionnelle que le Canada pouvait exercer plus d'influence par une diplomatie discrète de persuasion privée que par des protestations et des critiques publiques.

L'aide à l'étranger fut l'un des principaux instruments utilisés pour ouvrir de nouvelles fenêtres sur le monde et pour changer la perception du Canada à l'étranger. Le programme total doubla presque, passant de $253 millions en 1967-68 à $491 millions budgetés pour 1972-73, malgré que cette somme était encore faible comparativement à l'objectif international idéal de 1 p. cent du Produit national brut. A l'intérieur de ce total on pouvait cependant constater d'importants changements d'orientation. On confiait plus d'argent aux agences internationales au lieu d'affecter ces sommes à l'achat de matériel canadien coûteux. Et le montant de l'aide accordée aux pays francophones d'Afrique passa de $12 millions à près de $70 millions.

En 1972, il y avait 489 éducateurs canadiens et 83 conseillers travaillant dans le programme d'aide à l'Afrique francophone. Tout en aidant à soulager le chômage au Québec, cela donna plus d'à-propos au gouvernement fédéral dans cette province et répandit l'image du Canada à l'étranger comme étant un pays francophone aussi bien qu'anglophone. Une grande partie de l'amélioration du programme d'aide était attribuable au travail de Maurice Strong, un homme infatigable et innovateur qui crut possible d'utiliser les méthodes du capitalisme pour réaliser les objectifs humanitaires du socialisme. Homme d'affaires qui devint millionnaire par ses propres efforts, il quitta la présidence de Power Corporation qui gérait l'un des plus grands consortiums de capital d'entreprises au Canada pour entrer dans la fonction publique et diriger le programme d'aide à l'étranger. Lorsqu'il abandonna son poste, en 1970, pour devenir un sous-secrétaire aux Nations unies et organiser une attaque internationale contre la pollution, il fut remplacé par un dirigeant moins efficace, Paul Gérin-Lajoie, un ancien ministre du gouvernement québécois que Trudeau avait fait venir plus tôt à Ottawa pour aider à rendre publique la présence canadienne-française dans l'administration fédérale.

Trudeau lui-même dirigea la campagne outre-mer afin d'établir des contacts pour contre-balancer l'influence américaine. En quatre ans, il voyagea officiellement dans 14 pays: la Grande-Bretagne, les Etats-Unis, l'Union Soviétique, la Nouvelle-Zélande, l'Australie, la Malaisie, Singapour, le Japon, les Indes, le Pakistan, l'Indonésie, Ceylan, l'Iran et l'Italie où il établit des relations canadiennes avec le Vatican.

Sa première initiative diplomatique majeure fut de négo-

316

cier avec la Chine communiste pour la reconnaissance mutuelle. Malgré que Trudeau entreprit le travail avec la promesse de continuer à reconnaître le régime nationaliste de Taiwan, il modifia complètement sa position à cet égard et l'arrangement avec Pékin ne causa que peu de controverse au Canada. Une année ou deux auparavant, le geste aurait pu être considéré comme dangereusement offensant aux yeux des Etats-Unis, mais cela ne faisait maintenant que paver la voie pour Nixon.

La visite de Trudeau en Union Soviétique et celle du Premier ministre Kossyguine au Canada, les deux en 1971, suscitèrent beaucoup plus de critiques — surtout parce que des groupes d'immigrants canadiens gardaient un souvenir amer de l'oppression communiste et étaient soupçonneux de cette amitié avec Moscou. Trudeau provoqua aussi les attaques, comme si souvent, par quelques remarques imprudentes. Lors d'une conférence de presse, à Moscou, il appuya sur le fait que les Etats-Unis étaient un pays voisin, ami et allié du Canada mais poursuivit en disant: « Le Canada a trouvé de plus en plus important de diversifier ses canaux de communications en raison de la présence de la super-puissance des Etats-Unis et ceci se reflète dans une conscience de plus en plus éveillée chez les Canadiens du danger que court notre identité nationale du point de vue culturel, économique et peut-être même militaire. »

La référence ambiguë au danger militaire — voulait-il dire les liens très étroits de défense avec les Etats-Unis ou une attaque possible des Etats-Unis? — firent froncer les sourcils ahuris. Puis, il fit bondir la communauté ukrainienne du Canada en les outrageant lorsqu'il suggéra que leurs héros, les Ukrainiens nationalistes d'Union

Soviétique, étaient des révolutionnaires dont la place était en prison.

Néanmoins, l'Ostpolitik de Trudeau résulta en quelques accords potentiellement utiles. Le Canada et l'Union Soviétique établirent des commissions mixtes pour coopérer dans l'application de la science et de la technologie à l'industrie; ils signèrent un protocole prévoyant une consultation régulière au niveau des ministres des Affaires extérieures; et s'entendirent pour faciliter l'échange d'universitaires, de musiciens, d'artistes, de scientistes, de journalistes et de touristes.

Malgré que la **Politique extérieure pour les Canadiens** ait rabaissé l'utilité du Canada en tant qu'arbitre de conflits, Trudeau se retrouva dans ce rôle familier à la conférence du Commonwealth, à Singapour, en 1971.

Avec la détermination du gouvernement britannique de reprendre la vente d'armes à l'Afrique du Sud et la menace de certains membres de l'Afrique Noire de se retirer du Commonwealth s'il le faisait, Trudeau réussit à agir comme médiateur, refroidissant les positions des deux côtés et quittant la conférence comme probablement le seul Premier ministre blanc jouissant de crédibilité en Afrique.

Il fallut un certain temps avant de formuler de façon efficace une méthode pour établir de nouveaux contacts avec l'Amérique latine comme le voulait la politique qui avait été décidée très tôt. Mais en 1972, le Canada était prêt à accepter le statut d'observateur à l'Organisation des Etats américains et à engager $100 millions pour devenir membre de plein droit de la Banque de développement inter-américaine. Ce furent des initiatives peu remarquées mais importantes pour impliquer le Canada dans la vie politique et économique du continent.

En Europe le gouvernement réussit à restaurer la confiance qui avait été ébranlée par la décision sur l'OTAN et par la crainte que le Canada ne se tournât vers l'isolationnisme, mais il eut moins de succès en tentant de trouver une base permanente de coopération avec le Marché Commun. Après le départ du président de Gaulle qui avait encouragé le séparatisme au Québec, les relations avec la France se normalisèrent tranquillement.

En résumé, il semble clair que Trudeau s'est intéressé aux Affaires extérieures principalement dans la mesure où elles pouvaient influencer les problèmes intérieurs près de son cœur, et ça prendra un certain temps avant de pouvoir évaluer les résultats de ses initiatives. En attendant, je ne suis au courant que d'une seule étude étendue de la politique extérieure de Trudeau par un observateur qualifié, **Search for New Roles** (A la recherche de rôles nouveaux) par Peter C. Dobell, directeur du Centre parlementaire pour les Affaires extérieures et le Commerce extérieur (Oxford University Press, pour l'Institut royal des Affaires internationales). Dans son excellente étude, Dobell conclut: « . . . la modestie du gouvernement Trudeau peut le conduire à sous-estimer la capacité actuelle du Canada pour une action efficace dans le monde. La référence du Premier ministre qui parle du Canada comme d'une " plus petite puissance", et encore plus ses remarques à son retour de Russie à l'effet que "nous" sommes plus intéressés à ce qui est bon pour le Canada . . . "nous ne tentons pas de déterminer les événements extérieurs", révèlent un scepticisme quant à la capacité du Canada d'influencer son environnement extérieur, ce qui peut empêcher le gouvernement d'entreprendre une activité internationale utile même là où le besoin, la capacité et l'occasion peuvent coïncider... Ceci étant dit, l'inquiétude se porte toutefois sur l'avenir.

Parce que jusqu'à maintenant, lorsque des occasions se sont présentées d'agir utilement à l'étranger, telles que durant la période qui conduisit à la conférence du Commonwealth à Singapour, le gouvernement a agi avec intelligence et vigueur. Et puisque les actes comptent plus que les mots, il n'y a peut-être pas de raison de s'inquiéter. »

Des mythes, des hommes
et de la puissance

Les Canadiens français

Les mythes sont florissants en politique. Certains naissent de préjugés parce qu'il est souvent tentant de croire au pire en songeant à ses adversaires. D'autres sont inventés parce qu'il est plus simple et plus distrayant de décrire l'exercice du pouvoir en termes de conspiration de quelques-uns plutôt que comme un processus diffus et souvent obscur de prise de décisions. Ainsi il était satisfaisant pour plusieurs Canadiens de croire que le gouvernement Trudeau était dirigé par une coterie de Canadiens français ou de parler d'un super-groupe de politiciens, conseillers et bureaucrates qui monopolisaient le pouvoir et prenaient toutes les décisions importantes.

Le mythe qu'une mafia québécoise contrôlait le Cabinet prend ses origines dans le fait que Trudeau vint à Ottawa en 1965 avec deux amis et alliés politiques, Jean Marchand et Gérard Pelletier. On les connaissait comme « Les Trois Sages » et il était facile de prévoir qu'une fois que Trudeau deviendrait Premier ministre, il continuerait à considérer les avis de ses amis avec grande attention.

Mais c'était mal comprendre Trudeau. Il se méfiait de l'émotivité et du sentiment dans la prise de décision et mit sa confiance en des systèmes d'analyse élaborés et dans un froid rationalisme. Contrairement aux Premiers ministres antérieurs, il ne s'entoura pas de personnages formant une sorte de cabinet officieux. « Je pense que je vois M. Trudeau moins souvent maintenant que lorsqu'il n'était pas Premier ministre », déclara Marchand au cours d'une entrevue à la CBC, en mars 1972. « Ne pensez pas que je passe ma vie au 24 avenue Sussex. Je n'y suis pas allé depuis six mois . . . et c'est la même chose pour Pelletier, et nous sommes amis. Nous n'avons pas le temps. Nous sommes pris par nos ministères . . . Eh bien nous le (Trudeau) voyons au cabinet. Mais en privé? Je ne le vois pas plus souvent que tout autre ministre — et probablement moins. » Pelletier déclara sensiblement la même chose. A l'été 1971, lorsqu'un député d'arrière-banc en colère demanda sa démission à cause du programme Perspectives-Jeunesse, Pelletier crut bon d'aller offrir sa démission au Premier ministre comme simple formalité mais lorsqu'il demanda un rendez-vous, il se rendit compte avec stupeur, qu'il n'avait pas eu une discussion privée avec Trudeau depuis un an.

La structure du cabinet constituait la preuve que les Canadiens français n'y exerçaient pas d'influence particulière. Du point de vue des nombres, en fait, ils perdirent du terrain: le cabinet Pearson, en janvier 1966, comptait sept Canadiens français du Québec parmi 26 ministres; en 1972, Trudeau avait sept Québécois, lui-même compris, parmi 30 ministres. Pearson avait 10 ministres de l'Ontario et Trudeau 11.

Le comité des Priorités et de la Planification constituait le noyau central de la structure du cabinet. Trudeau en était le président et Marchand ainsi que Pelletier en étaient membres mais les sept autres ministres membres (en juin 1970) étaient tous des Canadiens anglais: le ministre des Finances, John Turner, le président du Conseil du Trésor, C.M. "Bud" Drury, le ministre des Affaires extérieures, Mitchell Sharp, le ministre de la Justice, Otto Lang, le ministre des Transports, Don Jamieson, le ministre des Affaires urbaines, Ron Basford et le ministre des Affaires du consommateur et des Corporations, Robert Andras qui fut nommé après que Trudeau l'ait choisi pour travailler avec Marchand comme président conjoint du comité libéral de la campagne électorale.

Les Canadiens français firent effectivement un certain progrès en termes de puissance de portefeuille — soit la gouverne de ministères importants. Ils avaient été traditionnellement nommés à des postes prestigieux mais immobiles comme le ministère de la Justice ou à des ministères dotés d'un contrôle sur un patronage substantiel. Les Canadiens anglais continuaient d'accaparer les leviers de taxation et la puissance de dépenser au ministère des Finances et au Conseil du Trésor, et supervisaient la marche des affaires dans le pays à travers le ministère de l'Industrie et du Commerce. Pearson s'en tint à la coutume de façon générale mais prépara le changement en permettant aux Canadiens français un certain apprentissage dans les techniques de gestion de l'économie. Il nomma Marchand à la Main-d'Oeuvre; envoya Jean-Luc Pépin construire le ministère de l'Energie, des Ressources et des Mines tandis que Chrétien était placé sous la tutelle de Sharp aux Finances.

Lorsque Trudeau prit la relève de Pearson, il continua le procédé, mais en douceur. Pépin devint le premier Canadien français à occuper le poste de ministre de l'Industrie et du Commerce. Son style enjoué et sa franchise rafraîchissante ne tardèrent pas à en faire un préféré à la Chambre des Communes. Il était un voyageur et un promoteur infatigable, prononçant des discours stimulants comme s'il avait été de retour dans les salles de cours de l'université tentant de garder les élèves en éveil avec des phrases chocs puis enfonçant son message dans le crâne de tout ce monde par de constantes répétitions. Il eut la bonne fortune d'être en poste au moment où le commerce au niveau des exportations explosait littéralement et il trima dur pour en tirer le plus de bénéfices possible. De son côté Marchand devint ministre de l'Expansion économique régionale qui se transforma en ministère stratégique pour le développement économique. Chrétien était responsable du Développement du Nord et des Affaires indiennes. Mais les Finances et le Conseil du Trésor, les deux ministères les plus puissants du gouvernement demeuraient entre les mains de Canadiens anglais.

Les conseillers

Le mythe du super-groupe commença avec la fausse idée que Trudeau et quelques amis politiques formeraient un cabinet dans le cabinet. Le phénomène découlait également de l'accroissement du personnel de Trudeau, sous la direction d'un autre ami, Marc Lalonde, et le renforcement du contrôle de l'Exécutif à travers le Conseil privé. On avait toujours reconnu que les hauts fonctionnaires dans les principaux ministères, les mandarins, étaient des personnages influents mais on les mélangeait maintenant aux amis de Trudeau et à son personnel afin de former ce prétendu super-groupe.

Les réalités du pouvoir étaient plus complexes. Dans tout gouvernement, les ministres seniors, les adjoints qui ont accès au Premier ministre et les principaux fonctionnaires ont le pouvoir d'influencer les décisions. Moins ils sont nombreux, plus ils ont la chance de se mieux connaître et la possibilité de travailler comme groupe avec plus de cohésion. En augmentant le personnel et en réorganisant les structures de contrôle, Trudeau ne créa pas un super-groupe mais fit plutôt l'inverse: il établit un système de vérifications et d'équilibre.

Nous avons déjà décrit dans un chapitre précédent cette croissance du bureau du Premier ministre qui n'a pas été lancée par Trudeau mais qui n'était que la suite d'un processus déjà amorcé. Le but principal n'était pas de remplacer la bureaucratie traditionnelle mais de fournir une alternative au Premier ministre au niveau des sources d'information et des idées. La plupart des nouveaux employés, à tout événement, ont travaillé pour Trudeau dans des tâches bureaucratiques mais l'ont rarement rencontré. Les quatre qui avaient un accès plus ou moins direct au bureau du Premier ministre et faisaient figure de conseillers seniors étaient Lalonde, un Canadien français; Ivan Head, le spécialiste en politique étrangère et le scripteur des discours, d'Alberta; le secrétaire de presse, Peter Roberts, également d'Alberta et le secrétaire du Programme, Jim Davey, de Montréal et de Toronto. En observant son personnel et d'autres membres de son bureau, Trudeau blagua qu'il avait été infiltré par les gens de l'Ouest.

D'autres adjoints et hauts fonctionnaires puissants ont été mentionnés dans des chapitres antérieurs: Bryce et

Reisman, aux Finances, Robertson et Pitfield au Conseil Privé et Al Johnson, de Saskatchewan, qui devint secrétaire du Conseil du Trésor. Ed Ritchie était ambassadeur à Washington avant d'être rappelé à Ottawa pour devenir sous-secrétaire des Affaires extérieures avec mandat de tirer le ministère de sa position stagnante, après sa première rencontre houleuse avec Trudeau. Egalement aux Affaires extérieures, Allan Gotlieb joua un rôle influent lorsqu'on donna le feu vert à la révision de la politique étrangère, puis fut nommé sous-ministre au ministère des Communications. Brillant avocat de Winnipeg, il laissa Harvard, ne trouva pas le défi suffisant et vint à Ottawa. Plusieurs membres du personnel de Trudeau lui vouaient de l'admiration et le consultaient régulièrement relativement à des problèmes qui n'étaient pas du ressort de son propre ministère.

Il inventa, dans un autre contexte, la raillerie que Trudeau avait utilisée avec un effet dévastateur contre Claude Ryan à l'occasion des rumeurs de gouvernement provisoire durant la crise du FLQ: « Le manque de pouvoir corrompt et le manque absolu de pouvoir corrompt absolument. »

Le gouverneur de la Banque du Canada est seul dans sa catégorie, bénéficiant d'une large mesure d'indépendance dans l'établissement de la politique monétaire et par voie de conséquence influençant l'économie. Si le gouvernement n'est pas en accord avec ce qu'il fait, il peut lui ordonner formellement de changer d'orientation. Mais ceci ne s'est jamais produit et si ça devait arriver, le gouverneur pourrait se sentir dans l'obligation de démissionner, engendrant une bataille politique de première classe et peut-être une crise financière. Il est donc essentiel que le gouverneur et le ministre des Finances travaillent ensemble dans l'harmonie et le conflit sensationnel qui survint entre le gouverneur James Coyne et le gouvernement Diefenbaker était en grande partie attribuable au manque de contact et de compréhension. Le successeur de Coyne, Louis Rasminsky ne fit pas les mêmes erreurs. Tous les vendredis, il sortait de la banque, traversait la rue et se rendait au ministère des Finances pour des conversations. Rasminsky était souvent invité à des réunions du comité de la Politique économique du cabinet Trudeau et s'occupa occasionnellement d'organiser des réunions d'information sur la situation financière pour les Premiers ministres des provinces. Comme tous les banquiers, il avait des vues extrêmement sérieuses sur l'inflation et dans ce sens exerça sur Trudeau une influence considérable. Il n'était pas bien connu sur la Colline parlementaire et plusieurs députés n'auraient pas reconnu ce grand homme aux cheveux blancs d'une prestance impressionnante. Mais ceux qui eurent l'occasion de le rencontrer au cours de voyages à l'extérieur d'Ottawa commentèrent qu'il transportait parfois un thermos de son propre martini spécial et un stock inépuisable d'anecdotes amusantes.

Le cabinet

Tous les adjoints et hauts fonctionnaires étaient toutefois des conseillers influents mais n'étaient pas ceux qui prenaient les décisions finales. Le cabinet demeura l'endroit où l'on soupesait les avis et où l'on faisait les choix politiques. Ici encore le système de Trudeau avait tendance à disperser les pouvoirs et la responsabilité plutôt que de ne les concentrer qu'en quelques mains.

Quelle que soit la façon dont un cabinet est constitué, il y a toujours un certain degré de conflit entre la responsabilité d'un ministre individuel pour son ministère et la responsabilité collective de tous les ministres pour toutes les politiques du gouvernement. Sous le système Trudeau, les plans d'un ministre pour son propre ministère, étaient souvent discutés et amendés dans un ou deux comités du cabinet avant d'être présentés devant le cabinet au complet.

Les propositions devenaient ainsi parfois celles du comité, amoindrissant le pouvoir individuel des ministres et augmentant le pouvoir collectif.

Ceci aide à comprendre pourquoi un certain nombre de ministres qui ont fait passer des lois très importantes aux Communes et qui ont été très en vue du public n'ont jamais été de fortes personnalités au cabinet. Nous en avons déjà mentionné quelques-uns: Pépin, Chrétien, Munro, Mackasey. Un autre qui entre dans cette catégorie est Jack Davis, homme déterminé et de sang-froid dont l'esprit fonctionne comme une règle à calculer; il était en fait. l'un des seuls ingénieurs à l'intérieur d'un Parlement formé plutôt de diplômés es Arts. Il établit le nouveau ministère de l'Environnement en 1971, employant le quart de tous les scientifiques du service fédéral, et installa une puissante batterie de moyens légaux contre la pollution; la Loi des eaux canadiennes, la Loi des pêcheries, celle de la marine marchande, celle de la protection contre la pollution des eaux de l'Arctique, de la propreté de l'air, la Loi de la sécurité des véhicules moteurs et plusieurs autres. Restait à voir comment ces armes légales fonctionneraient contre les intérêts retranchés du monde des affaires, sur un champ de bataille divisé en juridiction provinciale et fédérale. Mais le Canada sembla bien préparé, comparativement à d'autres pays, lorsque Davis conduisit la délégation canadienne à la conférence des Nations unies sur l'Environnement humain tenue à Stockholm, en juin 1972, et remporta un succès personnel considérable.

Ron Basford, le ministre chauve et tout d'une pièce, était un ministre agressif aux Affaires du consommateur et des Corporations, et il introduisit des lois très importantes pendant les trois années qu'il occupa le poste. On note, par exemple, la Loi des produits hasardeux, destinée à interdire des marchandises dangereuses du marché de la consommation; des amendements à la Loi des aliments et des drogues, et celles des brevets dans le but de stimuler la compétition dans l'industrie des produits pharmaceutiques dans l'espoir de faire baisser les prix; les Lois de l'emballage et de l'étiquetage et des poids et mesures faites pour protéger les consommateurs; des amendements à la Loi des corporations canadiennes pour les forcer à fournir plus d'informations sur leurs opérations; et enfin la loi controversée de la concurrence destinée à donner plus d'efficacité contre les coalitions. Lorsque Trudeau muta Basford aux Affaires urbaines, en 1972, on interpréta le geste comme un repli devant les hommes d'affaires outrés par la Loi de la concurrence et Basford lui-même était désappointé et semblait avoir subi un recul.

Mais il jouissait d'un certain prestige auprès des gens de l'intérieur, lorsque Trudeau le nomma au comité des Priorités et de la Planification pour succéder à Arthur Laing, le vétéran ministre de la Colombie britannique qui avait décidé de se retirer.

Basford était clairement au nombre des jeunes politiciens sur la voie ascendante au gouvernement avec des ministres comme Andras et Otto Lang.

On retrouvait à un autre niveau d'influence au cabinet,

les ministres possédant des connaissances spéciales ou un appui régional. Allan MacEachen parlait pour la Nouvelle-Ecosse et pour les Communes où il agissait comme leader parlementaire du gouvernement. Un des rares ministres à éprouver un certain sentiment pour les Communes, il pouvait interrompre une séance du cabinet en disant doucement: « Ils ne marcheront jamais là-dedans », signifiant que l'Opposition ne laisserait pas le gouvernement aller de l'avant dans ce qu'il planifiait à cette séance. Le cabinet apprit trop lentement à suivre les avis de MacEachen. Un célibataire du Cap Breton dont le chauffeur était en même temps joueur de corne-muse, MacEachen avait quelque chose d'un mystique auprès des technocrates.

Jim Richardson, le jeune mais puissant homme d'affaires de Winnipeg et ministre de l'Equipement et des Services, fut considéré, au début, avec une tolérance pas trop éloignée du mépris lorsqu'il livrait ses mises en garde quant à l'aliénation de l'Ouest et recommandait la décentralisation des opérations du Fédéral. Il reçut une attention plus sérieuse lorsque le mot commença à se répandre qu'il était peut-être le seul libéral des Prairies à s'être rendu assez populaire pour être assuré de son siège.

Le pouvoir et l'influence

Cet examen du cabinet Trudeau ne vise pas à faire le point sur chacun des ministres. Certains étaient des hommes assez âgés, sur le point de se retirer, tandis que d'autres étaient de jeunes recrues, au moment d'écrire ce livre. Quelques-uns ne faisaient pas d'impression apparente et les activités de ministres seniors comme Edgar Benson et Mitchell Sharp font l'objet d'un autre examen dans ce livre. Mais les hommes qui jouirent de la plus grande influence, au cours de cette période, furent simplement ceux dont Trudeau respecta de plus en plus les opinions.

Parmi ceux-là, le président du Conseil du Trésor, Drury, géra la fonction publique et coupa les prévisions des dépenses d'une main forte et impartiale, ce qui enragea les gens de gauche du gouvernement mais établit le meilleur contrôle des finances depuis plusieurs années. Ayant de profondes racines chez les Canadiens anglais du Québec, Drury fréquenta le Collège militaire royal puis, dans la trentaine, alors qu'il était brigadier dans l'Armée, reçut plusieurs médailles pour sa bravoure en Europe.

Il revint en Amérique au service de la fonction publique des Nations Unies, puis au Canada et enfin en politique. Il se promenait sur la Colline parlementaire, cheveux noirs et courts dans des costumes taillés comme des uniformes. Aux Communes, il donnait des réponses sèches et déployait tous les efforts dans son ministère pour conduire la machine fédérale la plus rapide grâce aux techniques et à l'efficacité de la grosse entreprise. Sa force résidait dans son intégrité. D'autres ministres pouvaient lui en vouloir de couper leurs plans de dépenses mais ils ne le soupçonnèrent jamais de le faire pour des raisons politiques. Et il donnait des avis directs à Trudeau de son propre point de vue qui était conventionnel et conservateur. Il était parent par alliance avec Walter Gordon qui proposa joyeusement, en une occasion, de vérifier comment Drury pouvait être utile à Trudeau en le faisant enlever par des guerilleros latino-américains et garder en otage jusqu'au versement d'une rançon — ce qui était une blague, avant la crise d'octobre 1970.

Donald Macdonald, un véritable géant à qui l'on avait accolé le surnom de « **Thumper** » (chose énorme) à l'école, eut une explication charmante quant à son influence. « Pourquoi je suis puissant? Parce que je suis près de Trudeau, voilà pourquoi », répondit-il à Eric Malling du **Toronto Star.** « Je l'ai appuyé depuis le début ». Il fut en fait un des premiers supporteurs de Trudeau au cours de la campagne à la direction et il devint l'homme-clé du cabinet en Ontario, résolvant les problèmes, adoucissant les insolubles et s'occupant du reste du patronage qui subsistait encore dans le système. Il se chargea également de la tâche peu agréable d'imposer les nouveaux règlements de procédure aux Communes malgré les protestations et les cris d'outrage et d'abus, prit la charge du ministère de la Défense durant une brève période au cours de laquelle il produisit le Livre blanc sur les nouvelles politiques, puis fut muté à l'Energie, aux Mines et aux Ressources pour négocier avec les intérêts américains le contrôle du pipeline de gaz de l'Arctique par le Canada. Mais Trudeau apprécia, en plus de sa loyauté, son esprit rigoureux et indépendant: lorsque le cabinet débattait la décision de la nouvelle politique relative à l'OTAN, Macdonald fit ses propres recherches et produisit sa position écrite en la faisant circuler chez les autres ministres.

Don Jamieson vint à Ottawa de Terre-Neuve en tant que jeune reporter radiophonique couvrant les négociations qui conduisirent à l'entrée de l'île dans la Confédération, en 1949. Il s'était d'abord opposé à l'union mais retourna chez lui, converti et libéral convaincu, puis connut rapidement la gloire et le succès grâce à ses intérêts dans les stations de radio et de télévision.

La plus jeune et la plus pauvre des provinces a toujours

éprouvé le besoin d'une représentation spéciale dans la Capitale fédérale et lorsque Jamieson revint en 1966, c'était à titre de député, se préparant à devenir l'ambassadeur de Terre-Neuve auprès du cabinet. Homme amical et rondelet, aimant les chemises aux couleurs voyantes (affectionnant particulièrement les tons argent) et parlant avec la facilité d'un annonceur, il plaisait aux Communes. Mais il aimait également, en privé, dévorer des tas de livres et était doté d'une bonne perception politique. Lorsque Trudeau le nomma au cabinet, en 1968, il fit rapidement sentir son influence de deux manières. Il étudia avec ténacité les nouveaux programmes de dépenses, désirant toujours connaître les coûts et les implications à long terme, ce qui le fit considérer comme un homme de droite. Mais au comité de la Planification et des Priorités, il devint un analyste social, sympathique aux nouvelles tendances et faisant ressortir les implications gouvernementales. Il rédigea, par exemple, un long document qui circula privément et dans lequel il s'interrogeait sur l'économie du consommateur et son analyse commençait ainsi: « La sagesse conventionnelle et l'expérience maintiennent que les attentes face aux mouvements de l'économie produisent une tendance prévisible dans les dépenses des consommateurs. L'argument veut que si les gouvernements et d'autres créent un climat de confiance, un grand nombre de consommateurs peuvent être persuadés d'acheter de grandes quantités de marchandises même s'ils n'en ont pas réellement besoin. Il semble évident qu'ils n'en ont pas tant besoin ... La présomption, à venir jusqu'à maintenant, est que la plupart des gens ont un désir latent de faire l'acquisition de nouvelles choses, soit parce qu'elles leur offrent plus de facilité, qu'elles sont un symbole de statut social ou simplement parce que l'avenir semble assez reluisant pour que les gens dépensent leur argent pour faire de nouvelles acquisitions simplement pour le plaisir de le faire ... Je crois que plusieurs acceptent trop facilement la prémisse que l'histoire va se répéter et que nous n'avons qu'à suivre les précédents, avec des variations mineures, de façon à nous sortir de tout ralentissement de l'activité économique. Et même s'ils ont raison, cela pose encore la question à savoir si nous devrions nous satisfaire à peine de nous retrancher dans un système qui équivaut à du gaspillage sous plusieurs aspects et qui est peut-être anti-productif, compte tenu d'autres buts importants que nous nous devons d'identifier et de tenter d'atteindre même s'ils ne sont pas aussi tangibles. Trudeau apprécia ce mélange de réalisme têtu et de curiosité sociale et la façon dont Jamieson prit la tête de la bureaucratie inerte et affaissée du ministère des Transports pour la transformer en une force créatrice, énergique et décentralisée dans les affaires nationales et urbaines.

Lorsque Pearson se cherchait un lieutenant au Québec, en 1965, Marchand était son choix et Trudeau fit son entrée presque par accident. En 1968, plusieurs libéraux voulaient que Marchand se présente comme candidat canadien-français à la course à la direction mais il insista pour appuyer Trudeau. Lorsque Trudeau devint Premier ministre, toutefois, Marchand demeura une personnalité au Québec, et il précisa la source de son influence politique en disant: « Il (Trudeau) se fie à mon jugement en autant qu'il s'agit de la situation politique au Québec. C'est l'impression que ça me donne. » C'était aussi l'impression de certains autres parce que Marchand parlait au cabinet des intérêts des travailleurs du Québec avec le souffle et les sentiments d'un ancien chef syndical, avec un degré de passion politique plutôt rare dans une assemblée aussi calme.

Gérard Pelletier, le troisième des Hommes Sages, était, contrairement à ses deux amis, plus analytique que Marchand et plus sensible que Trudeau, homme tranquille, au front haut, les yeux couverts et à peine une trace de sourire autour de sa bouche. Diefenbaker pensait qu'il avait une grande ressemblance physique à Machiavel, l'homme d'Etat de la Renaissance dont le nom est devenu synonyme, injustement, d'immoralité politique, et il aida à établir la légende que le Secrétaire d'Etat était en fait le sinistre personnage derrière le trône de Trudeau, le génie malfaisant à l'œuvre pour faire triompher le fait français au Canada. La caricature était grotesque pour le personnel et les collègues de Pelletier. Ils voyaient un homme complètement différent, affable, de bon esprit quoique fort de ses convictions, ouvert à la discussion et à l'expérimentation.

Pelletier avait sa propre explication rationnelle de la violence avec laquelle il était attaqué par Diefenbaker et les autres, particulièrement dans l'Ouest. Il croyait qu'en temps qu'ami personnel de Trudeau et ministre responsable de la plupart de ses programmes les plus controversés, dont le bilinguisme, il servait de cible commode lorsque le Premier ministre était trop populaire pour être sérieusement touché par la critique. Alors que Trudeau, aux yeux du public, ne pouvait faire de fautes, Pelletier était le substitut tout choisi. Le Secrétaire d'Etat est toujours vulnérable parce qu'il répond aux Communes d'un nombre d'agences controversées sur lesquelles il n'a pas de contrôle réel. Notons entre autres Radio-Canada, l'Office national du film, la Compagnie des Jeunes Canadiens, le Conseil du Canada et plusieurs autres.

Pelletier avait en plus de la responsabilité du bilinguisme celle de la jeunesse et la politique d'appui aux minorités ethniques ainsi que des groupes d'action communautaires. Il serait difficile d'inventer un ministère plus propice aux pièges politiques de toutes natures, mais Pelletier traversa toutes les explosions avec sérénité expliquant que lorsqu'il était rédacteur en chef de « La Presse », il avait appris à vivre avec les crises. Il n'avait pas peur de la controverse. Lorsqu'il songea à accorder une subvention à **Guerilla,** un journal radical **underground** de Toronto, il se rendit privément aux locaux de la commune pour parler de politique en sirotant du thé — puis décida de donner l'argent. Graduellement, la plus grande part d'hostilité qui s'exerçait contre lui à la Chambre et dans la presse firent place à une admiration à contre-cœur, presque à de l'affection.

Le successeur apparent

Le ministre du cabinet Trudeau qui s'est le plus imposé fut John Napier Turner. Pendant des années il semblait trop bon pour être vrai. Elevé dans l'establishment outaouais par sa mère veuve qui était une économiste senior du gouvernement, il fut un boursier de Rhodes, l'athlète choisi comme l'étudiant le plus populaire sur le campus de l'université de la Colombie britannique et un jeune avocat qui avait appris à maîtriser la langue française dans les Cours de Montréal. Il était également le beau-fils du lieutenant-gouverneur millionnaire de la Colombie britannique et gendre d'un magnat de l'assurance de Winnipeg. Député à l'âge de 33 ans et ministre junior deux ans plus tard, de belle apparence, énergique et stylé pour le vedettariat par le Premier ministre Pearson lui-même, il eut de la crédibilité comme candidat à la course à la direction du parti libéral, en 1968, ne fit aucune entente avec d'autres candidats et sortit de la course comme un homme dont le parti devait tenir compte.

Pendant la période où il fut ministre de la Justice, Trudeau avait commencé à transformer le vieux ministère statique en une agence vitale de réforme légale et sociale. Lorsqu'il demanda à Turner, en 1968, de prendre la relève et de poursuivre le travail, c'était un compliment et la reconnaissance de la puissance et de la qualité du travail de Turner derrière son image d'acteur de cinéma.

Turner ne tarda pas à convaincre les sceptiques qu'il était un ministre senior doté d'habileté et de profondeur. Il pilota aux Communes le bill Omnibus fort controversé que Trudeau avait présenté avant les élections et qui réformait la loi sur l'avortement, l'homosexualité et une vingtaine d'autres sujets. Il prit également charge de la Loi des langues officielles, négociant un arrangement avec l'Ouest lorsque ces provinces menaçaient de déclencher une bataille légale pour éprouver la constitutionnalité de la loi.

Puis Turner entreprit de mettre au point un dossier de réforme de la loi qui constitue l'un des plus importants mais des plus méconnus programmes du gouvernement Trudeau. « Au cours de mon terme à la Justice, nos énergies seront réparties en trois points », annonça-t-il. « Premièrement, équilibrer les droits du citoyen face aux droits de l'Etat. Deuxièmement, donner au Canada une loi criminelle plus contemporaine qui aura de la crédibilité, qui sera applicable, flexible et compatissante. Troisièmement, promouvoir l'égalité de l'accès et l'égalité du traitement devant la loi de la même façon pour les pauvres que pour les riches. »

Une nouvelle Loi de l'expropriation augmente les garanties des citoyens dont le gouvernement s'approprie les terres pour utilité publique. La Loi de la cour fédérale a élargi le pouvoir des cours pour reviser les décisions quasi judiciaires prises par des conseils et/ou des commissions. Un autre bill omnibus préconisait d'abolir la peine du fouet et celle de considérer la tentative de suicide comme une offense ainsi que certaines autres réformes. Une commission de la réforme de la loi fut établie pour que toutes les lois canadiennes soient continuellement et systématiquement révisées et que des changements soient recommandés. Un bill sur la réforme du cautionnement augmenta les droits des citoyens dans leurs implications avec la police avant de comparaître en Cour tandis qu'un autre projet de loi proposait pour la première fois d'interdire l'emploi de moyens d'écoute électroniques sauf sous autorisation légale. Turner était en train de négocier un plan d'aide juridique avec les provinces lorsqu'il quitta le ministère de la Justice, en 1972, pour prendre celui des Finances, à la demande de Trudeau, le poste le plus difficile dans le gouvernement.

Même si certaines rumeurs voulaient que Trudeau et Turner ne s'aiment pas, il y avait là plus de commérage que de vérité. Ils n'étaient pas des amis intimes mais ils se respectaient mutuellement et travaillaient ensemble avec confiance l'un dans l'autre. Au cours de la crise d'octobre, Turner fit le principal discours aux Communes pour défendre la Loi des mesures de guerre et présenta plus tard la Loi de l'Ordre public qui s'y substituait. Sa seule bataille majeure avec Trudeau se produisit lorsqu'il insista pour que la loi vienne à terme tel que planifié, en avril 1971, afin de rétablir les libertés civiles normales mais Trudeau voulait en poursuivre l'application à la demande de Bourassa.

Il y avait un portrait de Trudeau et de Turner dans le bureau de Turner sur la Colline parlementaire. Les deux hommes devaient être sous une extrême tension lorsqu'un photographe de presse capta leur expression en blanc et noir lorsqu'ils émergèrent du bureau du Premier ministre, à trois heures du matin après avoir appris le meurtre de Pierre Laporte quelques heures plus tôt. On pouvait lire au bas de la photographie: « A mon collègue John Turner, le 17 octobre 1970, dans un moment inoubliable pour nous deux et pour le Canada. Avec ma chaude estime, Pierre E. Trudeau. » Trudeau signe normalement P.E. Trudeau; Pierre est son style intime et il reflétait le sentiment qui se développa entre les deux hommes au cours de la crise, soit qu'ils étaient compagnons d'armes.

Le Premier ministre

La relation entre le Premier ministre et le cabinet était autrefois décrite comme celle du Premier parmi des égaux. Il était le chef du gouvernement avec de puissantes prérogatives, incluant le droit de nommer ou de destituer ses collègues du cabinet. Mais il demeurait un membre d'une direction collective et ne pouvait pas imposer ses vues contre une majorité évidente du cabinet sans courir le risque d'être répudié ou banni de son poste. Mais comme nous l'avons vu, le pouvoir du Premier ministre s'est accru alors que les machines de parti devenaient plus puissantes et que la politique se transformait en un concours de popularité entre les chefs.

La balance du pouvoir dans un cabinet moderne dépend dans une large mesure de la manière dont le Premier ministre veut conduire les choses. Il peut nommer des ministres forts ou faibles, leur accorder plus ou moins de liberté d'action dans leur ministère, exercer sa propre autorité ou rechercher le consensus.

Même si l'image publique de Trudeau était celle d'un Premier ministre qui dominait son cabinet et imposait toutes les décisions, la réalité, privément, était différente. C'était un chef à consensus, qui nomma des ministres énergiques, les encouragea à développer des initiatives et insista pour que des discussions complètes de toutes les alternatives soient tenues avant de s'engager dans des décisions. Malgré qu'il avait l'avantage de bénéficier d'une vue globale, étant le seul homme en possession d'un tableau complet des événements, il présidait le cabinet comme un président officiel plutôt que comme un chef. Il était, par exemple, moins porté que Pearson à se présenter à la séance en annonçant une décision et en demandant son approbation. Les ministres se plaignaient plus de la période de temps nécessaire à prendre une décision en la faisant passer à travers la machine du cabinet que du manque de discussions; et loin de voir Trudeau comme un tyran, certains d'entre eux se plaignirent qu'il ne livrait pas son opinion en certains cas en s'abandonnant à des dialogues socratiques.

C'est en temps de crise, toutefois, que se révèlent le mieux les qualités d'un chef et le dernier chapitre de ce livre est précisément consacré à une crise.

La crise d'octobre:
une question
de leadership

Lorsque la conspiration du FLQ, en octobre 1970, aboutit finalement devant les tribunaux, on l'envisagea comme le fait d'une simple poignée de terroristes. Le déséquilibre de leurs personnalités et leur idéalisme naïf inspiraient plus de pitié que de terreur. Peu armés et mal organisés, ils ne mettaient pas, de toute évidence, la sécurité du Canada en danger. Mais la série d'événements extraordinaires qu'ils avaient provoqués constitua, durant une courte période, une menace explosive. Le Canada fut emporté dans une crise qui bouleversa le gouvernement Trudeau, renversa les priorités nationales, secoua le gouvernement du Québec de façon telle que plusieurs observateurs s'attendaient à son effondrement et causa la suppression des libertés civiles.

Comment fut-il possible à un groupe aussi restreint de personnes animées d'une idéologie révolutionnaire superficielle de causer tant de dommages dans le **Royaume** pacifique du Canada? Qui portait donc la responsabilité d'avoir ainsi perdu tout contrôle des événements? L'histoire commença lorsque le terrorisme frappa le Québec en 1963. Une douzaine d'adolescents et d'aventuriers entreprirent une campagne pour le séparatisme en posant des bombes et en lançant des coktails Molotov contre les arsenaux fédéraux. Ils se nommaient le Front de libération québécois et obéissaient à un immigrant belge qui avait appris les méthodes de la guerilla durant la résistance à l'occupation allemande au cours de la Deuxième guerre mondiale. La police découvrit rapidement cette conspiration mais la graine de violence avait été semée. Pendant que l'on coffrait les chefs du FLQ, d'autres fabriquaient les bombes qui leur permettraient de poursuivre leur campagne. Ce fut le modèle des années subséquentes alors que les vagues du FLQ se succédèrent — sous le nom qui demeura, le Front de libération du Québec.

Même si les terroristes ne furent toujours que peu nombreux, ils s'attiraient énormément de publicité. On associa un autre but au séparatisme, soit la révolution sociale. Fidel Castro devint le héros révolutionnaire du jour et l'Algérie fournit le modèle d'un mouvement victorieux de libération nationale. Le radicalisme étudiant devint plus violent aux Etats-Unis et les ghettos noirs étaient balayés par des émeutes. Trudeau fit remarquer en 1968: « Je suis peut-être moins inquiet maintenant de ce qui va arriver au-dessus du mur de Berlin que je ne le suis de ce qui pourrait survenir à Chicago, New York et peut-être dans nos grandes villes canadiennes. »

Au Québec, l'escalade de la violence se poursuivit au cours des années soixante. Les bombes furent plus dommageables et plus sophistiquées. Sept personnes furent tuées et plusieurs autres blessées. De nouveaux mouvements prirent naissance pour manifester en faveur des causes populaires tout en servant d'écran et d'agence de recrutement pour le FLQ. Le maire de Montréal, M. Jean Drapeau et le président du Conseil exécutif, M. Lucien Saulnier, lancèrent l'avertissement que quelques membres de la Compagnie des jeunes Canadiens utilisaient les fonds publics pour promouvoir la révolution.

Trudeau était tellement furieux de la violence dans les rues, en 1969, qu'il menaça de mettre la clef dans la porte du réseau français de Radio-Canada si ce dernier semblait devoir encourager les séparatistes. Au début de 1970, la police découvrit un complot destiné à enlever le consul d'Israël à Montréal. Quelques mois plus tard, une descente dans un chalet des Laurentides permit de découvrir des plans orchestrant l'enlèvement du consul des Etats-Unis et la séquestration du diplomate jusqu'à l'obtention d'une rançon politique.

Il n'aurait donc pas dû y avoir de surprise lorsque le FLQ mit finalement son plan à exécution, le 5 octobre 1970. Quatre hommes se rendirent à la résidence de l'attaché commercial britannique, James Cross, à Montréal à l'heure du petit déjeuner, et l'enlevèrent à la pointe du fusil. Cela n'aurait pas dû être un choc mais ce fut un réveil brutal. Malgré sa prémonition de la violence urbaine, en 1968, et sa connaissance des événements du Québec, Trudeau n'était pas prêt à faire face à cette urgence. Un gouvernement qui se piquait de tenter de trouver des solutions aux problèmes avant qu'ils ne se transforment en crises n'avait aucun plan pour répondre à cette crise très bien annoncée.

Parce qu'un diplomate étranger était impliqué ce n'était pas un crime ordinaire dont devaient s'occuper les organismes chargés d'appliquer la loi sous le gouvernement provincial. Le gouvernement fédéral était responsable en vertu d'une convention internationale, de la sécurité de Cross et l'affaire relevait donc du ministre des Affaires extérieures, Mitchell Sharp.

Quelques minutes à peine après l'enlèvement de Cross, un groupe de travail d'urgence était formé. Des dirigeants et fonctionnaires du ministère des Affaires extérieures, du bureau du Premier ministre, de la GRC et d'autres ministères concernés se rassemblèrent dans le nouveau Centre des opérations, dans le bloc est sur la colline parlementaire. Ce centre mis sur pied par le ministère des Affaires extérieures pour la « gestion en temps de crise » est constitué d'une grande salle d'information et de bureaux prêts pour occupation immédiate, tous reliés par téléphone, radio et câbles avec les bureaux canadiens à l'étranger, le bureau du Premier ministre, les agences de presse et, pour cette crise, avec le gouvernement du Québec. C'est ici que l'on reçut la première demande de rançon du FLQ au milieu de l'après-midi du 5 octobre, comprenant cette liste extravagante de demandes: (1) Aucune descente ou enquête de la police; (2) La publication du manifeste du FLQ à la une des principaux journaux du Québec et sa diffusion à la télévision au meilleur temps d'antenne; (3) La libération de prison de 20 membres du FLQ — ceux qu'on appelait les « prisonniers politiques » — afin que ces derniers accompagnés de leurs familles puissent fuir le Canada; (4) Un avion qui les transporterait à Cuba ou en Algérie; (5) Des emplois pour les « gars de Lapalme » — des conducteurs de camions postaux qui avaient perdu leur emploi lorsque le ministère des Postes avait changé d'entrepreneurs —; (6) $500,000 en lingots d'or; (7) Le nom de l'informateur qui avait permis de démanteler la dernière cellule du FLQ.

M. Sharp informa les Communes de l'enlèvement de Cross mais déclara prudemment que les raisons de ce geste n'étaient pas tout à fait claires. Pendant ce temps le Premier ministre du Québec, Robert Bourassa, se préparait à partir pour New York où il devait convaincre des financiers que sa province était un endroit sûr pour investir des capitaux et il était satisfait de laisser l'affaire Cross entre les mains de M. Sharp et du ministre de la Justice, Jérôme Choquette.

Aucun des deux gouvernements ne savait à quoi s'en tenir au cours des premières heures. Cet enlèvement était-il le fait d'un coup d'étudiants? La demande de $500,000 indiquait-il qu'il s'agissait de l'œuvre d'une main criminelle plutôt que d'une entreprise politique? A quoi s'attendrait le gouvernement britannique? Un autre communiqué des terroristes permit d'établir qu'il s'agissait effectivement du FLQ et de nouvelles questions se posèrent. Le secrétaire d'Etat, Gérard Pelletier, a écrit dans un livre intitulé **La Crise d'Octobre**: « Il était nécessaire d'évaluer la nature et l'étendue de la menace que le FLQ et ses sympathisants représentaient pour l'autorité légitime des gouvernements, pour la confiance du peuple et, de façon générale, pour le climat politique et social de la province de Québec. »

L'évaluation commença lorsque Trudeau convoqua ses principaux ministres au niveau politique, à une réunion spéciale du cabinet, tôt le mardi matin, puis téléphona au Premier ministre Edward Heath, à Londres, et au Premier ministre Bourassa, à Québec.

Au cours de la période des questions, cet après-midi-là aux Communes, il était assis nonchalamment détournant les questions de l'Opposition et cognait impatiemment ses lunettes sur son pupitre avant de quitter la

Chambre en vitesse pour une réunion du cabinet au complet. On s'affairait à décider de la stratégie à adopter par le gouvernement mais ces décisions devaient être prises en grande partie dans l'ignorance. Pelletier admet qu'il y avait à l'intérieur du cabinet: « une large part de naïveté » parce que « personne ne pouvait croire qu'une telle chose puisse se produire ici ». Quelle était l'envergure du FLQ? Personne ne le savait à coup sûr. De combien d'armes disposait-il? Des fusils avaient été volés et des milliers de livres de dynamite étaient disparues de chantiers de construction au cours des dernières années.

Trois grandes voies s'ouvraient à Trudeau et au cabinet: (1) Ils pouvaient refuser toute négociation ou marchandage avec le FLQ. Mais cela pouvait condamner Cross à mort alors que le gouvernement était dans l'obligation de le sauver. « A partir du premier moment j'étais convaincu qu'il ne fallait pas répondre brutalement de façon à ne pas humilier le FLQ qui aurait pu se laisser aller à un acte désespéré », écrit Pelletier. (2) Ils pouvaient espérer sauver Cross en acceptant les demandes y compris la libération des dits prisonniers politiques. Mais ce serait là reconnaître le FLQ comme une puissance parallèle au Canada, ayant le pouvoir de renverser les jugements des Cours. Et cela ouvrirait la voie à d'autres groupes terroristes ou criminels qui voudraient tenter la même chose. (3) Ils pouvaient faire un compromis. Tout en décidant privément de ne pas se plier aux principales demandes ayant trait à la libération des prisonniers ils pourraient rechercher une entente négociée.

La troisième voie était la plus facile, particulièrement dans ce climat incertain et ils la choisirent. A ce moment il était trop tard pour présenter la délicate déclaration aux Communes avant l'ajournement de 6.00 p.m. et M. Sharp informa les chefs d'opposition de la situation et leur fit savoir qu'il ferait une déclaration à 8.00 p.m.

Assez curieusement la tension de la crise ne s'était pas communiquée aux Communes ou au public qui se précipite habituellement vers la colline parlementaire lorsque s'y déroulent des événements excitants. C'était une soirée particulièrement chargée selon le calendrier des événements mondains: Trudeau devait recevoir les députés et leurs épouses au 24 rue Sussex.

Lorsque M. Sharp fit son entrée à la Chambre des Communes un peu après 8.00 p.m. il fut dans l'obligation de causer et de faire des blagues avec le président de la Chambre jusqu'à ce qu'un nombre suffisant de députés se présentent pour reprendre la séance. M. Sharp lut alors sa déclaration d'une voix forte en résumant les différents points de la demande de rançon et en ajoutant: « Il est clair que ces demandes ne sont pas raisonnables et leurs auteurs ne devaient certainement pas s'attendre à ce qu'elles soient acceptées. Je n'ai pas besoin de vous dire que nous ne nous conformerons pas à ces demandes. Je continue, toutefois, de croire et d'espérer qu'une base soit trouvée afin de permettre le retour en sécurité de M. Cross. En effet j'espère que les ravisseurs trouveront le moyen d'établir la communication afin de réaliser cela. »

Le gouvernement canadien venait d'ouvrir officiellement les négociations avec le FLQ. Il ne prenait pas cette position rigide et inconditionnelle que certaines personnes associèrent plus tard à Trudeau. Il offrit plutôt de négocier une entente avec une bande de terroristes.

Mais cette offre de négocier était-elle authentique ou ne servait-elle qu'à gagner du temps parce que la frénétique enquête policière était déjà en marche? Est-ce qu'Ottawa tendait un piège aux ravisseurs? Non: Trudeau a déclaré depuis que l'offre était authentique et Pelletier a catégoriquement nié toute intention machiavélique.

Au Centre d'opérations, les officiers en fonction se préparèrent à attendre la réponse du FLQ et à Montréal, le lendemain, le ministre de la Justice Choquette plaida lui aussi en faveur de négociations. Il dénonça le terrorisme au nom de la population et lança: « Il y a le cas de M. Cross en tant qu'être humain. Les gouvernements sont prêts à examiner tous les moyens de sortir de l'impasse. »

Le FLQ était prêt à négocier. Un autre communiqué fut publié demandant comme preuve de bonne foi: (1) La diffusion du manifeste; (2) La fin des descentes de police. La demande de $500,000 avait été abandonnée. M. Sharp répondit que le gouvernement était prêt à faire les arrangements pour que le manifeste soit diffusé « mais nous devons avoir l'assurance que, sans formuler de conditions inacceptables, Cross sera libéré en bonne santé . . . comme première étape j'invite ceux qui détiennent M. Cross à nommer une personne avec laquelle les autorités pourraient négocier en toute confiance pour faire les arrangements qui conduiront à la rapide libération de M. Cross. » Le FLQ refusa catégoriquement: un communiqué réitéra les deux demandes en disant: « Nous rejetons cette idée de médiateur; nous allons continuer d'établir nos communications à notre façon en évitant les pièges tendus par la police fasciste. » Ottawa recula et ordonna que le manifeste soit lu sur les ondes de Radio-Canada.

Des sources fédérales affirmèrent que c'était un geste peu significatif parce que le manifeste avait déjà été publié

348

dans les journaux et qu'il s'agissait de toutes façons d'un document stupide. « Le manifeste ne révéla rien », écrit Pelletier. « Toute sa propagande était basée sur des faits bien connus. Mais à cause des circonstances dramatiques qui entourèrent la diffusion, le FLQ obligea une importante partie de la population à écouter des choses qui pour la plupart avaient été dites depuis longtemps. » C'était de la propagande efficace, rédigée dans un langage populaire et faisant appel aux revendications sociales et économiques plutôt qu'au séparatisme. La lecture commença: « Le Front de libération du Québec n'est pas un messie ou un Robin des Bois moderne. C'est un groupe de travailleurs québécois qui ont décidé d'utiliser tous les moyens pour s'assurer que le peuple du Québec prenne le contrôle de son destin. » Le manifeste identifiait les « big bosses » du système capitaliste — Steinberg, Bronfman, Molson et les autres — et rejetait les politiciens du revers de la main: « Drapeau le chien, Bourassa le laquais des Simard et Trudeau la "tapette" . . . ».

« Aux quatre coins du Québec, que ceux qui ont été traités, avec mépris, de Français pourris et d'alcooliques commencent à combattre de leur mieux contre les ennemis de la liberté et de la justice et empêchent les fraudeurs et les voleurs professionnels, les banquiers, les hommes d'affaires, les juges et les politiciens vendus de faire du mal.

« Nous sommes les travailleurs du Québec et continuerons jusqu'à la fin. Nous voulons remplacer cette société d'esclaves par une société libre qui fonctionnera par elle-même et pour elle-même; une société ouverte au monde. »

Pelletier admit que le peuple s'identifiait au manifeste: « Qui ne souhaite pas, lorsqu'il reçoit une sommation de la police ou compare sa paye brute avec le total net de son chèque, donner une bonne râclée aux autorités ou proférer quelques insultes propices à un ministre ou à un autre? L'insolence des injures proférées à l'**endroit** d'hommes publics encouragea l'auditeur ou le téléspectateur à des pensées de cette sorte en se disant au fond que M. Trudeau ou le maire Drapeau "l'ont eu en pleine face". »

Les membres du FLQ devaient certainement penser qu'ils venaient de remporter une victoire. Lorsque les ravisseurs de Cross partirent finalement pour Cuba, ils laissèrent derrière eux des cassettes enregistrées dans lesquelles ils discutaient de leurs tactiques et les transcriptions comprenaient un extrait dans lequel ils se réjouissaient de ce que la diffusion du manifeste leur ait valu beaucoup de sympathie: « Pour la première fois, les patriotes du Front ont réussi à s'exprimer en pénétrant dans tous les foyers, grâce à Radio-Canada . . . Ils communiquaient pour la première fois . . . En leur faisant lire notre manifeste, eh bien, disons que ça a brassé les choses . . . »

Ça brassa effectivement les choses. Le magazine radical « **The Last Post** » publié à Montréal, indiquait un peu plus tard: « Un sondage des opinions exprimées au cours des émissions radiophoniques de ligne ouverte des stations françaises populaires à Montréal, a démontré que la grande majorité des interlocuteurs ont condamné les actes du FLQ mais plus de 50 p. cent ont appuyé l'esprit du manifeste. Un journaliste de la CBC a fait un sondage en face d'une église canadienne-française après la messe de 11.00 et a découvert que l'on condamnait presque unanimement les actions du FLQ mais que la moitié des gens interrogés exprimaient leur sympathie pour certains aspects du manifeste. Des journaux estudiantins s'affirmèrent en faveur du FLQ, certains en faisant montre de sérieuses réserves au niveau des tactiques, d'autres sans réserves. »

Les députés libéraux commencèrent à réaliser que le FLQ commençait à plaire dangereusement aux mécontents parmi leurs électeurs de la classe ouvrière grâce à l'aide de radicaux dans les médias d'information qui étaient sympathiques aux objectifs révolutionnaires des terroristes sinon à leurs méthodes.

Pendant ce temps le FLQ n'avait rien perdu. Il détenait encore Cross et les négociations se poursuivaient. Le gouvernement fit des déclarations et les terroristes répliquèrent par des communiqués. Les deux côtés manœuvraient pour obtenir l'avantage. « Nous faisions de nombreux efforts pour tenter d'analyser tout ce qui provenait d'eux », de dire Claude Roquet, un haut fonctionnaire du ministère des Affaires extérieures chargé de diriger le groupe de travail durant la crise.

« Il y avait des indices dans plusieurs de leurs communiqués que la cellule appelée "Cellule de libération" n'était pas pressée d'abattre M. Cross. Le gouvernement avait déjà posé certains gestes, comme la diffusion de ce qu'ils appelaient leur manifeste. Les délais fixés pour la vie de M. Cross s'écoulèrent sans incident et l'on s'aperçut graduellement que ces gens désireraient peut-être se prévaloir d'une chance de se sortir de la situation dans laquelle ils s'étaient placés. »

Pelletier est encore plus complaisant en ce qui touche cette période: « En bref la question n'était pas réglée; loin de là. Mais l'on pouvait espérer qu'après quelques semaines de changement d'une position à l'autre un compromis était possible. » On offrit bientôt ce compromis.

Au moment de la dernière échéance fixée par le FLQ pour l'exécution de Cross, à 18.00, le samedi 9 octobre, cinq jours après l'enlèvement, Choquette se présenta à la télévision porteur d'une déclaration conciliante et d'une proposition. « Mon sentiment en est un de réconciliation sociale, d'acceptation du changement, d'abolition de l'ambiguïté et de la méfiance, et de ralliement de tous les Québécois, malgré nos divergences d'opinions, autour d'un idéal commun ... Je comprends que c'est en vertu d'une conception particulière de la société que les auteurs de l'enlèvement ont agi. Mais ils ne peuvent imposer cette conception à la majorité par la violence ou le meurtre, qui ne pourrait que la discréditer à jamais. Sans céder malgré des pressions indues, malgré même des pressions dangereuses, les "autorités en place", comme vous dites, n'ignorent pas qu'il y a des zones de mécontentement et que l'injustice existe ... Le gouvernement du Québec est un gouvernement tourné vers la réforme. Il est profondément préoccupé de la justice sociale pour tous les citoyens et plus particulièrement les plus défavorisés. Par conséquent, la proposition que je vous soumets maintenant est de vous demander de tenir compte de notre bonne foi et de notre désir d'examiner objectivement les injustices de notre société. »

Choquette poursuivit en offrant plusieurs concessions en retour de la libération de Cross: (1) Les prisonniers dits politiques ne pourraient être relâchés mais pourraient bénéficier, s'il y avait lieu, d'une libération conditionnelle; (2) Les prétendus terroristes attendant leur procès seraient jugés avec clémence; (3) Les ravisseurs pourraient bénéficier d'un sauf-conduit pour sortir du Canada ou, s'ils le préféraient d'une garantie de clémence devant les cours. « Nous élevant au-dessus de toute considération individuelle, nous devons construire une société qui s'occupe efficacement de justice et de liberté », déclara le ministre de la Justice à la fin émotive de son message. « Messieurs, vous avez un rôle à jouer dans cette question si vous le choisissez. »

C'était significatif qu'un ministre québécois, au lieu de Sharp, à Ottawa, parlait maintenant au nom des deux gouvernements. Choquette parlait de toute évidence à la population du Québec ainsi qu'aux ravisseurs. Il se disait implicitement d'accord avec ceux qui avaient sympathisé avec le manifeste du FLQ selon lequel de graves injustices sociales devaient être corrigées au Québec. Il reconnaissait aussi tacitement le FLQ comme faisant partie du processus politique au Québec et l'invitait à changer de tactique en se joignant au débat démocratique et à la prise de décision. C'était une offre remarquable de pardonner et d'oublier, de légitimer un mouvement qui s'était engagé dans la violence et le meurtre.

Le gouvernement Trudeau, de son côté, acceptait de passer par-dessus la loi et de permettre aux ravisseurs de quitter le Canada en liberté.

Si le FLQ avait accepté le compromis à ce stade, ou s'il avait pu tenir encore quelques semaines, comme Pelletier l'espérait, en tentant d'obtenir quelques autres concessions, il aurait obtenu un succès significatif. En plus de répandre sa propagande et de se gagner une attention favorable au Québec, il avait réussi à rapprocher deux gouvernements, à ridiculiser la police et à prouver qu'il était au-dessus de la loi. Les gouvernements provincial et fédéral n'avaient pas agi avec fermeté à ce stade mais avec un désir de compromis.

Mais la cellule de libération qui s'était emparée de Cross n'eut pas la chance de mesurer son succès. Un autre bande de terroristes, la cellule Chénier fit son entrée en scène. Ils avaient apparemment eu des discussions avec certains membres de la cellule de libération des mois auparavant relativement à la possibilité d'une opération d'enlèvement mais s'étaient par la suite séparés et avaient perdu contact. Lorsque Cross fut enlevé les membres de la cellule Chénier étaient au Texas, désireux, semble-t-il, d'acheter des armes afin d'organiser des vols pour ramasser de l'argent. Ils entendirent la nouvelle de l'enlèvement à la radio et firent demi-tour vers le Canada afin de participer à la révolution. Ils choisirent Pierre Laporte, le ministre québécois du Travail et de l'Immigration, âgé de 49 ans, comme victime et établirent des plans pour l'enlever. Aussitôt qu'ils entendirent Choquette refuser de libérer les hommes du FLQ en prison, ils se dirigèrent en automobile vers la résidence de Laporte et l'enlevèrent.

L'enlèvement de Laporte changea tout. Cross était un Britannique, un diplomate, un pion pour lequel le Canadien français moyen pouvait éprouver une certaine sympathie mais non un sentiment fraternel. Laporte était un Québécois connu de milliers de personnes, une figure populaire dans le parti libéral, un membre de la communauté assez restreinte de politiciens canadiens-français dans laquelle tout le monde se connaît et ou les relations vont au-delà des lignes de partis.

Par exemple, Michel Chartrand, le chef ouvrier révolutionnaire de Montréal, qui ne cacha jamais sa sympathie pour le FLQ, était un ancien confrère de classe, ami et allié politique de Trudeau. Pendant la guerre, ils firent campagne ensemble pour Jean Drapeau lorsqu'il était candidat politique contre la conscription dans les forces armées avant de devenir le maire conservateur de Montréal. Plus tard, Chartrand tenta de persuader Trudeau

354

de devenir chef du parti socialiste CCF au Québec et il demanda quelques fois à son ami d'accompagner sa femme dans des réunions politiques surchauffées afin de lui tenir lieu de garde du corps. Mme Chartrand partageait à cette époque un bureau avec Gérard Pelletier, alors un travailleur de la JSCL. Le troisième occupant était un jeune avocat appelé Daniel Johnson qui devait devenir chef de l'Union nationale et Premier ministre du Québec.

Les divergences politiques divisèrent le groupe et ils furent des opposants tenaces bien avant la crise d'octobre 1970. Mais la leçon est que la politique au Québec est presque une affaire de famille, et lorsque Laporte fut enlevé, ce fut tout à coup la guerre civile à l'intérieur de la famille.

Le Premier ministre était encore à New York, pour affaires, ce samedi-là, espérant que le brouillard se lèverait pour qu'il puisse se rendre à Boston où il devait poser avec Edward Kennedy pour une photo publicitaire. Mais le brouillard était tenace et R. Bourassa s'envola pour Montréal au beau milieu de la crise Laporte.

A 9 h., le matin suivant, un dimanche, la cellule Chénier fit parvenir son premier communiqué: « Face à la persistance des autorités en place de ne pas se conformer aux exigences du FLQ et en conformité avec le plan 3 établi plus tôt en prévision d'un tel refus . . . ». Laporte venait d'être enlevé et serait exécuté à 20 h. le même soir à moins que les sept demandes originaires du FLQ ne soient satisfaites. Il semble que c'était faux en partie: il n'y avait pas de plan 3 et la bande Chénier n'était pas en contact avec la cellule de libération. Mais ça revêtait tous les aspects d'un complot majeur pour le public et les autorités. Qu'arriverait-il maintenant? Qui serait enlevé ou tué?

Bourassa s'installa à l'hôtel Reine-Elizabeth où il pouvait se réunir sous bonne garde avec ses collègues du cabinet. Des bulletins radiophoniques furent diffusés contenant toutes sortes de spéculations conçues dans l'excitation. La peur commençait à s'emparer de quelques-uns. Comme Hugh MacLennan, l'auteur bien connu des « **Deux Solitudes** », le rappela dans un article du magazine Maclean's, sa femme et lui se trouvaient à leur chalet et dormaient chacun à son tour, « comme ce fut le cas de plusieurs milliers d'autres personnes ce soir-là de façon que l'un des deux soit éveillé si une voiture remplie de jeunes hommes masqués était arrivée au chalet ». Même le chef du Parti Québécois, René Lévesque aurait demandé la protection de la police, selon Bourassa.

Le signe le plus évident de l'atmosphère qui régnait à Montréal ce dimanche après-midi fut donné par Claude Ryan, le directeur nationaliste de l'influent journal **Le Devoir.** Il convoqua ses principaux collègues à une réunion afin de discuter de la situation et le groupe développa trois idées principales quant à ce qui pouvait survenir. Dans la « terrible confusion » ressentie par les autorités politiques, Bourassa pourrait: (1) Abandonner sous la pression de Trudeau à Ottawa et de Drapeau et Saulnier à Montréal de façon qu'on invoque la Loi des mesures de guerre et que le gouvernement fédéral prenne la responsabilité de résoudre la crise québécoise; (2) Perdre le contrôle de son gouvernement et être forcé de former un « gouvernement provisoire » composé des meilleurs hommes de tous les partis politiques provinciaux et de quelques personnalités politiques de différents milieux; (3) Rechercher une solution négociée avec le FLQ et émerger de la crise avec un gouvernement uni et confiant — même si ce gouvernement devait être « renforcé ».

Une semaine après l'enlèvement de Cross, une journée après celui de Laporte, le rédacteur en chef le plus influent du Québec considérait la situation comme tellement grave qu'il croyait à la possibilité qu'un gouvernement de coalition d'urgence puisse être nécessaire. Il n'était pas question de dire non au chantage. Les concessions déjà faites au FLQ étaient considérées comme faisant partie de la « ligne dure ».

On craignait toutefois que le gouvernement élu du Québec puisse refuser de faire un arrangement avec les terroristes pour sauver les otages. Il n'y eut évidemment jamais de conspiration pour former un gouvernement provisoire au Québec. Il y avait simplement de la spéculation à l'effet que ça pourrait devenir nécessaire. Lorsque les hypothèses de Ryan parvinrent aux oreilles d'Ottawa on ne crut pas qu'il s'agissait de la preuve d'un complot. Cela confirma simplement l'opinion de longue date de Trudeau que la démocratie ne s'était pas encore enracinée au Québec. Il avait exposé ses opinions avec une franchise brutale dans un article, en 1958, intitulé « Quelques obstacles à la démocratie au Québec »: « Si je devais citer tous les éléments de preuve que les Canadiens français ne croient fondamentalement pas en la démocratie et que de façon générale ni la chaire, ni l'Assemblée législative, ni la presse ne font beaucoup pour inspirer cette croyance, "j'épuiserais le temps et empiéterais sur l'éternité". »

Plus tard, au cours de la crise, un compte rendu publié dans le « Toronto Star », dont l'information était tirée d'ailleurs, fit valoir que la Loi des mesures de guerre avait été invoquée en raison d'un complot pour établir un gouvernement provisoire au Québec. Mais ce n'était pas le cas. Enquêtant sur cette affaire, un correspondant de CBC, Larry Zolf, journaliste et passionné d'histoire politique, écrivit un texte (jamais utilisé en ondes) expliquant ce qui trottait dans l'esprit de Trudeau et de ses conseillers. Le principal adjoint de Trudeau, Marc Lalonde, et son attaché de presse, Roméo Leblanc, eurent l'occasion d'examiner le texte qui peut donc être considéré comme un document sérieux. Zolf écrit entre autres: « Dans un sens le Premier ministre Trudeau estime que la démocratie au Québec fait face aux mêmes dangers qui menaçaient la France dans les années 30 lorsque les pressions du Front populaire à gauche et celles des fascistes à droite produisirent l'effondrement des démocrates du centre. Ce que les proches de Trudeau semblent lire de nos jours c'est l'œuvre de William Shirer: "L'effondrement de la troisième république" et les mémoires de Macmillan et d'Eden sur la faillite de la volonté des démocraties européennes durant la crise de Munich. Les gens de Trudeau estiment que c'est dans ce genre de contexte qu'il faut voir les activités de Ryan. Le rassemblement par Ryan des élites de gauche à l'intérieur du mouvement ouvrier et coopératif du Québec aurait pu conduire au rassemblement des élites autoritaires et conservatrices du Québec. Au centre, coincé inexorablement, on aurait retrouvé Bourassa, son gouvernement libéral et le processus de la démocratie au Québec. Il y avait aussi une certaine inquiétude que le jeune Bourassa et plusieurs de ses jeunes ministres qui n'ont pas connu les crises de la démocratie comme la guerre civile d'Espagne et la chute de la Troisième république, pourraient se laisser conduire sur une mauvaise voie par le genre de confusion que répandait, peut-être sans le savoir, Claude Ryan. »

Pendant que Trudeau réfléchissait à l'instabilité politique du Québec dans sa retraite du lac Harrington et que Ryan spéculait sur les possibilités d'un gouvernement provisoire, ce dimanche — le lendemain de l'enlèvement de Laporte — Bourassa confrontait son cabinet. Les ministres étaient, évidemment, divisés; tout groupe de personnes entreprendra une discussion avec des idées différentes. Et c'était une discussion particulièrement horrifiante. Ils parlaient de la vie d'un collègue et, pour plusieurs, d'un ami. La question devint encore plus difficile et dramatique lorsque le FLQ révéla à 4h.45 le contenu d'une lettre personnelle pathétique de Laporte à Bourassa. « Tu as le pouvoir de disposer de ma vie », écrivait Laporte. « Si c'était la seule question et si ce sacrifice pouvait produire de bons résultats, on pourrait y songer mais nous faisons face à une escalade bien organisée qui ne prendra fin qu'avec la libération des "prisonniers politiques". Après moi il y en aura un troisième, puis un quatrième et un vingtième. Si tous les hommes politiques sont protégés, ils frapperont ailleurs, dans d'autres classes de la société. Il faut agir maintenant afin d'éviter un bain de sang et une panique inutile. » Ecrivant présumément sous la menace d'un revolver pointé sur sa tête Laporte plaida qu'il était le seul soutien d'une nombreuse famille et de parents et la lettre pitoyable se terminait ainsi: « Décide ... de ma vie ou de ma mort. Je m'en remets à toi et te remercie. » Soumis à cette nouvelle pression, Bourassa décida qu'il était essentiel que son cabinet soit unanime ou presque sur toute action à prendre. Et il était prêt à prendre le temps nécessaire pour obtenir l'appui complet de ses ministres. Son message diffusé ce soir-là était uniquement un effort pour gagner du temps. Il fit remarquer des anomalies dans les demandes du FLQ, demanda des

359

garanties avant les négociations, comme quoi les otages seraient remis en liberté et parla vaguement d'établir des mécanismes.

Pendant ce temps il avait eu un long entretien téléphonique avec Trudeau au lac Harrington. Selon sa propre version — confirmée par Trudeau et sans rien qui puisse inciter à penser le contraire — il demanda à Trudeau de tenir des troupes en alerte si nécessaire et de se préparer à invoquer la Loi des mesures de guerre afin de fournir des pouvoirs d'urgence. « C'était le Québec qui avait le pouvoir de décider et nous avons décidé », déclara plus tard Bourassa. Trudeau encourageait certainement Bourassa à ne pas céder aux demandes de libération des prisonniers, mais il n'était pas anxieux d'invoquer la Loi des mesures de guerre avec ses pouvoirs très étendus, de suspendre les libertés civiles et d'établir en fait un Etat policier.

Le cabinet québécois continua à débattre son problème hideux jusqu'au mercredi lorsqu'il sembla y avoir un accord. Pendant ce temps les journaux multipliaient les nouvelles sur ce qu'ils qualifiaient de division désastreuse au sein du gouvernement. Bourassa a toujours nié qu'il y ait eu une division fondamentale. De toute manière aucun ministre n'a démissionné, ce qui était en soi remarquable, compte tenu de l'atmosphère et des pressions de la crise et aucun politicien n'est venu depuis ce temps contredire la version du Premier ministre.

Mais si l'opinion se polarisait au cabinet, elle paraissait errer à l'extérieur. Les deux cellules du FLQ maintenaient leur barrage de communiqués, livrés particulièrement aux stations radiophoniques — le médium que Marshall McLuhan aurait certainement recommandé comme le plus efficace pour cultiver l'anticipation, communiquer l'excitation et la crainte. La presse était dans un état d'excitation continuelle, accumulant les manchettes fondées sur des rumeurs. Robert Lemieux, le médiateur choisi par le FLQ, tenait presque sa conférence de presse quotidienne. Le chef ouvrier Chartrand faisait de son mieux pour soulever la foule et Pierre Vallières, le théoricien felquiste et auteur de **« Nègres blancs d'Amérique »,** prenait une part active dans le déroulement des événements avec son camarade révolutionnaire Charles Gagnon. La police effectuait 200 descentes par jour afin de découvrir les otages ou d'accumuler des indices sur la conspiration. Le FRAP, une coalition de candidats de gauche aux prochaines élections de Montréal, refusa de condamner le FLQ tandis que Québec-Presse, le journal ouvrier radical, s'associa aux objectifs des terroristes tout en refusant les méthodes. Trudeau entendit parler de l'un des vieux amis de sa famille qui était trop effrayé pour se rendre au magasin et demeurait enfermé à clef dans son appartement de Québec.

En revenant du lac Harrington vers Ottawa, en voiture, Trudeau remarqua en traversant la vallée de la Gatineau, au Québec, que les enfants qui attendaient les autobus scolaires étaient accompagnés de leurs parents qui présumément leur tenaient lieu de gardiens contre une quelconque menace. De telles observations commencèrent à modeler les opinions. Les députés libéraux faisaient part de la détresse et de la confusion des gens de leur comté et constataient aussi un changement d'attitude du public: les terroristes commençaient à être vus comme des Robin des Bois, ridiculisant joyeusement la police, frustrant les gouvernements et poursuivant ce qui, après tout, apparaissait comme la cause juste de la réforme sociale. A Toronto, le Premier ministre Robarts indiqua l'esprit du Canada anglais: « C'est la guerre totale ». Des soldats gardaient déjà les édifices de la colline parlementaire et les résidences des politiciens à Ottawa, afin de prévoir tout enlèvement, tandis que plusieurs milliers d'autres se préparaient à se rendre à Montréal à la demande de Bourassa.

Dans cette atmosphère où les signes alarmants d'hystérie se multipliaient, Ryan, le nationaliste, et Lévesque, le séparatiste, des chefs ouvriers qui penchaient déjà vers la gauche radicale et plusieurs autres modeleurs de l'opinion publique émergèrent soudainement comme une force nouvelle et puissante dans les affaires québécoises. Ils convoquèrent une conférence de presse et publièrent une déclaration accordant un appui complet à Bourassa s'il voulait négocier « l'échange des deux otages contre les prisonniers politiques ». Présentée sous forme d'appui au gouvernement Bourassa, la déclaration faisait pression pour que le Premier ministre soit plus conciliant envers le FLQ; elle constituait également une répudiation de toute intervention d'Ottawa dans ce que l'on disait être les affaires du Québec. S'il y avait jamais eu d'occasion pour créer un gouvernement provisoire pour faire face à la crise, les hommes qui s'étaient joints à Lévesque et à Ryan pour signer la déclaration en auraient de toute évidence fait partie.

Seulement deux semaines plus tôt on considérait le FLQ comme un groupe marginal de fanatiques et Lévesque et les séparatistes du Parti Québécois avaient été les extrémistes dans l'éventail de la politique québécoise. Maintenant avec le FLQ qui formait un autre extrême, Lévesque apparaissait comme se dirigeant vers le centre, une force pour la paix et pour la stabilité. C'était la vision que l'on avait d'Ottawa.

Trudeau s'était tenu loin de la presse; il se plaignit à l'effet que « la principale chose que le FLQ essaie de gagner c'est une publicité fantastique » et il ne voulait pas lui-même leur en fournir encore davantage. Lorsqu'il se fit coincer par deux journalistes de télévision à l'extérieur des Communes il se laissa cependant entraîner dans un argument sur l'utilisation des troupes pour des fins de sécurité à Ottawa et déclara: «Eh bien, il y a beaucoup de gens au cœur saignant qui n'aiment pas voir des gens armés et casqués. Tout ce que je peux dire c'est que leur cœur peut continuer à saigner parce qu'il est plus important de sauvegarder la loi et l'ordre dans une société que de s'inquiéter des faibles au cœur tendre... Je pense que la société doit prendre tous les moyens à sa disposition pour se défendre contre l'émergence d'un pouvoir parallèle qui défie le pouvoir élu dans ce pays et je pense que cela va aussi loin qu'il le faut. »

Ça alla bientôt jusqu'à l'envoi de troupes à Montréal, à la demande de Bourassa, afin de garder les édifices publics en remplacement de la police et d'offrir une présence rassurante à la population. Paradoxalement, les soldats avaient été formés pour protéger la paix et rétablir l'ordre dans des pays troublés. Qui aurait pu s'imaginer qu'ils auraient à protéger la paix dans le Canada pacifique? Mais leur entraînement porta fruit et rares furent les incidents entre la population et les soldats.

La police possédait maintenant quelques indices sur les ravisseurs mais la question qui se posait était de savoir si les enquêtes pourraient être complétées avant que la violence n'éclate dans les rues. Des agitateurs étaient à l'œuvre chez les étudiants, remportant un certain succès, et un ralliement de masse et une marche étaient prévus pour la soirée du jeudi 15 octobre.

Pelletier, qui passa le plus clair de son temps à Montréal afin de garder le pouls de l'opinion publique, a expliqué son point de vue: « Une de mes craintes les plus aiguës au cours de cette période de la crise était qu'un groupe d'étudiants extrémistes, croyant que le grand jour était arrivé, descendent dans les rues et créent du désordre qui, avec la fatigue de l'armée et de la police, aurait pu se terminer par des coups de feu. J'ai peut-être cédé à une tendance alarmiste; pourtant ce scénario avait été joué assez souvent qu'il n'était pas nécessaire d'argumenter pour le croire plausible. » La tragédie de l'université de Kent au cours de laquelle des gardes nationaux, pris de panique, avaient fait feu sur les étudiants était à l'esprit de plusieurs.

La révolte des étudiants parisiens qui avait balayé la Ville lumière en mai 1968 et avait pratiquement renversé de Gaulle était de fraîche mémoire.

Alors que 3,000 personnes se rassemblaient au Centre Paul-Sauvé, à Montréal, pour entendre des discours en faveur du FLQ et lever leurs poings fermés en signe de salutation (même si les comptes rendus diffèrent quant au sérieux ou à l'enthousiasme du ralliement) Bourassa rencontrait son cabinet à Québec et émettait une nouvelle déclaration.

« Confrontés par la détérioration de la situation et la nécessité et le besoin d'assurer l'ordre public », commença-t-il, en donnant l'évaluation du problème telle que formulée par le gouvernement du Québec, « le gouvernement a décidé de donner son point de vue final dans ses négociations avec le Front de libération du Québec ». En échange de la libération de Cross et de

Laporte, on offrait deux concessions. (1) Les hommes du FLQ en prison ne seraient pas libérés mais la libération conditionnelle de cinq des 20 prisonniers qui l'avaient demandée serait « fermement recommandée » (techniquement c'était l'affaire de la Commission nationale des libérations conditionnelles) ; (2) un avion serait mis à la disposition des ravisseurs pour qu'ils s'envolent vers le pays de leur choix.

Bourassa demanda au FLQ de lui donner une réponse dans les six heures et des mesures étaient déjà prises pour faire face à un refus. A Ottawa, Trudeau et son cabinet avaient accepté d'invoquer la Loi des mesures de guerre si nécessaire et l'on procédait à la rédaction de règlements rendant le FLQ illégal et permettant à la police et à l'Armée de procéder à des arrestations sans mandat de même qu'à des détentions et à des perquisitions sans mandat.

Sans nouvelle du FLQ à 3 h. a.m., délai fixé par Bourassa, un assistant commis du Conseil privé, J. L. Cross, s'assura une note de bas de page dans l'histoire en se rendant à Rideau Hall pour réveiller le gouverneur général Roland Michener afin de lui demander de signer une proclamation à l'effet qu'un « état d'insurrection appréhendée » existait — la raison qui permettait de recourir à la Loi des mesures de guerre.

Avant l'aube, en ce matin du vendredi 16 octobre, la police pénétra dans les résidences en plusieurs points du Québec afin d'arrêter les gens soupçonnés d'avoir quelque contact avec le FLQ. Les principaux suspects avaient sans doute fait l'objet de vérifications au cours des 10 jours précédents et la police ne fonctionnait maintenant que sur des soupçons et il n'y a aucun doute que des injustices furent commises. Avant la fin de cette descente générale, plus de 400 personnes avaient été emprisonnées, un nombre beaucoup plus important que ne l'avait prévu Ottawa.

La plupart furent rapidement relâchés après interrogatoire, peu d'accusations furent portées et on signala quelques cas de brutalité policière.

Aux Communes, ce vendredi matin-là, Trudeau produisit des lettres de Bourassa, Drapeau et Saulnier, de Montréal, ainsi que du directeur de la Sûreté du Québec, Maurice Saint-Pierre, demandant des pouvoirs d'urgence. Mais quel que fût l'avis du Québec, le gouvernement était finalement responsable du geste et Trudeau s'excusa presque dans son discours. Il reconnut que les pouvoirs imposants accessibles en vertu de la Loi des mesures de guerre étaient excessifs et promit de les remplacer par une loi plus restrictive. Il sympathisa à l'avance avec ceux qui protesteraient contre la suspension des libertés civiles. Et il reconnut aussi qu'il tombait peut-être dans un piège: « C'est une technique révolutionnaire bien connue d'essayer de détruire la société par des moyens injustifiés de façon à conduire les autorités à adopter des attitudes inflexibles. Les révolutionnaires se servent alors de cet exemple d'autoritarisme allégué pour justifier la nécessité d'employer la violence dans leurs nouvelles attaques contre les structures de la société. J'implore tous les Canadiens de ne pas devenir si préoccupés de ce que le gouvernement a fait aujourd'hui qu'ils en oublient le premier acte de cette joute tragique. Ce sont les révolutionnaires qui ont joué le premier acte; ils ont choisi les bombes, le meurtre et l'enlèvement. »

Une autre manche terrible se préparait. Le lendemain soir, le FLQ annonça que Laporte avait été « exécuté » face à l'arrogance du gouvernement fédéral et de son laquais Bourassa. On retrouva le corps dans le coffre arrière d'une voiture. Les Canadiens étaient consternés. Le fait que les terroristes étaient capables d'un meurtre de sang-froid, sembla, en ce moment d'horreur, constituer la preuve que la Loi des mesures de guerre était nécessaire pour les combattre. La critique était silencieuse.

Mais après une période d'accalmie, le débat autour des mesures de guerre commença sérieusement. Il tournait autour du point central: quelle était la nature de l'insurrection appréhendée par le gouvernement et la preuve était-elle suffisante pour justifier la suspension des libertés civiles?

Lorsque la plupart des Canadiens songèrent à une insurrection ils imaginèrent une révolte armée ou au moins une lutte de guérilla. On prit pour acquis que le gouvernement avait une information secrète sur la conspiration. Des porte-parole gouvernementaux à Québec et à Ottawa en dirent assez pour accréditer cette idée.

Le ministre John Turner déclara qu'un jour la preuve serait publiée. Bourassa fit état de projets d'assassinats. Le ministre de l'Expansion économique régionale, Jean Marchand, toujours émotif et maintenant épuisé par la crise, fit des spéculations fantaisistes sur des complots conçus pour faire sauter des gratte-ciel à Montréal, pour infiltrer de hautes fonctions dans le gouvernement québécoirs et parla de milliers de terroristes armés de carabines et ayant des tonnes de dynamite en leur possession. Mais Trudeau insista à plusieurs reprises pour dire que la décision d'invoquer la Loi des mesures de guerre n'avait pas été prise à partir de renseignements secrets mais plutôt de faits connus du public. Les principales déclarations officielles de Québec et de Montréal à l'effet qu'une insurrection était appréhendée se résumaient ainsi: les enlèvements et menaces de meurtre; le fait que l'on croyait les terroristes en possession d'une importante quantité de dynamite et d'armes et « l'état de confusion » au Québec. D'autres ministres furent plus précis. Après avoir parlé d'enlèvements et de menaces de violence, Turner déclara aux Communes: « Plus inquiétant encore est le fait que nous assistons à un certain type d'érosion de la volonté publique . . . ». Le ministre des Communications, Eric Kierans dit que l'action avait été entreprise pour freiner un glissement, « vers l'auto-suffisante prophétie du terrorisme . . . Le gouvernement a démontré que le Canada n'est pas rendu au stade pré-révolutionnaire classique où les autorités sont tellement affectées par le doute d'elles-mêmes qu'elles sont incapables d'agir ». Pelletier a écrit: « Je pense que l'élément prépondérant a été la présence au Québec d'un grand nombre de sympathisants conscients ou inconscients du FLQ, autant qu'un ensemble de faits et de suppositions qui portaient à croire à la possibilité d'une insurrection — c'est-à-dire à de graves désordres civils — à Montréal en particulier. Tout comme je suis d'accord pour dire que le FLQ — du moins selon ce que nous en savons jusqu'à maintenant — ne représentait qu'une menace limitée pour nos institutions démocratiques, je suis également convaincu qu'il existait, et existe encore au Québec, comme dans la plupart des grandes villes nord-américaines, deux ou trois mille personnes qui, sans avoir de liens directs avec les terroristes du FLQ, peuvent facilement être amenées à de l'action violente (des démonstrations spontanées ou organisées qui tournent à l'émeute, à des crimes plus ou moins sérieux, le pillage, etc.). La présence de l'armée et les mesures spéciales d'urgence ont permis de prévenir une situation propice à la violence qui menaçait de se développer. » C'était une question de jugement, dit-il, et c'était la moins mauvaise des solutions à un problème pour lequel il n'y avait pas de bonne réponse.

Plusieurs critiques n'acceptèrent jamais de telles explications et même les Canadiens qui avaient appuyé Trudeau sans réserve durant la crise, et applaudi son ferme leadership contre le terrorisme durent éprouver des doutes lorsqu'on indiqua que Cross, après sa libération, le 3 décembre, aurait dit de ses ravisseurs: « C'était le cas de six enfants essayant de faire la révolution. » Lorsque la cellule Chénier fut capturée le 23 décembre, les terroristes étaient armés d'un fusil rouillé et d'un pistolet à balles blanches.

Mais si le gouvernement n'avait pas véritablement appréhendé une insurrection, pourquoi avait-il agi? Le **Last Post** écrit: « La tactique du gouvernement en était une d'attaque pré-emptée. L'hypothèse voulant qu'elle n'ait été dirigée que contre le terrorisme n'est pas forte. Elle était aussi orientée contre les séparatistes. On pouvait fort bien faire valoir quelle visait tout nationalisme québécois, de quelque type qu'il soit — et qu'elle allait également contre le maintien d'un gouvernement national fort à Québec. »

La théorie voulant que Trudeau ait conspiré pour exagérer la menace du FLQ de façon à discréditer le mouvement séparatiste démocratique devint la version véridique des faits selon l'interprétation de la gauche au Canada anglais et au Québec. Lévesque, le chef du PQ, dit que Trudeau s'était « conduit comme un manipulateur fasciste ». Ron Haggart, un journaliste très respecté, de Toronto, et Aubrey Golden, un avocat et défenseur des droits civils, firent remarquer dans leur livre

369

sur la crise, **Rumeurs de guerre,** que la plupart des gens arrêtés par la police sous le coup des pouvoirs d'urgence étaient des séparatistes sans lien connu avec le FLQ, et conclurent: « . . . la Loi des mesures de guerre ne fut que très partiellement invoquée pour combattre la violence mais en grande partie pour supprimer un mouvement politique légitime . . . ». **The Mysterious East,** publié à Fredericton, Nouveau-Brunswick, l'un des meilleurs magazines publié par des universitaires et d'autres comme alternative à la presse régulière dit: « On peut même interpréter l'action du gouvernement comme ayant été dirigée directement contre l'idée même du séparatisme, une tentative de rendre l'idée du séparatisme tellement clairement dangereuse que la grande majorité des Québécois en soient effrayés. »

Peter Newman, l'éditeur du magazine Maclean's, écrivit sur la crise en parlant d'un « Pierre Trudeau étouffant la dissidence à la pointe de la baïonnette ».

Plusieurs commentateurs et analystes dans **Canadian Forum** et ailleurs interprétèrent l'utilisation des troupes par le Fédéral et les mesures de guerre comme signifiant que même si le Québec prenait la décision démocratique de se séparer, Trudeau ne permettrait pas ce désengagement pacifique.

Les théories critiques ne résistent pas à l'analyse. Loin de vouloir salir le Parti Québécois avec le pinceau du FLQ, Trudeau et plusieurs autres ministres firent des efforts particuliers pour avertir les gens de faire la distinction entre eux afin de ne pas confondre des séparatistes démocratiques et des terroristes. Le lendemain de la proclamation de la Loi des mesures de guerre, Bryce Mackasey, un Québécois anglophone de Montréal et alors ministre du Travail, réprimanda un membre de l'Opposition pour avoir mêlé les deux groupes: « Lorsque nous tentons de faire l'équation entre le FLQ et le Parti Québécois, nous faisons une équation entre des bandits et des terroristes d'une part et un mouvement international doté d'un parti politique légitime dans ce pays d'autre part. » Trudeau fit prudemment la différence entre les deux groupes aux réseaux anglais et français de télévision. « Je fournirais tous les efforts afin de faire cette distinction pour m'assurer qu'il n'y a pas de mauvaise interprétation et aucune possibilité de penser que tous les séparatistes croient en la violence parce que quelques terroristes l'ont utilisée pour promouvoir le séparatisme, » déclara-t-il le 22 novembre 1970. « Je crois qu'il s'agit là d'une distinction très fondamentale. » Pelletier a écrit: « Il serait absurde de confondre les objectifs du FLQ et ceux du Parti Québécois . . . » Ce ne sont pas là les paroles d'un Premier ministre et d'un cabinet qui auraient tenté de confondre l'opinion publique et discréditer le PQ. Et la chaîne des événements qui ont suivi, depuis la crise, ne permet aucunement d'accréditer la théorie de la conspiration: le PQ semble plus fort plutôt que plus faible et Lévesque se dit plus confiant que jamais de prendre le pouvoir démocratiquement.

Quant à la théorie voulant que Trudeau ait donné l'avertissement qu'il ne permettrait pas une séparation pacifique, notons qu'il déclarait, le 10 novembre 1970: « J'ai souvent écrit que le pays se tient non pas par la force des armes mais par le consentement et si une partie quelconque de notre pays veut quitter le Canada, je ne crois pas que la force des armes sera utilisée pour la garder à l'intérieur du pays. On ne peut tenir une nation moderne ensemble par la force. Il faut la garder unie en montrant aux gens que leur actif, leur avenir et leur destin sont meilleurs à l'intérieur du pays que sans le pays. Parce que s'ils pensent qu'ils seront plus heureux à l'extérieur en tant qu'individus, ils partiront, mais si toute une province décide qu'elle se trouvera mieux à l'extérieur du pays, alors elle s'en détachera. »

Une critique plus pragmatique de la Loi des mesures de guerre fut que cette loi n'était pas nécessaire pour rechercher les terroristes et que cela pouvait être accompli par le travail régulier de la police selon les pouvoirs réguliers prévus par le Code criminel.

Mais la critique oublie le fait que la décision d'invoquer la Loi des mesures de guerre n'était pas basée sur la nécessité déclarée de retrouver les terroristes et de libérer les otages. Dans les lettres déposées par Trudeau aux Communes, Bourassa demandait particulièrement des pouvoirs « pour appréhender et garder sans cautionnement des individus que le procureur général du Québec avait de bonnes raisons de croire déterminés à renverser le gouvernement par la violence et d'autres moyens illégaux ... ». Drapeau et Saulnier écrirent à propos d'un «complot séditieux et une insurrection appréhendée dont les deux récents enlèvements ne constituaient que la première phase ». Le chef de police Saint-Pierre indiqua pour sa part: « Un mouvement subversif extrêmement dangereux s'est progressivement développé au Québec au cours des dernières années avec l'objectif de renverser l'Etat légitime par des moyens séditieux et éventuellement par une insurrection armée. » Ils semblaient demander des pouvoirs supplémentaires pour effectuer des arrestations dans le but de prévenir une escalade de la violence.

Si c'était là l'intention, ça fonctionna à merveille. La veille de la proclamation de la Loi des mesures de guerre c'était l'agitation au Québec. Le lendemain c'était le calme. Peut-être Eric Hoffer, le débardeur philosophe, avait-il raison lorsqu'il écrivit dans « **The True Believer** » que lorsque les masses sont induites à la révolte: « Ils ne s'élèvent pas contre les tares de l'ancien régime mais contre sa faiblesse; non pas contre son oppression mais contre sa faillite à les rassembler avec force dans un grand tout solide. La persuasion du démagogue intellectuel ne consiste pas tant à convaincre les masses de la méchanceté de l'ordre établi mais plutôt à démontrer son incompétence impuissante. » La Loi des mesures de guerre démontra que l'ordre établi du gouvernement n'était pas impuissant et contribua certainement à regrouper le peuple dans un grand tout. Les sondages démontrèrent que 85 p. cent des Canadiens approuvaient l'utilisation de pouvoirs d'urgence et plus de 80 p. cent des lettres reçues par Trudeau au cours de la crise d'octobre lui étaient favorables. On le louangea largement comme un chef national déterminé qui s'était opposé fermement au terrorisme.

Pourtant cette façon de voir les choses est presque aussi erronée que de considérer Trudeau comme un conspirateur ou un tyran. Le dossier démontre que durant la première partie de la crise, il était prêt à négocier avec le FLQ et n'offrit aucun leadership rassurant au pays. Les tactiques de négociation et de conciliation créèrent de la confusion dans l'opinion publique et le silence encouragea une grandissante tempête de spéculations. Après l'enlèvement de Laporte, l'initiative passa nécessairement aux mains de Bourassa. Trudeau pouvait l'aider et l'encourager mais il n'osa pas presser le Premier ministre à faire tout pas qui pourrait diviser le cabinet québécois.

L'effondrement ou même un affaiblissement sérieux du

gouvernement québécois dans le climat d'incertitude croissante aurait constitué un désastre. Bourassa donna le ton à cette deuxième partie de la crise et Trudeau fit ce qu'on lui demandait de faire: les deux hommes sont d'accord là-dessus. C'est pendant que le gouvernement québécois prenait la situation en main que le malaise et l'insécurité de la première semaine se transformèrent, à Montréal, en peur et en un dangereux sentiment d'instabilité dans laquelle tout pouvait arriver.

Au milieu de la deuxième semaine, on pouvait juger raisonnablement, sans toutefois pouvoir en être certain sans l'ombre d'un doute, que des émeutes pourraient éclater dans les rues conduisant à plus de violence et à une plus grave détérioration de l'autorité démocratique. La Loi des mesures de guerre constituait une manière dure mais efficace de refroidir la situation en faisant disparaître temporairement de la circulation les agitateurs en puissance et les sympathisants du FLQ et en assurant la population que les gouvernements avaient un contrôle ferme de la situation.

Mais ceci nous ramène à la question posée au début de ce chapitre: Qui était responsable du fait que les événements échappent tout à coup à presque tout contrôle? La responsabilité repose en grande partie mais non complètement sur les épaules de Trudeau. S'il avait été mieux préparé pour une crise qui aurait pu être prévue et s'il avait été mieux informé de la vraie force du FLQ, il aurait pu manifester un leadership ferme et rassurant, tôt dans la crise, et prévenir une bonne partie de l'énervante spéculation. S'il avait pris la dure décision de ne pas négocier avec les terroristes mais de les traiter comme une petite bande de criminels qui n'avaient rien à attendre du gouvernement sauf d'être pourchassés et pris, ils n'auraient pas réalisé leur victoire de propagande et provoqué un énorme tumulte politique qui ne s'est pas encore complètement apaisé au Québec. Il est vrai que Cross aurait pu être perdu mais en période de guerre — et le FLQ avait déclaré la guerre — les gouvernements doivent risquer des sacrifices.

Les autres parties qui doivent partager la responsabilité de la crise sont les moyens d'information. « Nous avons appris à manipuler les médias », écrit Abbie Hoffman, le leader Yippie américain dans son petit précis révolutionnaire « **Handbook on Revolution for the Hell of it** ». Il décrit comment quelques radicaux ont créé le mythe d'un Parti international de la jeunesse et exploité l'appétit de la télévision et de la presse pour attirer des milliers de jeunes à Chicago lors de la convention du parti démocrate, en 1968. Là, les jeunes contestataires affrontèrent la police et les médias firent la couverture de la Bataille de Chicago pour tous les Etats-Unis et à travers le monde stimulant une nouvelle vague de radicalisme.

Les médias furent manipulés au cours de la crise d'octobre. Le FLQ lança un flot de propagande rempli de menaces lugubres et d'ultimatums faisant monter la tension et fit une utilisation habile de la compétition entre les stations radiophoniques afin de s'assurer la plus grande publicité possible. Il y eut des fuites et des rumeurs d'Ottawa combinées avec l'absence d'information de base, ce qui contribua à l'excitation grandissante. Et quand il n'y avait pas de vraies nouvelles, on faisait de la spéculation afin de garder l'histoire en vie.

Les médias ne firent pas beaucoup pour éclairer les Canadiens mais servirent de publicistes voulus par le FLQ, dit John Saywell, doyen de la faculté des Arts et professeur d'histoire à l'université de York ainsi qu'analyste à la télévision, dans la préface de son livre, **Québec 70,** une narration documentaire de la crise. « Nous nous rappelons tous cette période au cours de laquelle, la presse et la radio fonctionnaient dans un état d'hystérie, en donnant les nouvelles, puis les niant puis les corrigeant officiellement; des discussions suivaient les conférences de presse, des spéculations suivaient les rumeurs ... », écrit Pelletier, et nous nous en rappelons. La fille de Cross, Susie, raconte à un interviewer sa réaction à la crise et commente amèrement: « Personne d'entre nous ne croit encore aux bulletins de presse. S'ils pouvaient raconter des petites choses que je savais fausses, pourquoi les choses importantes ne seraient-elles pas aussi fabriquées? ». Le ministre de la Justice Turner se plaignait: « ... toute l'action, en termes d'option publique était laissée à un groupe de renégats et le gouvernement avait de la difficulté à soutenir sa position », mais, il ajouta avec satisfaction, « avec la Loi des mesures de guerre tout cela est maintenant terminé ».

Les médias n'étaient évidemment pas partie à la conspiration, même si, sans aucun doute, certains journalistes sympathisaient avec le FLQ. Mais sans cette tendance de la presse, de la radio et de la télévision à l'exagération et au grossissement des faits, jamais une poignée de terroristes n'aurait réussi à plonger le Canada dans l'une des crises les plus graves de son histoire.

On ne peut mesurer complètement toutes les conséquences de la crise. Qui sait les changements qui se sont produits dans l'esprit des hommes? Mais certaines choses sont connues ou peuvent être déduites.

Le cabinet fédéral fut détourné de ses priorités pendant environ six semaines. Certaines décisions furent retardées: par exemple le programme Perspective-Jeunesse dont le plan fut mis sur les tablettes pendant quelque temps. Lorsqu'il fut finalement approuvé, il dut commencer dans un gâchis (fort embrouillé) qui lui valut beaucoup de mauvaise publicité au départ. Plus significatif fut le désir de calmer les tensions politiques au Québec par des mesures de progrès social et économique qui influencèrent des politiques majeures d'Ottawa. Lorsque l'on introduisit les mesures pour stimuler l'emploi, à l'automne 1970, on mit l'accent sur l'accroissement des dépenses au Québec et dans d'autres régions à faible croissance plutôt que sur la réduction des taxes dont le principal impact se serait fait sentir en Ontario. Mais des réductions de taxes auraient probablement été plus efficaces pour réduire le chômage au niveau national. En décembre 1970 on inclut temporairement Montréal et les régions voisines au Québec et en Ontario dans les zones éligibles à des subventions fédérales d'encouragement à la nouvelle industrie. Tout en étant utile à la région de Montréal pour réduire le taux de chômage, ce geste diluait la valeur des stimulants dans les Maritimes et ailleurs.

La crise a peut-être aussi influencé la portée de la réforme fiscale. Le livre blanc fédéral avait été attaqué sérieusement par l'Ontario qui avait obtenu l'appui du Québec et d'autres provinces. Ottawa était prêt à un certain moment à faire face aux provinces et à aller de l'avant dans ses plans. Après la crise, on se montra moins d'accord à livrer bataille à Bourassa et cela semble avoir été un facteur qui a persuadé le cabinet d'amender sa réforme fiscale afin de satisfaire à certaines objections des provinces.

Au Parlement, on a parlé de la nécessité de créer une

loi permanente moins redoutable que la toute-puissante Loi des mesures de guerre afin de fournir des pouvoirs d'urgence en périodes de désordre. C'est une proposition douteuse parce que la particularité positive de la Loi des mesures de guerre est précisément de constituer une mesure draconienne que le gouvernement doit hésiter à invoquer. Une petite loi pratique qui permettrait de ne suspendre que quelques libertés pourrait être trop attrayante. Trudeau suggéra, en juin 1971, une approche, peut-être meilleure, lorsqu'il demanda aux provinces d'accepter d'inscrire les droits politiques fondamentaux dans la constitution. La charte prévoyait que le gouvernement pourrait limiter les droits si la chose s'avérait nécessaire, afin de protéger la sécurité publique et nationale, entre autres choses. Mais selon le ministre Turner, ce serait alors aux cours à déterminer si le gouvernement était suffisamment justifié d'agir. Si la charte avait été en vigueur en octobre 1970, on aurait pu demander aux cours de décider si le gouvernement avait des motifs suffisants pour suspendre les droits civils et de les rétablir s'il n'y avait pas de preuves suffisantes d'une insurrection appréhendée mettant en danger l'ordre et la sécurité.

Le Québec n'accepta pas la charte pour des raisons tout à fait différentes mais la proposition de Trudeau ne devrait pas demeurer lettre morte chez ceux qui prétendirent que la crise lui avait enlevé tout droit d'être considéré comme un défenseur des libertés civiles.

Finalement, la crise changea l'image publique de Trudeau mais il reste à voir si à long terme elle l'aura rendue plus ou moins populaire. Mais peu après qu'il invoqua la Loi des mesures de guerre on lui demanda s'il avait dû faire face à une grande lutte de conscience et

378

il fit ce qui pourrait bien être une allusion prophétique. « Dans mon esprit l'importance pour les mouvements démocratiques de ne pas craindre de prendre des mesures extraordinaires afin de préserver la démocratie a toujours été établie tant intellectuellement qu'émotionnellement. Donc je n'ai pas eu, de quelque manière, à peser le pour et le contre du genre de lutte qui se livre entre Créon et Antigone, dans la fameuse pièce de Sophocle, à propos de ce qui est le plus important entre l'Etat et l'individu. La démocratie doit se préserver.

Trudeau se référait à la tragédie grecque classique, Antigone, dans laquelle Créon est le gouvernant de Thébès et parle pour l'Etat. « Le pouvoir montre l'homme », dit-il, en insistant pour dire qu'il doit faire respecter la loi à tout prix — même au point d'ordonner que sa nièce, Antigone, soit emmurée dans une caverne lorsqu'elle défie son autorité. Il pense qu'il agit pour le mieux en adoptant des mesures fortes mais les dieux ne sont pas d'accord et lui infligent de nombreux déboires. On le voit pour la dernière fois dans la pièce, pleurant:

« . . . tout ce que je peux toucher
Tombe — tombe — tout autour de moi, et de là-haut
Descend le destin intolérable. »

Trudeau aurait pu choisir un précédent plus réconfortant que celui-là sur lequel se fier pour invoquer la Loi des mesures de guerre.

* * *

Epilogue

La Crise d'octobre fut de loin l'événement le plus révélateur au cours de cette rétrospective des années Trudeau et on peut y puiser la scène qui permettra de tirer le rideau.

On demanda à Trudeau, peu après qu'il eut invoqué la Loi des mesures de guerre s'il avait été en proie à de graves problèmes de conscience dans sa prise de décision et il répondit: « Dans mon esprit l'importance pour des mouvements démocratiques de ne pas craindre de prendre des mesures extraordinaires afin de sauvegarder cette démocratie a toujours été établie, tant émotionnellement qu'intellectuellement. Donc je n'ai pas eu à soupeser de quelque façon le type de lutte qui se déroule entre Créon et Antigone, dans la fameuse pièce de Sophocle à propos de ce qui est le plus important, l'Etat ou l'individu. La démocratie doit se préserver. »

Trudeau se référait à la tragédie grecque classique, Antigone, dans laquelle Créon, le chef de Thèbes, parle pour l'Etat. « La puissance montre l'homme », dit-il, insistant qu'il doit maintenir l'ordre à tout prix et faire respecter la loi allant même jusqu'à ordonner que sa nièce, Antigone, soit ensevelie lorsqu'elle défia son autorité.

« ... *tout ce que je peux toucher s'effondre — tombe — tout autour de moi, et au-dessus de ma tête le destin intolérable descend.* »

Il pensait qu'il avait agi dans le meilleur des intérêts de l'Etat, mais les dieux n'étaient pas d'accord et il fut rapidement conduit au désastre.

Trudeau avait choisi de citer un curieux précédent. Mais dans notre démocratie ce sont les électeurs qui sont les dieux en période d'élections. Il s'agissait maintenant pour eux de décider si le paradoxe révélait une vérité ou simplement la confusion.

Achevé d'imprimer sur les presses de
L'IMPRIMERIE ELECTRA
pour
LES EDITIONS DE L'HOMME LTÉE

Ouvrages parus
chez les Éditeurs du groupe Sogides

Ouvrages parus aux
ÉDITIONS
DE L'HOMME

ENCYCLOPEDIES

Encyclopédie de la maison québécoise, M. Lessard et H. Marquis, **6.00**

Encyclopédie des antiquités du Québec, M. Lessard et H. Marquis, **6.00**

Encyclopédie des oiseaux du Québec, Earl Godfrey, **6.00**

Encyclopédie du jardinier horticulteur, W. H. Perron, **6.00**

La bibliothèque du MONDE NOUVEAU

Une culture appelée québécoise, Giuseppe Turi, **2.00**

Pour une radio civilisée, Gilles Proulx, **2.00**

Un peuple oui, une peuplade jamais, Jean Lévesque, **3.00**

HISTOIRE • BIOGRAPHIES • BEAUX-ARTS

Blow-up des grands de la chanson au Québec, M. Maillé, **3.00**

Camillien Houde, H. Larocque, **1.00**

Ce combat qui n'en finit plus, A. Stanké et J.-L. Morgan, **3.00**

Charlebois, qui es-tu, R. L'Herbier, **3.00**

Chroniques vécues des modestes origines d'une élite urbaine, H. Grenon, **3.50**

Conseils à ceux qui veulent bâtir, A. Poulin, arch., **2.00**

Des hommes qui bâtissent le Québec, en collaboration, **3.00**

Félix Leclerc, J.-P. Sylvain, **2.50**

Fête au village, P. Legendre, **2.00**

«J'aime encore mieux le jus de betterave», A. Stanké, **2.50**

Juliette Béliveau, D. Martineau, **3.00**

La Bolduc, R. Benoît, **1.50**

La France des Canadiens, R. Hollier, **1.50**

La mort attendra, A. Malavoy, **1.00**

La vie orageuse d'Olivar Asselin, (2 tomes), A. Gagnon, **1.00** chacun (Edition de luxe), **5.00**

Le drapeau canadien, L.-A. Biron, **1.00**

Le Fabuleux Onassis, C. Cafarakis, **3.00**

Le vrai visage de Duplessis, P. Laporte, **2.00**

Les Canadians et nous, J. de Roussan, **1.00**

Les Acadiens, E. Leblanc, **2.00**

Les trois vies de Pearson,
J.-M. Poliquin et J. Beal, **3.00**

L'imprévisible Monsieur Houde,
C. Renaud, **2.00**

Michèle Richard raconte Michèle Richard,
M. Richard, **2.50**

Napoléon vu par Guillemin,
H. Guillemin, **2.50**

Notre peuple découvre le sport
de la politique, H. Grenon, **3.00**

On veut savoir, L Trépanier,
(4 tomes), **1.00** chacun

Prague, l'été des tanks,
En collaboration, **3.00**

Premiers sur la lune,
N. Armstrong, M. Collins, E. Aldrin, **6.00**

Prisonnier à l'Oflag 79, Maj. P. Vallée, **1.00**

Québec 1800, En collaboration, **15.00**

Rescapée de l'enfer nazi,
R. Charrier (Madame X), **1.50**

Riopelle, G. Robert, **3.50**

Un Yankee au Canada, A. Thério, **1.00**

LITTERATURE (romans, poésie, théâtre)

Amour, police et morgue, J.-M. Laporte, **1.00**

Bigaouette, Raymond Lévesque, **2.00**

Bousille et les justes, G. Gélinas, **2.00**

Candy, Southern & Hoffenberg, **3.00**

Ceux du Chemin taché, A. Thério, **2.00**

De la Terre à la Lune, J. Verne, **1.50**

Des bois, des champs, des bêtes,
J.-C. Harvey, **2.00**

Dictionnaire d'un Québécois,
C. Falardeau, **2.00**

Ecrits de la taverne Royal,
En collaboration, **1.00**

Gésine, Dr R. Lecours, **2.00**

Hamlet, prince du Québec, R. Gurik, **1.50**

"J'parle tout seul quand j'en narrache",
E. Coderre, **1.50**

La mort d'eau, Y. Thério, **2.00**

Le malheur a pas des bons yeux,
R. Lévesque, **2.00**

Le printemps qui pleure, A. Thério, **1.00**

L'Ermite, T. L. Rampa, **3.00**

Le roi de la Côte Nord, Y. Thério, **1.00**

Le vertige du dégoût, E. Pallascio-Morin **1.00**

L'homme qui va, J.-C. Harvey, **2.00**

Les cents pas dans ma tête, P. Dudan, **2.50**

Les commettants de Caridad,
Y. Thériault, **2.00**

Les mauvais bergers, A. Ena Caron, **1.00**

Les propos du timide, A. Brie, **1.00**

Les temps du carcajou, Y. Thériault, **2.50**

Les vendeurs du temple, Y. Thériault, **2.00**

Marche ou crève Carignan, R. Hollier, **2.00**

Mes anges sont des diables,
J. de Roussan, **1.00**

Montréalités, A. Stanké, **1.50**

Ni queue ni tête, M.-C. Brault, **1.00**

Pays voilés, existences, M.-C. Blais, **1.50**

Pomme de pin, L. Pelletier-Dlamini, **2.00**

Pour entretenir la flamme,
T. L. Rampa, **3.00**

Pour la grandeur de l'Homme,
C. Péloquin, **2.00**

Prix David, C. Hamel, **2.50**

Tête Blanche, M.-C. Blais, **2.50**

Ti-Coq, G. Gélinas, **2.00**

Toges, bistouris, matraques et soutanes,
En collaboration, **1.00**

Topaz, L. Uris, **3.50**

Un simple soldat, M. Dubé, **1.50**

Valérie, Y. Thériault, **2.00**

LINGUISTIQUE

Améliorez votre français, J. Laurin, **2.50**

L'anglais par la méthode choc,
J.-L. Morgan, **2.00**

Le langage de votre enfant,
C. Langevin, **2.50**

Les verbes, J. Laurin, **2.50**

Mirovox, H. Bergeron, **1.00**

Petit dictionnaire du joual au français,
A. Turenne, **2.00**

Savoir parler, R. Salvator-Catta, **2.00**

RELIGION

L'abbé Pierre parle aux Canadiens,
Abbé Pierre, **1.00**

Le chrétien en démocratie,
Abbés Dion et O'Neil, **1.00**

Le chrétien et les élections,
Abbés Dion et O'Neil, **1.50**

L'Eglise s'en va chez le diable
G. Bourgeault, s.j., J. Caron, ptre
et J. Duclos, s.j. **2.00**

LE SEL DE LA SEMAINE (Fernand Seguin)

Louis Aragon, 1.00
François Mauriac, 1.00
Jean Rostand, 1.00

Michel Simon, 1.00
Han Suyin, 1.00
Gilles Vigneault, 1.00

LOISIRS

Apprenez la photographie avec
Antoine Désilets, 3.50

Bricolage, J.-M. Doré, **3.00**

Camping-caravaning, en collaboration, **2.50**

Cinquante et une chansons à répondre,
P. Daigneault, **2.00**

Guide du Ski, Québec 72,
en collaboration, **2.00**

J'ai découvert Tahiti, J. Languirand, **1.00**

Jeux de société, L. Stanké, **2.00**

Informations touristiques: LA FRANCE,
en collaboration, **2.50**

Informations touristiques: LE MONDE,
en collaboration, **2.50**

Juste pour rire, C. Blanchard, **2.00**

La technique de la photo, A. Desilets, **3.50**

L'hypnotisme, J. Manolesco, **3.00**

Le guide de l'astrologie, J. Manolesco, **3.00**

Le guide de l'auto (1967), J. Duval, **2.00**

(1968-69-70-71), 3.00 chacun

Course-Auto 70, J. Duval, **3.00**

Le guide du judo (technique au sol),
L. Arpin, **3.00**

Le guide du judo (technique debout),
L. Arpin, **3.00**

Le Guide du self-défense, L. Arpin, **3.00**

Le jardinage, P. Pouliot, **3.00**

Les cabanes d'oiseaux, J.-M. Doré, **3.00**

Les courses de chevaux, Y. Leclerc, **3.00**

Les techniques du jardinage, P. Pouliot, **5.00**

Origami, R. Harbin, **2.00**

Trucs de rangement No 1, J.-M. Doré, **3.00**

Trucs de rangement No 2, J.-M. Doré, **3.00**

« Une p'tite vite! », G. Latulippe, **2.00**

Vive la compagnie!, P. Daigneault, **2.00**

PSYCHOLOGIE PRATIQUE • SEXOLOGIE

Comment vaincre la gêne et la timidité,
R. Salvator-Catta, **2.00**

Complexes et psychanalyse,
P. Valinieff, **2.50**

Cours de psychologie populaire,
En collaboration, **2.50**

Développez votre personnalité, vous
réussirez, S. Brind'Amour, **2.00**

En attendant mon enfant,
Y. P. Marchessault, **3.00**

Hatha-yoga, S. Piuze, **3.00**

Helga, F. Bender, **6.00**

Interprétez vos rêves, L. Stanké, **3.00**

L'adolescent veut savoir,
Dr L. Gendron, **2.00**

L'adolescente veut savoir,
Dr L. Gendron, **2.00**

L'amour après 50 ans, Dr L. Gendron, **2.00**

La contraception, Dr L. Gendron, **2.00**

La dépression nerveuse,
En collaboration, **2.50**

La femme et le sexe, Dr L. Gendron, **2.00**

La femme enceinte, Dr R. Bradley, **2.50**

L'homme et l'art érotique,
Dr L. Gendron, **2.00**

La maman et son nouveau-né,
T. Sekely, **2.00**

La mariée veut savoir, Dr L. Gendron, **2.00**

La ménopause, Dr L. Gendron, **2.00**

La merveilleuse histoire de la naissance,
Dr L. Gendron, **3.50**

La psychologie de la réussite,
L.-D. Gadoury, **1.50**

La relaxation sensorielle,
adaptation de P. Gravel, **3.00**

La sexualité, Dr L. Gendron, **2.00**

La volonté, l'attention, la mémoire,
R. Tocquet, **2.50**

Le mythe du péché solitaire,
J.-Y. Desjardins et C. Crépault, **2.00**

Le sein, En collaboration, **2.50**

Les déviations sexuelles, Dr Y. Léger, **2.50**

Madame est servie, Dr L. Gendron, **2.00**

Les maladies psychosomatiques,
Dr R. Foisy, **2.00**

Pour vous future maman, T. Sekely, **2.00**

Quel est votre quotient psycho-sexuel?,
Dr L. Gendron, **2.00**

Qu'est-ce qu'un homme?,
Dr L. Gendron, **2.00**

Qu'est-ce qu'une femme?,
Dr L. Gendron, **2.50**

Teach-in sur la sexualité,
En collaboration, **2.50**

Tout sur la limitation des naissances,
M.-J. Beaudoin, **1.50**

Votre écriture, la mienne et celle des
autres, F.-X. Boudreault, **1.50**

Votre personnalité, votre caractère,
Y.-B. Morin, **2.00**

Vos mains, miroir de la personnalité,
P. Maby, **3.00**

Yoga, santé totale pour tous,
G. Lescouflair, **1.50**

Yoga Sexe, Dr L. Gendron, S. Piuze, **3.00**

SCIENCES NATURELLES

La taxidermie, J. Labrie, **2.00**

Les mammifères de mon pays,
J. St-Denys Duchesnay et R. Dumais, **2.00**

Les poissons du Québec,
E. Juchereau-Duchesnay, **1.00**

SCIENCES SOCIALES • POLITIQUE

A.B.C. du marketing, A. Dahamni, **3.00**

Bourassa-Québec, R. Bourassa, **1.00**

Connaissez-vous la loi?, R. Millet, **2.00**

Dynamique de Groupe, J. Aubry, s.j., et
Y. Saint-Arnaud, s.j., **1.50**

Drogues, J. Durocher, **2.00**

Egalité ou indépendance, D. Johnson, **2.00**

F.L.Q. 70: OFFENSIVE D'AUTOMNE,
J.-C. Trait, **3.00**

La Bourse, A. Lambert, **3.00**

La cruauté mentale, seule cause du
divorce?, Dr Y. Léger et
P.-A. Champagne, avocat, **2.50**

La loi et vos droits,
P.-E. Marchand, avocat, **4.00**

La nationalisation de l'électricité,
P. Sauriol, **1.00**

La prostitution à Montréal, T. Limoges, **1.50**

La rage des goof-balls,
A. Stanké et M.-J. Beaudoin, **1.00**

Le budget, En collaboration, **3.00**

L'Etat du Québec, En collaboration, **1.00**

L'étiquette du mariage, M. Fortin-Jacques
et J St-Denys-Farley, **2.50**

Le guide de la finance, B. Pharand, **2.50**

Le savoir-vivre, N. Germain, **2.50**

Le savoir-vivre d'aujourd'hui,
M. Fortin-Jacques, **2.00**

Le scandale des écoles séparées en
Ontario, J. Costisella, **1.00**

Le terrorisme québécois, Dr G. Morf, **3.00**

Les bien-pensants, P. Berton, **2.50**

Les confidences d'un commissaire d'école,
G. Filion, **1.00**

Les hippies, En collaboration, **3.00**

Les insolences du Frère Untel,
Frère Untel, **1.50**

Les parents face à l'année scolaire,
En collaboration, **2.00**

Option Québec, R. Lévesque, **2.00**

Scandale à Bordeaux, J. Hébert, **1.00**

Ti-Blanc, mouton noir, R. Laplante, **2.00**

Une femme face à la Confédération,
M.B. Fontaine, **1.50**

Vive le Québec Libre!, Dupras, **1.00**

VIE QUOTIDIENNE • SCIENCES APPLIQUEES

Aérobix, Dr P. Gravel, **2.00**

Apprenez à connaître vos médicaments,
R. Poitevin, **3.00**

101 omelettes, M. Claude, **2.00**

Ce qu'en pense le notaire,
Me A. Senay, **2.00**

Comment prévoir le temps, Eric Neal, **1.00**

Conseils aux inventeurs, R.-A. Robic, **1.50**

Couture et tricot, En collaboration, **2.00**

Cuisine française pour Canadiens,
R. Montigny, **3.00**

Embellissez votre corps, J. Ghedin, **1.50**

Embellissez votre visage, J. Ghedin, **1.50**

En cuisinant de 5 à 6, Juliette Huot, **2.00**

Exercices pour rester jeune, T. Sekely, **2.00**

Fondues et flambées de maman Lapointe,
S. Lapointe, **2.00**

Guide de premiers soins, J. Hartley, **3.00**

Hors-d'oeuvre, salades et buffets froids,
L. Dubois, **2.00**

L'art de vivre en bonne santé,
Dr W. Leblond, **3.00**

La cellulite, Dr G.-J. Léonard, **3.00**

Le charme féminin, D. M. Parisien, **2.00**

La chirurgie plastique esthétique,
Dr A. Genest, **2.00**

La conquête de l'espace, J. Lebrun, **5.00**

La cuisine canadienne avec la farine
Robin Hood, **2.00**

La cuisine chinoise, L. Gervais, **2.00**

La cuisine de Maman Lapointe,
S. Lapointe, **2.00**

La cuisine en plein air,
H. Doucet-Leduc, **2.00**

La cuisine italienne, Tommy Tomasso, **2.00**

La dactylographie, W. Lebel, **2.00**

La décoration intérieure, J. Monette, **3.00**

La femme après 30 ans, N. Germain, **2.50**

La femme émancipée,
N. Germain et L. Desjardins, **2.00**

La médecine est malade, Dr L. Joubert, **1.00**

La météo, A. Ouellet, **3.00**

La retraite, D. Simard **2.00**

La/Le secrétaire bilingue, W. Lebel, **2.50**

La sécurité aquatique, J.-C. Lindsay, **1.50**

Leçons de beauté, E. Serei, **2.50**

Le guide complet de la couture,
L. Chartier, **3.50**

Le tricot, F. Vandelac

Le Vin, P. Pétel, **3.00**

Les Cocktails de Jacques Normand,
Jacques Normand, **2.00**

Les grands chefs de Montréal et leurs
recettes, A. Robitaille, **1.50**

Les greffes du coeur, En collaboration, **2.00**

Les médecins, l'Etat et vous,
Dr R. Robillard, **2.00**

Les recettes à la bière des grandes
cuisines Molson, M.-L. Beaulieu, **2.00**

Les recettes de Maman Lapointe,
S. Lapointe, **2.00**

Les soupes, C. Marécat, **2.00**

Madame reçoit, H. Doucet-LaRoche, **2.50**

Mangez bien et rajeunissez, R. Barbeau, **2.00**

Médecine d'aujourd'hui,
Me A. Flamand, **1.00**

Poids et mesures, L. Stanké, **1.50**

Pourquoi et comment cesser de fumer,
A. Stanké, **1.00**

Recettes « au blender », J. Huot, **3.00**

Regards sur l'Expo, R. Grenier, **1.50**

Régimes pour maigrir, M.-J. Beaudoin, **2.50**

Savoir se maquiller, J. Ghedin, **1.50**

Soignez votre personnalité, Messieurs,
E. Serei, **2.00**

Tenir maison, F. Gaudet-Smet, **2.00**

36-24-36, A. Coutu, **2.50**

Tous les secrets de l'alimentation,
M.-J. Beaudoin, **2.50**

Vins, cocktails, spiritueux, G. Cloutier, **2.00**

Vos cheveux, J. Ghédin, **2.50**

Vos dents, Drs Guy Déom et
P. Archambault, **2.00**

Vos vedettes et leurs recettes,
G. Dufour et G. Poirier, **3.00**

SPORTS

La natation, M. Mann, 2.50

La pêche au Québec, M. Chamberland, 3.00

Le baseball, En collaboration, 2.50

Le football, En collaboration, 2.50

Le golf, J. Huot, 2.00

Le ski, En collaboration, 2.50

Le tennis, W.-F. Talbert, 2.50

Les armes de chasse, Y. Jarretie, 2.00

Monsieur Hockey, G. Gosselin, 1.00

Tous les secrets de la chasse,
M. Chamberland, 1.50

Tous les secrets de la pêche,
M. Chamberland, 2.00

TRAVAIL INTELLECTUEL

Dictionnaire de la loi, R. Millet, 2.00

Dictionnaire des affaires, W. Lebel, 2.00

Dictionnaire économique et financier,
E. Lafond, 4.00

Dictionnaire en 5 langues, L. Stanké, 2.00

PUBLICATIONS RÉCENTES OU À PARAÎTRE PROCHAINEMENT

Les insolences d'Antoine, A. Desilets, 3.00

La 13e chandelle, T. L. Rampa, 3.00

Ouvrages parus a L'ACTUELLE

Aaron, Y. Thériault, 2.50

Agaguk, Y. Thériault, 3.00

Carré Saint-Louis, J.-J. Richard, 3.00

Crimes à la glace, P.-S. Fournier, 1.00

Cul-de-sac, Y. Thériault, 3.00

Danka, M. Godin, 3.00

D'un mur à l'autre, P.-A. Bibeau, 2.50

Et puis tout est silence, C. Jasmin, 3.00

Feuilles de thym et fleurs d'amour,
M. Jacob, 1.00

La fille laide, Y. Thériault, 3.00

La marche des grands cocus,
R. Fournier, 3.00

Le Bois pourri, A. Maillet, 2.50

Le dernier havre, Y. Thériault, 2.50

Le domaine Cassaubon (prix de l'Actuelle
1971), G. Langlois, 3.00

Le dompteur d'ours, Y. Thériault, 2.50

Le jeu des saisons,
M. Ouellette-Michalska, 2.50

Les demi-civilisés, J.-C. Harvey, 3.00

Les tours de Babylone, M. Gagnon, 3.00

Les visages de l'enfance, D. Blondeau, 3.00

L'Outaragasipi, C. Jasmin, 3.00

Mourir en automne, C. DeCotret, 2.50

N'Tsuk, Y Thériault, 2.00

Porte silence, P.-A. Bibeau,

Requiem pour un père, F. Moreau, 2.50

Tayaout, fils d'Agaguk, Y. Thériault, 2.50

PUBLICATIONS RÉCENTES OU À PARAÎTRE PROCHAINEMENT

22,222 milles à l'heure, G. Gagnon, **1.00**

Porte sur l'enfer, M. Vézina, **1.00**

Ouvrages parus aux PRESSES LIBRES

Ariâme ... Plage nue, P. Dudan, **3.00**
Aventures sans retour, C.-J. Gauvin, **3.00**
A votre santé, Dr L. Boisvert, **2.00**
Comment devenir vedette, J. Beaulne, **3.00**
Des Zéroquois aux Québécois,
  C. Falardeau, **2.00**
Guide des caresses, P. Valinieff, **3.00**
L'amour, 6.00
L'amour humain, R. Fournier, **2.00**
L'anti-sexe, J.-P. Payette, **3.00**
La négresse blonde aux yeux bridés,
  C. Falardeau, **2.00**
L'assimilation, pourquoi pas?
  L. Landry, **2.00**
La Terre a une taille de guêpe,
  P. Dudan, **3.00**
La voix de mes pensées, E. Limet, **2.50**
Le bateau ivre, M. Metthé, **2.50**
Le couple sensuel, Dr L. Gendron, **2.00**
Le Franco-Fun Kébecwa, F. Letendre, **2.50**
Le rêve séparatiste, L. Rochette, **2.00**
Les salariés au pouvoir!, Le Frap, **1.00**
Le séparatisme, non! 100 fois non,
  Comité Canada, **2.00**

Les cent positions de l'amour,
  H. Benson, **3.00**
Les Incommuniquants, Léo LeBlanc, **2.50**
Les joyeux troubadours, A. Rufiange, **2.00**
Les prévisions 71, J. Manolesco
  (12 fascicules) 1.00 chacun
Ma cage de verre, M. Metthé, **2.50**
Maria de l'Hospice, M. Grandbois, **2.00**
Menues, dodues, roman policier,
  par Gilan, **3.00**
Mes expériences autour du monde
  dans 75 pays, R. Boisclair, **3.00**
Mine de rien, Gilles Lefebvre, **2.00**
Plaidoyer pour la grève et contestation,
  A. Beaudet, **2.00**
Positions +, J. Ray, **3.00**
Pour une éducation de qualité au Québec,
  C.-H. Rondeau, **2.00**
Québec français ou Québec québécois,
  L. Landry, **3.00**
Teach-in sur l'avortement,
  Collège de Sherbrooke, **3.00**
Tocap, Pierre de Chevigny, **2.00**
Vous voulez cesser de fumer,
  P. Tanguay, **2.00**

Diffusion Europe

Vander, Munstraat 10, 3000 Louvain, Belgique

CANADA	BELGIQUE	FRANCE
$2.00	100 FB	12 F
$2.50	125 FB	15 F
$3.00	150 FB	18 F
$3.50	175 FB	21 F
$4.00	200 FB	24 F